D0727298

Un cadeau du ciel

Cecelia
AHERN

Un cadeau du ciel

ROMAN

*Traduit de l'anglais
par Cécile Chartres*

Titre original :
THE GIFT

Éditeur original :
HarperCollinsPublishers, 2008

© Cecelia Ahern, 2008.

Pour la traduction française :
© Flammarion, 2009.

Rocco et Jay ;
Les plus beaux cadeaux,
Tous les deux, en même temps

1

Un Noël de secrets

Si vous vous retrouviez à vous promener le long des rues enguirlandées d'une ville de banlieue tôt le matin de Noël, vous ne pourriez pas vous empêcher de remarquer combien les maisons, dans toute leur splendeur éclatante, sont semblables aux cadeaux posés sous le sapin. Avec tous les secrets qu'ils recèlent ! On a envie de les toucher et de les retourner pour percer leur mystère, de la même façon qu'on peut avoir envie d'épier discrètement par la fenêtre une famille en pleine frénésie de Noël ; un moment dérobé à l'abri des regards. Dans ce silence inquiétant et pourtant calme qui ne s'étend qu'une fois par an, en ce matin particulier, les maisons se tiennent en rang serré comme des soldats de plomb : torses bombés, ventres rentrés, fières de protéger tous ceux à l'intérieur.

Le matin de Noël, les maisons sont des coffres-forts de vérités dissimulées – les couronnes sur la porte tel un doigt posé sur les lèvres ; les stores, des yeux fermés. Puis, à un moment donné, derrière les rideaux tirés et les volets clos, une douce lueur apparaît, minuscule indice qu'il se passe quelque chose de l'autre côté. On dirait des étoiles apparaissant une par une dans le ciel nocturne, des pépites d'or surgies de la boue tamisée d'un ruisseau. Dans le clair-obscur de l'aube, les lumières s'allument derrière les rideaux et les volets. Tandis que le ciel s'emplit d'étoiles et que naissent les millionnaires, pièce par pièce, maison par maison, la rue s'éveille.

Le matin de Noël, tout est calme. Les rues vides n'inspirent aucune crainte, au contraire. Il s'en dégage une impression de sécurité et, malgré l'habituel froid de la saison, la chaleur règne. Pour diverses raisons, la plupart des gens préfèrent passer cette journée à l'intérieur. Dehors, il fait sombre. Dedans, un monde de frénésie colorée prend possession des lieux. Les papiers cadeau sont déchirés dans la joie, les rubans volent. L'atmosphère est remplie de musique de Noël, de sucre et d'épices, et de toutes sortes de délices. Les déclarations de bonheur, d'amour et de remerciements explosent comme des lâchers de confettis. Ces jours de Noël sont des jours passés au chaud ; à l'extérieur, pas le moindre pécheur errant. Même eux ont un abri ce jour-là.

Seuls ceux qui vont d'une maison à une autre peuplent les rues. Les voitures se garent, les cadeaux sont déchargés. Des acclamations de bienvenue dérivent dans l'air frais depuis des portes d'entrée ouvertes, bribes de ce qui se déroule à l'intérieur. Et vous qui êtes avec eux, vous imprégnant de toute cette joie, partageant cet accueil – vous, un parfait étranger, ayant tellement l'impression d'être invité que vous étiez prêt à franchir le seuil –, vous voilà tout à coup exclu. La porte d'entrée se referme, emprisonnant le reste de la journée. Ce bonheur n'est pas le vôtre.

Dans le quartier qui nous concerne, parsemé de maisons pareilles à des jouets, une âme court les rues. Elle ne saisit pas la beauté particulière de ces maisons refermées sur elles-mêmes et sur leurs secrets. C'est une âme belliqueuse, qui veut défaire le ruban et arracher le papier cadeau qui entoure la maison n° 24.

Ce que font les occupants du n° 24 ne nous intéresse pas vraiment. Vous tenez à le savoir ? Un bébé de dix mois, qui ne comprend pas à quoi sert cet énorme truc vert épineux scintillant dans un coin de la pièce, s'apprête à saisir une boule rouge étincelante où se reflètent une main boudinée et une bouche baveuse étrangement familières. Pendant ce temps, tel un hippopotame dans la vase, une fillette de deux ans plonge dans une mer de papier-cadeau et de paillettes. À côté, un homme enroule un collier de diamants autour du cou de sa femme, lui coupant le souffle. Surprise, elle pose la main sur sa poitrine et secoue la tête, comme les femmes dans les films en noir et blanc.

Tout cela importe peu pour notre histoire même si ça signifie beaucoup pour l'individu qui observe les rideaux tirés du n° 24, debout dans le jardin. Quatorze ans, le cœur brisé, il ne voit pas ce qu'il se passe dans le salon mais son imagination a longtemps été nourrie des pleurs de sa mère et il pense pouvoir deviner.

Il lève un bras au-dessus de la tête, prend de l'élan et jette de toutes ses forces l'objet qu'il tient à la main. Rempli d'une joie douce-amère, il voit la dinde de sept kilos fracasser la vitre du n° 24. Les rideaux tirés créent de nouveau une barrière entre lui et eux, freinant la trajectoire du volatile. Incapable de s'arrêter puisque dépourvue de vie, la dinde – suivie de ses abats – atterrit rapidement sur le parquet, glisse, virevolte et va finir sa course sous le sapin de Noël. Voilà tout ce qu'il a à leur offrir.

Les gens, comme les maisons, ont leurs secrets. Parfois, ils habitent par leurs secrets, parfois ce sont leurs secrets qui les habitent. Ils les serrent très fort dans leurs bras, refusent de voir la vérité en face. Mais au bout d'un certain temps la vérité surgit, s'élève au-dessus de tout. Elle se tortille, frétille, grandit et monopolise tous les regards. Elle fait irruption, jaillit dans les airs et va s'écraser à la face du monde. Le temps est le meilleur allié de la vérité.

Cette histoire parle de gens, de secrets, du temps qui passe. De gens qui, comme des colis, dissimulent des choses, s'enfouissent sous des montagnes de couvertures jusqu'à rencontrer la personne qui saura les mettre à nu et voir ce qui se cache à l'intérieur. Il arrive qu'il faille s'en remettre à quelqu'un pour découvrir qui on est. Ou encore qu'on soit obligé de se défaire de toutes ses couches pour arriver au noyau.

C'est l'histoire d'un homme qui découvre qui il est. Qui se laisse déballer et dont le cœur est révélé à tous ceux qui comptent. Et à qui tout ce qui est important est révélé. À temps.

2

Une matinée en demi-sourire

Le sergent Raphael O'Reilly se déplaçait lentement et méthodiquement dans la petite cuisine du commissariat de police de Howth. Il se repassait en boucle les révélations de la matinée. Raphie, comme l'appelaient les autres, avait cinquante-neuf ans. Plus qu'une année avant la retraite. Il n'avait jamais pensé avoir hâte que ce jour arrive mais les événements de ce matin l'avaient saisi par les épaules, secoué et remué dans tous les sens comme la neige dans une boule, et tout ce en quoi il croyait s'était effondré. Maintenant, à chacun de ses pas, il entendait ses convictions autrefois si solides se réduire en poussière, piétinées sous ses bottes. Quelle matinée il avait endurée ! Pourtant, dans sa carrière longue de quarante ans, il en avait vécu des moments difficiles.

Il versa deux cuillerées de café lyophilisé dans sa tasse en forme de voiture de patrouille qu'un des policiers du commissariat lui avait offerte pour Noël. Il avait fait semblant d'être vexé en la voyant mais, au fond, il la trouvait rassurante. Serrant sa tasse lors de la distribution des cadeaux, il avait été projeté cinquante ans en arrière, lors d'un Noël où ses parents lui avaient fait cadeau d'une voiture de police miniature. Voiture qu'il avait vénérée jusqu'au jour où, abandonnée toute une nuit sous la pluie, elle avait tellement rouillé qu'il avait été obligé d'envoyer ses passagers en préretraite. À présent, il était parcouru par l'envie de faire rouler sa tasse sur le plan de travail, sa bouche en guise de sirène, puis de l'envoyer percuter le paquet de sucre roux qui, en l'absence de témoins, basculerait pour se déverser dans la voiture.

Au lieu de cela, il vérifia qu'il était seul dans la cuisine et ajouta une demi-cuillerée de sucre à son café. Prenant un peu plus confiance en lui, il planta la cuillère dans le sucre et versa vite fait une énorme ration dans sa tasse, feignant une toux pour masquer le crissement du paquet. Il avait réussi à se servir deux fois et, l'âme téméraire, il plongea une nouvelle fois dans le sac.

— Lâchez votre arme, monsieur, l'interpella avec autorité une voix féminine.

Surpris par cette soudaine présence, Raphie sursauta, renversant le sucre sur le plan de travail. Un vrai désastre. Fallait prévenir les renforts.

— Je vous prends en flag, Raphie.

Jessica, sa collègue, le rejoignit et s'empressa de lui confisquer sa cuillère.

Elle prit dans le placard un mug – une tasse Jessica Rabbit, également un cadeau de Noël d'un collègue – qu'elle fit glisser jusqu'à lui. Les seins voluptueux de la pin-up vinrent effleurer la voiture de Raphie. Le petit garçon en lui imagina le bonheur de ses hommes restés à l'intérieur. Comme ce devait être bien de jouer à « trois petits chats » avec Jessica Rabbit.

— J'en veux bien un moi aussi, disait-elle. (La voix de Jessica vint interrompre ses rêveries.)

— S'il vous plaît, la corrigea Raphie.

— S'il vous plaît, répéta-t-elle en lui faisant les yeux doux.

Jessica était une nouvelle recrue, arrivée au commissariat six mois plus tôt. Raphie l'appréciait de plus en plus. Il avait un faible pour cette jeune femme blonde et athlétique d'un mètre soixante-quatre. À vingt-six ans, elle était toujours pleine de bonne volonté, quelle que soit la tâche, et se révélait compétente. Elle apportait aussi un peu d'énergie féminine dans ce commissariat entièrement masculin et Raphie avait le sentiment qu'ils en avaient bien besoin. Les autres hommes étaient d'accord avec lui, même si ce n'était pas forcément pour les mêmes raisons. Lui voyait en elle la fille qu'il n'avait jamais eue. Ou plus exactement qu'il n'avait plus. Il chassa cette pensée de son esprit et observa Jessica qui nettoyait le plan de travail.

Elle gardait ses distances en dépit de son enthousiasme. Son regard renfermait quelque chose d'insaisissable, comme si on venait de jeter une couche de terreau par-dessus des mauvaises herbes et de la pourriture qui ne tarderaient pas à refaire surface. Elle avait des yeux en amande, tellement foncés qu'ils paraissaient noirs. Ils contenaient un mystère que Raphie n'avait pas vraiment envie de découvrir, mais il savait que, quoi que ça puisse être, c'était là qu'elle puisait la force d'aller de l'avant quand la situation devenait difficile, contrairement aux gens raisonnables qui choisissaient plutôt de partir dans la direction opposée.

— Une demi-cuillerée, ça ne va pas me tuer, grommela-t-il après avoir bu une gorgée de son café.

Il manquait encore une cuillérée de sucre pour qu'il soit parfait.

— Vous avez failli mourir la semaine dernière en arrêtant cette Porsche, donc si, une demi-cuillerée de sucre, ça peut vous tuer. Vous voulez faire un autre arrêt cardiaque ?

— Un simple souffle au cœur, Jessica, répondit Raphie en rougissant. Rien de plus. Et parlez moins fort, siffla-t-il.

— Vous devriez être en train de vous reposer, continua-t-elle plus calmement.

— Le médecin a dit que tout fonctionnait normalement.

— Le médecin devrait revoir son diagnostic. Vous n'avez jamais fonctionné normalement.

— Vous ne me connaissez que depuis six mois, bredouilla-t-il.

— Les six mois les plus longs de ma vie, plaisanta-t-elle. Bon, d'accord, allons-y pour le sucre, reprit-elle avec un sentiment de culpabilité.

Elle enfonça la cuillère dans le paquet et en versa une bonne quantité dans le café de Raphie.

— Du sucre brun, du pain brun, du riz brun, tout est brun, encore brun. Je me souviens d'une époque où ma vie était en Technicolor.

— J'imagine que vous vous souvenez aussi d'une époque où vous pouviez voir vos pieds en vous penchant en avant, répondit-elle vivement.

Voulant complètement dissoudre le sucre dans la tasse de Raphie, elle tourna la cuillère tellement vite qu'un tourbillon se matérialisa au centre. Raphie l'observa, songeur. S'il plongeait dans cette tasse, où cela le mènerait-il ?

— Ne venez pas vous en prendre à moi si vous mourez en buvant ça, dit-elle en lui tendant la tasse.

— Si, je vous hanterai jusqu'à votre dernier souffle.

Elle sourit mais l'éclat ne vint pas illuminer son regard, s'évanouissant quelque part entre ses lèvres et l'arête de son nez.

Il constata que le tourbillon commençait à perdre de l'allure. S'il voulait partir dans un autre monde, il devait réagir vite car le portail disparaissait, tout comme la vapeur qui s'échappait de la boisson. Oui, ç'avait été une sacrée matinée, de celles qui laissent peu de place aux sourires. Ou peut-être que si. Une matinée en demi-sourire. Il n'arrivait pas à se décider.

Raphie prit la tasse pleine de café bouillant – noir, sans sucre, comme elle l'aimait – et la tendit à Jessica. Ils s'accoudèrent tous deux sur le plan de travail, face à face, soufflant sur leur café, les pieds bien plantés dans le sol mais la tête dans les nuages.

Il étudia Jessica, ses mains tenant fermement la tasse, les yeux plongés dans son café comme s'il s'agissait d'une boule de cristal. Il aurait bien aimé que ce soit le cas ; il aurait bien aimé avoir un don de voyance afin d'empêcher bon nombre des choses dont ils étaient témoins de se réaliser. Ses joues étaient pâles, seuls ses yeux légèrement cerclés de rouge laissaient deviner quel genre de matinée ils avaient passé, elle et lui.

— Quelle aventure, hein, le bleu ?

Ses yeux en amande s'embrumèrent mais elle se ressaisit. Elle acquiesça, avalant son café. En la voyant retenir une grimace, il comprit qu'elle s'était brûlée mais elle prit une autre gorgée, comme par défi. Elle narguait même le café.

— Lors de mon premier Noël de service, j'ai joué aux échecs avec le sergent.

— La chance ! dit-elle enfin.

— Oui, dit-il en hochant la tête, plongé dans ses souvenirs. Je ne voyais pas les choses comme ça à l'époque. J'espérais un peu d'action.

Quarante ans plus tard, son souhait avait été exaucé et il aurait voulu que ça n'ait jamais été le cas. Il aurait voulu rendre ce cadeau, se faire rembourser son temps.

— Vous avez gagné ?

Il sortit de sa torpeur.

— Gagné quoi ?

— Aux échecs.

— Non, gloussa-t-il. J'ai laissé le sergent gagner.

Elle fronça le nez.

— Moi, je ne vous aurais pas laissé gagner.

— Je n'en doute pas une seconde.

Estimant que sa boisson avait atteint la bonne température, Raphie en but une gorgée. Il porta immédiatement sa main à sa gorge, toussant et crachant, faisant semblant de mourir mais sachant pertinemment que ses efforts pour détendre l'atmosphère étaient d'un goût douteux.

Jessica leva à peine un sourcil et continua de siroter son café.

Il rit avant de laisser le silence reprendre le dessus.

— Tout ira bien, assura-t-il.

Elle acquiesça de nouveau et répondit sèchement, comme si elle le savait déjà.

— Ouais. Vous avez appelé Mary ?

— Tout de suite, dit-il en hochant la tête. Elle est avec sa sœur.

Un mensonge de saison ; un mensonge pieux pour une fête pieuse.

— Et vous, vous avez appelé quelqu'un ?

Elle fit oui de la tête mais détourna le regard, n'offrant rien de plus, n'offrant jamais rien de plus.

— Vous lui... euh... Vous lui avez raconté ? demanda-t-elle.

— Non, non.

— Vous allez le faire ?

Il regarda au loin.

— Je ne sais pas. Et vous, vous allez raconter ça à quelqu'un ?

Elle haussa les épaules, ne révélant rien, comme toujours. Elle fit un signe en direction du couloir et de la salle de détention provisoire.

— Le garçon à la dinde attend toujours.

— Quel gâchis, soupira Raphie.

De sa vie ? De son temps ? Qui sait.

— En voilà un à qui ça profiterait de savoir.

Jessica fit une pause avant de boire. Elle regarda par-dessus le bord de sa tasse et posa ses yeux en amande presque noirs sur Raphie. Sa voix était aussi inébranlable que la foi d'Abraham, tellement ferme et assurée qu'il ne lui vint pas à l'idée de mettre en doute ses paroles.

— Dites-le-lui, affirma-t-elle. On ne racontera peut-être jamais ça à qui que ce soit mais il faut au moins le lui raconter à lui.

3

Le garçon à la dinde

Raphie poussa la porte de la pièce des interrogatoires comme s'il entrait dans son salon et s'apprêtait à passer la journée sur son canapé, les doigts de pieds en éventail. Sa démarche n'avait rien de menaçant. Malgré sa taille – un mètre quatre-vingt-huit –, il ne parvenait pas à remplir l'espace, encombré par un corps trop grand pour lui. Comme d'habitude, sa tête était penchée dans une attitude contemplative et ses sourcils, inclinés selon le même angle, camouflaient ses yeux semblables à des pois. Il courbait légèrement le dos, comme s'il portait une petite carapace. En revanche, il avait une carapace bien plus grande sur son ventre. Il tenait un gobelet en polystyrène dans une main et dans l'autre sa tasse NYPD à moitié vide.

Le garçon à la dinde jeta un coup d'œil sur la tasse de Raphie.

— Sympa. Ou pas.

— Tout comme le fait de projeter une dinde à travers une fenêtre.

Le garçon sourit et se mit à mâchouiller la ficelle qui pendait de son sweat à capuche.

— Pourquoi tu as fait ça ?

— Mon père est un connard.

— J'avais compris. À tes yeux, il est loin d'être le père de l'année. Mais pourquoi une dinde ?

Il haussa les épaules.

— Ma mère m'a demandé de la sortir du congélateur, répondit-il en guise d'explication.

— Alors comment est-elle passée de ton congélateur au parquet de la maison de ton père ?

— Je l'ai portée une bonne partie du chemin. Ensuite, elle s'est envolée.

Un sourire narquois se dessina sur son visage.

— Quand aviez-vous prévu de dîner ?

— À trois heures.

— Non, quel jour. Il faut au moins vingt-quatre heures pour dégeler deux kilos et demi de dinde. La tienne pesait sept kilos. Vous auriez dû la sortir du congélateur il y a trois jours si vous aviez l'intention de la manger aujourd'hui.

— Si tu le dis, Ratatouille.

Il regardait Raphie comme s'il était fou.

— Si je l'avais remplie de bananes, j'aurais moins d'ennuis ?

— Je pose la question parce que, si tu avais sorti cette dinde du congélateur au bon moment, elle n'aurait pas été assez solide pour briser une vitre. Un jury pourrait penser que tu avais tout prévu à l'avance et, non, ça ne me paraît pas être une bonne idée de farcir une dinde avec des bananes.

— Je n'avais rien prévu à l'avance ! hurla le garçon, d'une manière qui révélait son jeune âge.

Raphie but son café et observa l'adolescent.

Lequel regarda la boisson posée devant lui et fronça le nez.

— Je ne bois pas de café.

— OK.

Raphie attrapa le gobelet en polystyrène et le vida dans sa tasse.

— Encore chaud. Merci. Alors, parle-moi de ce matin. À quoi pensais-tu, fiston ?

— À moins que vous ne soyez l'autre gros connard dont j'ai explosé la fenêtre avec une dinde, je ne suis pas votre fils. Et on est où là ? Chez le psy ou dans une salle d'interrogatoire ? Vous m'accusez de quelque chose ou pas ?

— On attend de voir si ton père va porter plainte.

— Il ne le fera pas, dit le garçon en levant les yeux au ciel. Il ne peut pas. J'ai moins de seize ans. Laissez-moi partir maintenant, ça vous évitera de perdre du temps.

— Tu m'en as déjà fait perdre pas mal.

— C'est Noël, je ne pense pas que vous ayez grand-chose à faire ici.

Il posa son regard sur le ventre de Raphie.

— À part manger des beignets.

— Tu serais surpris.

— Ça m'étonnerait.

— Un abruti de gamin a lancé une dinde à travers une fenêtre ce matin.

Il leva de nouveau les yeux au ciel et observa l'horloge sur le mur, dont les aiguilles avançaient inéluctablement.

— Où sont mes parents ?

— Ils nettoient leur parquet recouvert de gras.

— Ce ne sont pas mes parents, cracha-t-il. Elle, c'est pas ma mère. Si elle vient avec lui pour me ramener à la maison, je reste ici.

— Ça m'étonnerait qu'ils viennent te chercher, dit Raphie en fouillant dans sa poche.

Il en sortit un bonbon au chocolat. Il retira l'emballage lentement, faisant crisser le papier dans la pièce silencieuse.

— Tu as remarqué que ce sont toujours ceux à la fraise qui restent au fond de la boîte à la fin ?

Il sourit avant de mettre le bonbon dans sa bouche.

— Je parie qu'avec vous il ne reste jamais rien au fond de la boîte.

— Ton père et son amie…

— Pour info, interrompit le garçon à la dinde tout en se penchant vers le dictaphone, cette femme est une pute.

— Ils vont peut-être porter plainte.

— Mon père ne ferait pas ça, dit-il en avalant sa salive, frustré, les yeux gonflés.

— Il y pense.

— Non, c'est pas vrai, gémit le garçon. Et si c'est le cas, c'est sûrement à cause de l'autre pouffiasse.

— Tout laisse à croire qu'il le fera parce que depuis tout à l'heure il neige dans son salon.

— Il neige ?

Il écarquilla les yeux, plein d'espoir. Il semblait de nouveau un enfant.

Raphie suçait son bonbon.

— Il y a des gens qui préfèrent croquer tout de suite le chocolat ; moi, je préfère le sucer.

— Tu peux sucer ça aussi, déclara-t-il en attrapant ses parties génitales.

— Faudra que tu demandes à ton petit ami.

— Je suis pas gay, souffla le garçon. (Puis il se pencha en avant et l'enfant en lui refit surface.) Dites, allez, est-ce qu'il neige ? Laissez-moi sortir, que je puisse voir. Même par la fenêtre.

Raphie avala son bonbon et posa ses coudes sur la table. Il parla fermement.

— Des éclats de verre ont atterri sur le bébé de dix mois.

— Et alors ? ricana le garçon en se calant au fond de sa chaise.

Il avait pourtant l'air inquiet. Il se mit à mordiller un morceau de peau morte autour d'un de ses ongles.

— Il se tenait à côté du sapin de Noël, là où la dinde a fini sa course. Heureusement qu'il n'a rien. Évidemment, ce n'est pas le cas de la dinde. La dinde présente de nombreuses blessures. Peu de chances qu'elle s'en sorte.

Le garçon paraissait soulagé et troublé tout à la fois.

— Quand est-ce que ma mère vient me chercher ?

— Elle arrive.

— La fille… (Il mima une paire de seins.) … avec les gros nichons m'a dit la même chose il y a deux heures. D'ailleurs qu'est-ce qu'il lui est arrivé ? Vous avez eu une dispute d'amoureux ?

Un élan de colère s'empara de Raphie quand il entendit le garçon parler ainsi de Jessica mais il garda son calme. Ça n'en valait pas la peine. C'était à se demander si ça valait la peine de lui raconter cette histoire.

— Peut-être que ta mère conduit lentement. Les routes sont glissantes.

Le garçon prit un air songeur, parut même inquiet. Il triturait toujours le bout de peau autour de son ongle.

— La dinde était trop grosse, commença-t-il après un long silence. (Il serrait et desserrait ses poings posés sur la table.) Elle a acheté une dinde de la même taille que quand il vivait avec nous. Elle pensait qu'il allait revenir.

— Ta mère pensait que ton père allait revenir, dit Raphie comme pour confirmer.

Il hocha la tête.

— Quand je l'ai sortie du congélateur, ça m'a rendu dingue. Elle était tellement grosse.

Nouveau silence.

— Je ne pensais pas que la dinde casserait la fenêtre, poursuivit-il, plus calme, le regard au loin. Qui aurait pu penser qu'une dinde passerait à travers une vitre ?

Il regarda Raphie avec tellement de désespoir que, malgré la gravité de la situation, Raphie dut lutter pour réprimer un sourire. Pauvre garçon.

— Je voulais simplement leur faire peur. Je savais qu'ils étaient tous à l'intérieur, à jouer à la famille heureuse.

— Ce n'est plus le cas.

Le garçon ne répondit pas, mais il ne semblait plus aussi fier de lui que quand Raphie était arrivé.

— Même pour trois personnes, c'est beaucoup une dinde de sept kilos.

— Ouais, que voulez-vous que je vous dise ? Mon père est un gros connard.

« Quelle perte de temps ! » songea Raphie. Excédé, il se leva pour partir.

— La famille de papa avait l'habitude de venir dîner tous les ans, avoua le garçon, s'adressant directement à Raphie dans l'espoir qu'il resterait là. Mais cette année, ils ont décidé de ne pas venir. Bordel, cette dinde était bien trop énorme pour nous deux, répéta-t-il en secouant la tête.

Il abandonna son air de défi et changea de ton.

— Quand est-ce que ma mère sera là ?

— Je ne sais pas, répondit Raphie en haussant les épaules. Certainement quand tu auras retenu la leçon.

— Mais c'est Noël.

— Y a pas de mauvais jour pour apprendre.

— Les leçons, c'est pour les gamins.

Raphie sourit.

— Quoi ? siffla le garçon, agressif.

— Moi j'ai appris quelque chose aujourd'hui.

— Ah oui, pardon, les gamins et les débiles mentaux.

Raphie se dirigea vers la porte.

— Qu'est-ce que vous avez appris comme leçon aujourd'hui alors ? demanda le garçon rapidement.

Raphie pouvait sentir dans sa voix qu'il n'avait pas envie de rester seul. Il s'arrêta et se retourna, rempli de tristesse, d'une énorme tristesse.

— Elle m'a l'air pourrie, votre leçon.

— La plupart le sont.

Le garçon à la dinde était affalé sur la table, son sweat à capuche descendait sur une de ses épaules. Ses petites oreilles roses pointaient sous ses cheveux gras, ses joues étaient couvertes de boutons d'acné, ses yeux brillaient d'un bleu étincelant. Ce n'était qu'un enfant.

Raphie soupira. On allait certainement l'obliger à partir en préretraite s'il racontait cette histoire. Il tira une chaise vers lui et s'assit.

— Que les choses soient claires, dit Raphie. C'est toi qui m'as demandé de te raconter ça.

LE DÉBUT DE L'HISTOIRE

4

Celui qui observait les chaussures

Lou Suffern devait toujours être à deux endroits différents au même moment. Quand il dormait, il rêvait. Entre chaque rêve, il passait en revue sa journée et préparait la suivante. Évidemment, lorsque son réveil sonnait à six heures du matin, il n'avait pas le sentiment d'être reposé. Sous la douche, il répétait ses interventions et parfois, gardant un bras au sec de l'autre côté du rideau, il répondait à ses e-mails sur son Black-Berry. Il lisait le journal en petit déjeunant ; pendant que sa fille de cinq ans lui racontait des histoires à n'en plus finir, il écoutait les nouvelles du matin. Alors qu'il paraissait s'intéresser tous les jours aux progrès de son fils de treize mois, les rouages internes de son cerveau cherchaient à comprendre pourquoi il éprouvait un sentiment contraire. Quand il embrassait sa femme en quittant la maison, il pensait à une autre.

Chaque geste, mouvement, rendez-vous, acte ou pensée venait se superposer à autre chose. Dans sa voiture, en se rendant sur son lieu de travail, il se servait de son kit mains libres pour assister à une réunion. Les petits déjeuners se transformaient en déjeuner, les déjeuners en apéritifs, les apéritifs en dîners, les dîners en digestifs, les digestifs en... S'il avait de la chance, tout était possible. Ces soirs-là, quels que soient la maison, l'appartement, la chambre d'hôtel ou le bureau où il profitait de sa bonne fortune et du plaisir d'être en charmante compagnie, il parvenait à convaincre ceux qui n'auraient su partager sa joie – avant tout, sa femme – qu'il était en fait ailleurs. Pour eux, il s'était retrouvé coincé dans une réunion, dans un aéroport, dans son bureau sous une tonne de paperasse, ou dans un monstrueux embouteillage de Noël. Comme par magie, il pouvait être à deux endroits différents en même temps.

Tout se télescopait. Il était sans cesse en mouvement, devait toujours être quelque part tout en souhaitant être ailleurs, ou, mieux, pouvoir grâce à une quelconque intervention divine être à deux endroits différents au même moment. Il passait le moins de temps possible avec chaque personne mais la quittait en lui laissant l'impression que cela avait suffi. Il n'arrivait jamais en retard, il était toujours ponctuel. Dans sa vie professionnelle, il était maître du temps ; dans sa vie personnelle, il était le détenteur d'une horloge défectueuse. Il visait la perfection et pouvait déployer une énergie sans limites pour réussir. Mais il avait tellement envie d'obtenir tout ce qui figurait sur la liste infinie de ses désirs et son ambition était si forte qu'il ne se rendait pas compte que ces limites le poussaient à délaisser les personnes les plus importantes. Malheureusement, il n'avait jamais de temps à accorder à ceux qui, grâce à un simple bonjour, auraient pu lui apporter bien plus qu'un nouveau contrat.

Un mardi matin particulièrement frais, dans la zone en constante expansion des docks de Dublin, les chaussures en cuir noir de Lou, polies à la perfection, traversèrent en toute innocence le champ de vision d'un autre homme. Cet homme, ce matin-là, observait les chaussures en mouvement, tout comme il l'avait fait la veille et tout comme il le ferait certainement le lendemain. Dans le cas de Lou, aucun pied ne prenait l'avantage, ils étaient tous les deux aussi compétents. Chaque longueur de pas était identique à la précédente, la mécanique des orteils et des talons toujours aussi précise :

les chaussures vers l'avant, un premier impact du talon qui créait une impulsion jusqu'au gros orteil et un fléchissement de la cheville. Parfait. Chaque fois. Et tout ça en cadence. Quand les chaussures heurtaient le bitume, il n'y avait pas de bruit sourd susceptible de faire vibrer le sol, contrairement aux autres anonymes qui défilaient en courant à cette heure, l'air d'avoir la tête toujours enfouie sous l'oreiller. Non, ces chaussures produisaient un bruit sec aussi perçant et agaçant que des gouttes de pluie sur le toit d'un jardin d'hiver, les revers de ses pantalons ondulant légèrement dans la brise comme le drapeau du dix-huitième trou.

Depuis son poste d'observation, le guetteur s'attendait presque à ce que chaque dalle de béton s'illumine sous les pas de Lou ou à ce que ce dernier se lance tout à coup dans une démonstration de claquettes tellement la journée s'annonçait belle et gaie. Pour le veilleur aussi, la journée allait être belle et gaie.

D'habitude, les chaussures polies dépassant du costume noir impeccable arrivaient en flottant devant lui, traversaient les portes tambour et se retrouvaient dans l'immense hall d'entrée marbré d'un de ces immeubles modernes en verre récemment insérés entre les crevasses des quais et qui s'érigeaient dans le ciel de Dublin. Mais, ce matin-là, les chaussures s'arrêtèrent pile devant le guetteur. Puis elles pivotèrent, faisant un bruit de roulement à billes sur le béton froid. L'homme au sol n'eut pas d'autre choix que de délaisser les chaussures et de lever les yeux.

— Voilà pour toi, lui dit Lou en lui tendant une tasse de café. C'est un café américain, j'espère que ça ne te dérange pas. La machine à faire des *latte* était en panne ce matin.

— Tu peux le reprendre, répondit le veilleur en posant un regard dédaigneux sur la tasse fumante qui lui était offerte.

Sa réaction fut accueillie par un silence stupéfait.

— Je plaisante.

La mine étonnée de Lou le fit rire. Mais il attrapa rapidement la tasse et la serra bien fort entre ses doigts engourdis, de peur que sa plaisanterie ait été moyennement appréciée et que la proposition de café soit annulée.

— À ton avis, je suis du genre à faire un caprice pour du lait fouetté ? demanda-t-il en souriant.

Son visage afficha ensuite une expression de bonheur absolue.

— Mmmmm.

Il avança son nez vers le bord de la tasse pour respirer l'odeur des grains de café. Il ferma les yeux et en apprécia pleinement tout l'arôme, ne voulant pas que la vue vienne obstruer ce plaisir olfactif. La tasse en carton était si chaude et ses mains si froides qu'il avait l'impression que des torpilles incandescentes les avaient perforées. Son corps était parcouru de frissons. Toute cette chaleur lui faisait comprendre à quel point il était gelé.

— Merci beaucoup.

— Y a pas de quoi. Ils disaient ce matin à la radio que ça allait être la journée la plus froide de l'année.

Comme pour confirmer ses dires, il frappa ses chaussures brillantes sur les dalles de béton et frotta ses gants en cuir l'un contre l'autre.

— Eh bien, je les crois. Moi, je n'ai pas des couilles en or, c'est clair, et je me les gèle ici. Heureusement que j'ai de quoi me réchauffer maintenant.

Le guetteur souffla légèrement sur sa boisson et s'apprêta à boire une gorgée.

— Je n'ai pas mis de sucre, s'excusa Lou.

— Ah, ça change tout.

Il leva les yeux au ciel et éloigna rapidement la tasse de ses lèvres, comme si elle contenait un poison mortel.

— Je peux te pardonner pour le lait fouetté, mais oublier de mettre du sucre, c'est inadmissible.

Il tendit la tasse à Lou.

Saisissant la plaisanterie, Lou éclata de rire.

— OK, OK, je vois où tu veux en venir.

— Dans ma situation, je ne vais pas non plus faire le difficile. C'est ce qu'on dit, non ? À croire que c'est en faisant le difficile qu'on finit à la rue…

Le guetteur leva un sourcil, sourit et prit sa première gorgée. Il était tellement pénétré par la sensation du café chaud se diffusant dans son corps qu'il ne s'était pas rendu compte que les rôles avaient été échangés et que c'était lui qui était maintenant observé.

— Oh, moi, c'est Gabe, dit-il en tendant la main. Gabriel, mais tous ceux qui me connaissent m'appellent Gabe.

Lou lui serra la main. La chaleur du cuir contre la fraîcheur de sa paume.

— Moi, c'est Lou, mais tous ceux qui me connaissent m'appellent Connard.

Gabe rit.

— Ça a le mérite d'être franc. Je crois que je vais t'appeler Lou, en attendant de mieux te connaître.

Ils se sourirent l'un à l'autre puis se turent, gênés tout à coup. On aurait dit deux garçons essayant de devenir amis dans la cour de récré. Les chaussures polies remuèrent légèrement, tip-tap, tap-tip. Les mouvements de pieds de Lou manifestaient à la fois son envie de se réchauffer et son hésitation. Partir ou rester ? Ses pieds pivotèrent lentement pour faire face à l'immeuble voisin. Lou s'apprêtait à emboîter le pas à ses chaussures.

— Il y a beaucoup d'activité, ce matin, non ? lança Gabe avec décontraction, ce qui ramena les chaussures dans sa direction.

— Noël est dans quelques semaines. C'est toujours une période animée, répondit Lou.

— Plus il y a de gens, mieux je me porte, affirma Gabe, tandis qu'une pièce de vingt cents atterrissait dans le gobelet posé devant lui. Merci ! lança-t-il en direction d'une femme qui s'était à peine arrêtée pour déposer sa pièce.

L'attitude de cette dernière ne laissait pas penser que la pièce avait été offerte, plutôt qu'elle était tombée d'un trou de sa poche. Gabe leva de gros yeux vers Lou, un immense sourire sur le visage.

— Tu vois ? Demain matin, c'est moi qui paye le café, gloussa-t-il.

Lou essaya de se pencher le plus discrètement possible en avant pour voir ce que contenait le gobelet. La pièce de vingt cents gisait seule au fond.

— Ah, ne t'inquiète pas, je le vide assez régulièrement. Faudrait pas que les gens pensent que je roule sur l'or, dit-il en riant. Tu sais ce que c'est.

Lou était d'accord, tout en n'étant pas du tout d'accord.

— Je ne voudrais pas qu'ils sachent que le superbe duplex de l'autre côté du fleuve m'appartient, ajouta Gabe en désignant la rive en face.

Lou pivota sur lui-même et posa son regard sur le nouveau gratte-ciel des quais de Dublin auquel Gabe faisait référence, au-delà de la Liffey. Avec sa surface en verre réfléchissant, l'immeuble semblait être le miroir du centre de Dublin. Que ce soit le drakkar viking ancré le long du quai, les nombreuses grues, les nouveaux immeubles commerciaux encadrant la Liffey, ou le ciel gris aux nuages menaçants qui déteignaient sur les étages supérieurs, l'immeuble saisissait tout et le renvoyait à la ville tel un immense écran plasma. Il avait la forme d'une voile et, la nuit, il s'illuminait de bleu. Les gens ne parlaient que de ça, du moins avant son inauguration – même les sujets les plus populaires ne résistent pas longtemps.

— Je plaisante, tu sais, quand je dis que le duplex m'appartient, dit Gabe tout en s'inquiétant du fait qu'il n'allait peut-être pas, finalement, recevoir de prime de départ.

— Tu aimes cet immeuble ? demanda Lou, visiblement toujours envoûté par sa structure.

— C'est celui que je préfère, surtout la nuit. C'est une des raisons pour lesquelles je reste assis ici. Aussi parce que c'est une zone de passage, évidemment. C'est pas ces belles vues qui vont me nourrir. Faut quand même que je me paye à dîner.

— C'est nous qui l'avons construit, dit Lou, se tournant enfin pour lui faire face.

— Vraiment ?

Gabe l'examina un peu plus attentivement. Trente-cinq, quarante ans, costume flambant neuf, le visage parfaitement rasé, aussi doux que les fesses d'un nourrisson, bien coiffé et avec même quelques cheveux blancs, comme si quelqu'un muni d'une salière l'avait non seulement saupoudré de blanc mais aussi, en quantité dix fois plus importante, d'élégance. Lou lui faisait penser à un acteur de vieux films. Un monument de raffinement et de charme, enveloppé dans son long manteau de cachemire noir.

— Je parie que tu as pu te payer à dîner avec ça.

Gabe se mit à rire, éprouvant à ce moment-là un léger sentiment de jalousie, ce qui le dérangeait car il n'avait jamais ressenti ça auparavant. Depuis sa rencontre avec Lou, il avait appris deux choses qui ne lui étaient d'aucune aide. Avant il avait chaud, maintenant il avait froid ; avant il était content, maintenant il était envieux. Gardant cela à l'esprit, et en dépit du fait qu'il avait toujours été heureux seul, il comprit que dès l'instant où lui et l'homme se sépareraient, il allait faire la douloureuse expérience de la solitude, ce qui ne lui était jamais arrivé. Il serait alors envieux, frigorifié et seul. Ingrédients parfaits pour une bonne tarte à l'amertume.

Lou avait en effet pu se payer à dîner avec cet immeuble, et même davantage. La société avait reçu quelques prix et Lou, lui, avait obtenu une maison à Howth et une autre Porsche, le modèle au-dessus. En fait, il n'aurait sa nouvelle voiture qu'après Noël, précision qu'il se gardait bien de révéler à l'homme assis sur le trottoir gelé, emmitouflé dans une couverture infestée de puces. Lou choisit plutôt de sourire poliment et d'exposer ses dents immaculées, faisant comme toujours deux choses en même temps. Il pensait à une chose et en faisait une autre. Mais c'était justement à cet entre-deux que Gabe avait accès, créant un nouveau sentiment de malaise qu'ils trouvaient tous deux des plus inconfortables.

— Bon, faudrait que j'aille travailler. Mon bureau est…

— À côté, je sais. Je reconnais tes chaussures. Elles sont à mon niveau, dit-il en souriant. Mais tu ne portais pas celles-là hier. Elles étaient en cuir beige, si je ne me trompe pas.

Les sourcils bien épilés de Lou se soulevèrent d'un cran, provoquant une série de vaguelettes sur son front encore dépourvu de botox, semblables à celles que fait un caillou jeté dans une piscine.

— Ne t'inquiète pas, je ne te suis pas à la trace.

Gabe laissa une de ses mains se détacher de sa tasse et la leva en signe d'apaisement.

— Ça fait un bail que je suis là. D'ailleurs, on pourrait croire que c'est toi et tes collègues qui persistez à venir chez moi.

Lou se mit à rire puis, gêné, observa ses chaussures, sujet de toute cette conversation. « Incroyable », murmura-t-il.

— Je ne t'ai jamais vu par ici, reprit-il à voix haute.

En même temps il revoyait dans sa tête toutes les fois où il était passé par là pour aller au travail.

— Tous les jours, toute la journée, dit Gabe, faussement guilleret.

— Désolé, je ne t'ai jamais vu… (Lou secoua la tête.) Je suis toujours en train de courir, au téléphone avec Untel ou en retard pour un rendez-vous avec un autre. Il faut toujours que je sois à deux endroits différents en même temps, comme dit ma femme. Des fois, poursuivit-il en riant, je rêve de me faire cloner, tellement je suis occupé.

Gabe lui sourit étrangement en entendant sa dernière phrase.

— C'est vrai, c'est bien la première fois que je ne vois pas tes pieds filer à toute allure, dit Gabe en les pointant du doigt. J'ai failli ne pas les reconnaître. Alors comme ça, il n'y a pas le feu à la baraque aujourd'hui ?

— Il y a toujours le feu là-dedans, crois-moi, répondit Lou en riant.

Il fit un mouvement rapide avec son bras, comme s'il dévoilait un chef-d'œuvre. La manche de son manteau glissa suffisamment pour révéler sa Rolex en or.

— Je suis toujours le premier au bureau, pas la peine de se presser.

Il examina l'heure avec beaucoup d'attention. Mentalement, il présidait déjà une des réunions de cet après-midi.

— Pas ce matin, annonça Gabe.

— Quoi ?

Fin de la réunion. Lou était de retour dans la rue glaciale, loin de son bureau. Le vent frais de l'Atlantique fouettait leurs visages. Autour de lui, des gens recroquevillés sur eux-mêmes avançaient vers leur lieu de travail comme un seul homme.

Gabe ferma les yeux en serrant fort les paupières et parut réfléchir.

— Des mocassins marron. Je t'ai vu plusieurs fois avec lui. Il est déjà arrivé.

— Des mocassins marron ?

Lou se mit à rire, troublé au début puis rapidement impressionné et voulant à tout prix savoir qui était arrivé au bureau avant lui.

— Tu le connais. Une démarche prétentieuse. Les petits glands en daim se soulèvent à chaque pas, comme les jambes d'une danseuse de cabaret. On dirait qu'il le fait exprès. Les semelles sont molles mais se posent lourdement sur le sol. Ses pieds sont petits et larges et l'effort se porte vers l'extérieur. Les semelles sont toujours usées de ce côté-là.

Concentré, Lou plissait le front.

— Le samedi, il porte des chaussures qui laissent penser qu'il vient juste de descendre de son yacht.

— Alfred ! s'exclama Lou en riant, reconnaissant l'individu décrit par Gabe. C'est certainement parce qu'il vient en effet tout juste de descendre de son ya...

Il s'interrompit.

— Il est déjà arrivé ?

— Depuis une demi-heure. Manifestement il était pressé. Il était accompagné par une paire de chaussures noires sans lacets.

— Des chaussures noires sans lacets ?

— Des chaussures noires. D'homme. Bien entretenues mais sans style. Simples et efficaces, le minimum qu'on peut exiger d'une chaussure. Je ne sais pas grand-chose d'autre sauf qu'elles avancent plus lentement que la plupart des autres chaussures.

— Tu es très observateur.

Lou l'examina, se demandant qui cet homme avait été dans sa vie précédente, avant d'atterrir sur le pas d'une porte, frigorifié. En même temps, il cherchait à savoir qui étaient ces gens et ces chaussures, et son cerveau frôlait la surchauffe. Qu'Alfred arrive si tôt au travail le laissait perplexe. Un collègue à eux – Cliff – avait récemment craqué et souffrait de dépression nerveuse. Savoir qu'un nouveau poste était disponible les avait tous rendus fébriles. Oui, fébriles. Mais encore fallait-il que la santé de Cliff ne s'améliore pas, ce que Lou souhaitait en secret. Dans ce cas, de grands changements allaient se produire dans l'entreprise et tout comportement déplacé deviendrait suspect. Cela dit, concernant Alfred, tout comportement était suspect.

Gabe cligna de l'œil.

— Tu n'aurais pas besoin par hasard de quelqu'un de très observateur au bureau ?

Lou avança ses mains gantées en signe d'impuissance.

— Désolé.

— Pas de problème, tu sais où me trouver si nécessaire. Je suis le gars avec les Doc Martens.

Il rit et souleva la couverture, montrant ses chaussures montantes noires.

— Je me demande pourquoi ils sont arrivés si tôt, dit Lou en regardant Gabe comme s'il détenait des pouvoirs surnaturels.

— Je crains de ne pas pouvoir t'aider là-dessus. Mais je sais qu'ils ont déjeuné ensemble la semaine dernière. Du moins, ils ont quitté les bureaux à l'heure où l'employé de base va déjeuner et sont revenus ensemble à la fin de la pause. En réfléchissant un peu, on comprend facilement ce qu'ils ont fait entre-temps, poursuivit-il en gloussant. Et moi, je réfléchis. Un peu. Même s'il fait bien trop froid pour réfléchir.

— Quand ont-ils déjeuné ensemble ?

Gabe ferma les yeux de nouveau.

— Vendredi, si je me souviens bien. Mocassins Marron, c'est ton rival ?

— Non, c'est mon ami. Plus ou moins. Une connaissance en fait.

Pour la première fois, Lou donna l'impression d'être secoué. Il poursuivit :

— C'est mon collègue. Puisque Cliff a fait une dépression nerveuse, une très belle opportunité s'ouvre à nous, enfin à celui qui, tu comprends...

— Voler le poste de ton ami malade, dit Gabe en ponctuant sa phrase d'un sourire. Sympa. Tu sais, les chaussures qui n'avancent pas vite, les noires, elles ont quitté les bureaux l'autre soir avec une paire de Louboutin, continua-t-il.

— Lou... Loub... C'est quoi ?

— Facilement reconnaissables à cause de leurs semelles vernies rouges. Celles-ci en particulier avaient des talons de cent vingt millimètres.

— Millimètres ? demanda Lou. Des semelles rouges, d'accord, dit-il en hochant la tête et en s'imprégnant de ces informations.

— Et si tu demandais à ton ami qui est plutôt un collègue qui est plutôt une connaissance avec qui il avait rendez-vous ? proposa Gabe, des étincelles dans les yeux.

Lou ne répondit pas à la question.

— Très bien. Il faut que j'y aille. J'ai tellement de choses à voir, de gens à faire. Tout ça en même temps. Tu y crois, toi ? demanda-t-il en faisant un clin d'œil. Merci pour ton aide, Gabe.

Il glissa un billet de dix euros dans le gobelet de Gabe.

— Merci à toi ! s'exclama Gabe, réjoui, attrapant immédiatement le billet pour le ranger dans sa poche. Faudrait tout de même pas qu'ils pensent... dit-il en tapotant la tasse.

— Tout à fait, affirma Lou, parfaitement d'accord.

Tout en n'étant pas d'accord du tout.

5

Le treizième étage

— Vous montez ?

L'homme qui avait posé la question regardait les visages endormis avec espoir. À l'intérieur de l'ascenseur plein à craquer, un grognement général se fit entendre. Tous hochèrent la tête. Tous sauf Lou, trop occupé à observer les chaussures de l'homme alors qu'elles franchissaient l'espace étroit au-dessus du vide vertigineux et obscur puis pénétraient dans la cabine exiguë. Des richelieus marron qui pivotèrent ensuite à cent quatre-vingts degrés pour faire face à la porte. Lou recherchait des semelles rouges et des chaussures noires. Alfred était arrivé en avance et avait déjeuné avec Chaussures Noires. Chaussures Noires avait quitté les bureaux avec Semelles Rouges. S'il parvenait à découvrir qui portait des semelles rouges, il saurait avec qui cette personne travaillait et qui Alfred voyait en cachette. Mener pareille enquête paraissait plus logique aux yeux de Lou que simplement poser la question à Alfred, ce qui en disait long sur l'honnêteté de ce dernier. Voilà ce à quoi pensait Lou tandis qu'un pesant silence propre à tous les ascenseurs remplis d'inconnus s'installait.

— Vous allez à quel étage ? demanda une voix étouffée.

Un homme était dissimulé – ou plutôt écrasé – dans un coin de la cabine. Comme il avait seul accès aux boutons, il était malgré lui responsable du bon fonctionnement de l'ascenseur.

— Treizième, s'il vous plaît, répondit le nouveau venu.

Il y eut quelques soupirs. Quelqu'un claqua la langue.

— Il n'y a pas de treizième étage, expliqua l'homme dont on ne voyait que la tête.

Les portes se refermèrent. L'ascenseur se mit rapidement en marche.

— Dépêchez-vous, pressa la tête.

— Euh…

L'homme farfouilla dans sa sacoche à la recherche de son planning.

— C'est soit le douzième soit le quatorzième, poursuivit la voix étouffée. Le treizième n'existe pas.

— Il vaut mieux qu'il descende au quatorzième, suggéra quelqu'un. Techniquement, le quatorzième est au treizième.

— Vous voulez que j'appuie sur 14 ? demanda la voix, devenue grincheuse.

— Euh… bredouilla l'autre en fouillant dans ses papiers.

Lou ne prêtait aucune attention à l'étrange conversation qui se déroulait dans cet ascenseur en général si silencieux car il examinait les chaussures autour de lui. Beaucoup de chaussures noires. Certaines travaillées, d'autres polies, brossées, sans lacets, délacées. Pas de semelles rouges à l'horizon. Il remarqua que les chaussures commençaient à s'agiter, dansant d'un pied sur l'autre. Une paire s'écarta de quelques centimètres, ce qui poussa Lou à relever brusquement la tête. L'ascenseur s'arrêta dans un soubresaut.

— Vous montez ? demanda une jeune femme.

Cette fois, la question fut accueillie par un retentissant oui viril.

Elle vint se placer devant Lou qui jeta un œil à ses chaussures mais ne s'intéressa pas au reste de son corps, contrairement aux autres. Dans un silence lourd que seules connaissent les femmes coincées dans un ascenseur plein d'hommes, la cabine reprit son ascension. Six... Sept... Huit...

Enfin, l'homme aux richelieus marron sortit la tête de sa sacoche, les mains vides, et annonça d'un air de défaite :

— Patterson Développements.

Avec un sentiment d'irritation, Lou réfléchit à la méprise. C'était lui qui avait suggéré qu'il n'y ait pas de numéro 13 dans l'ascenseur mais cela ne voulait pas dire que le treizième étage n'existait pas. Le quatorzième ne reposait pas sur du vide ; il n'avait pas été construit sur des briques invisibles. Le quatorzième était le treizième étage. Là où se situaient les bureaux de Lou. Au treizième, mais on en parlait comme du quatorzième. Il ne voyait pas ce qu'il y avait de compliqué là-dedans, pour lui c'était clair comme de l'eau de roche. Il descendit au quatorzième. Ses pieds s'enfoncèrent dans la moquette épaisse et soyeuse.

— Bonjour, monsieur Suffern, lança sa secrétaire sans lever le nez de ses papiers.

Il s'arrêta devant son bureau et l'observa, perplexe.

— Alison, appelez-moi Lou, comme d'habitude, s'il vous plaît.

— Bien sûr, monsieur Suffern, répondit-elle d'un ton guilleret, refusant toujours de croiser son regard.

Tandis qu'Alison allait et venait, Lou tentait d'apercevoir les semelles de ses chaussures. Il se tenait toujours devant son bureau quand elle revint. Elle s'assit et se mit à taper à l'ordinateur, s'efforçant de l'ignorer. Il se pencha pour refaire son lacet et jeta discrètement un œil sous la table.

Elle fronça les sourcils et croisa ses longues jambes.

— Est-ce que tout va bien, monsieur Suffern ?

— Appelez-moi Lou, répéta-t-il d'un air inquiet.

— Non, affirma-t-elle en détournant la tête, de mauvaise humeur.

Elle attrapa l'agenda devant elle.

— Voulez-vous qu'on passe en revue vos rendez-vous de la journée ?

Elle se leva et fit le tour de son bureau.

Chemisier en soie étroit. Jupe serrée. Il la détailla du regard avant d'examiner ses chaussures.

— Quelle hauteur ?

— Pourquoi ?

— Ils font cent vingt millimètres ?

— Aucune idée. Qui mesure des talons en millimètres ?

— Je ne sais pas. Certains. *Gabe*, dit-il en souriant.

Il la suivit dans son bureau, cherchant toujours à apercevoir ses semelles.

— C'est qui ce Gabe ? marmonna-t-elle.

— Gabe est un SDF, expliqua-t-il en riant.

Pivotant sur elle-même pour lui poser une question, elle vit qu'il avait la tête inclinée et qu'il l'étudiait.

— Vous me regardez comme si j'étais un de ces tableaux sur vos murs, ricana-t-elle.

De l'expressionnisme moderne. Il n'avait jamais aimé. Il s'arrêtait régulièrement pour observer les taches de rien qui recouvraient les murs des couloirs. Des éclaboussures, des lignes creusées dans la toile. Pièces inestimables pour certains mais qui auraient tout aussi bien pu être accrochées à l'envers ou de dos sans que personne s'en rende compte. Il réfléchissait aussi à l'argent qui avait été investi dans ces œuvres qu'il comparait à celles qui ornaient la porte de son réfrigérateur à la maison – les dessins de sa fille Lucy. Et tout en penchant la tête d'un côté et de l'autre, comme il le faisait à l'instant même avec Alison, il se disait qu'il y avait quelque part des enfants de quatre ans, les mains pleines de peinture, appliqués, la langue pendante, à qui une maîtresse de maternelle richissime donnait des oursons en guimauve en guise de pourcentage sur les ventes.

— Vous avez des semelles rouges ? demanda-t-il à Alison.

Il s'avança vers un immense fauteuil en cuir qui aurait pu servir de maison à une famille de quatre personnes.

— Pourquoi, j'ai marché dans quelque chose ?

Elle se posa sur un pied et se mit à sautiller légèrement, essayant de garder l'équilibre tout en examinant ses semelles. Lou avait l'impression de voir un chien qui cherche à attraper sa queue.

— Aucune importance.

D'un air las, il s'assit à son bureau.

Elle l'observa avec méfiance avant de porter de nouveau son attention sur son emploi du temps.

— À 8 h 30, vous avez un rendez-vous téléphonique avec Aonghus O'Sullibhain. Il veut que vous sachiez parfaitement parler gaélique avant de pouvoir acheter cette terre dans le Connemara. Cela dit, pour vous faciliter la tâche, je me suis arrangée pour que la conversation soit en bearla[1]...

Elle afficha un petit sourire satisfait et, tel un cheval, jeta sa tête en arrière, balayant son visage de sa lourde chevelure méchée.

— À 8 h 45, vous avez un rendez-vous avec Barry Brennan à propos des limaces qu'ils ont trouvées sur le site de Cork.

— Touchons du bois pour que ces limaces ne soient pas une espèce rare, grommela-t-il.

— On ne sait jamais, monsieur, peut-être que ce sont des parents à vous. Vous avez de la famille à Cork, non ?

Elle ne le regardait toujours pas.

— À 9 h 30...

— Attendez un instant.

Tout en sachant qu'il était seul avec elle dans la pièce, il regarda autour de lui, cherchant un soutien.

---

1. Mot gaélique qui signifie « anglais ». *(N.d.T.)*

— Pourquoi m'appelez-vous « monsieur » ? Qu'est-ce qui vous prend aujourd'hui ?

Elle détourna le regard, marmonnant quelque chose que Lou perçut comme étant : « Pas vous en tout cas. »

— Qu'est-ce que vous avez dit ?

Mais il n'attendit pas la réponse.

— Je vais avoir une journée chargée, je n'ai pas besoin de vos sarcasmes, merci. Et pour autant que je sache, le contenu de mon agenda n'a pas besoin d'être proclamé officiellement tous les matins.

— Je pensais que si vous entendiez, haut et fort, à quel point votre journée allait être chargée, vous m'autoriseriez à prendre moins de rendez-vous à l'avenir.

— Vous avez trop de choses à faire, Alison ? C'est de ça qu'il s'agit ?

— Non, dit-elle en rougissant. Pas du tout. Je pensais simplement que vous pourriez modifier un peu vos habitudes de travail. Au lieu de passer vos journées dans un état frôlant l'hystérie à courir partout, vous pourriez passer plus de temps avec vos clients. Moins de clients, mais plus heureux.

— Oui, et ensuite moi et Jerry Maguire on vivra heureux à jamais et on aura beaucoup d'enfants. Alison, vous êtes nouvelle ici alors je ne vais rien dire pour cette fois, mais c'est comme ça que j'aime faire des affaires, d'accord ? J'aime être occupé. Je n'ai pas besoin de pause déjeuner de deux heures, ni de rentrer tôt à la maison pour aider mes enfants à faire leurs devoirs.

Il fronça les sourcils et poursuivit :

— Vous avez parlé de clients plus heureux. Qui s'est plaint ?

— Votre mère. Votre femme, dit-elle à travers ses dents. Votre frère, votre sœur. Votre fille.

— Ma fille a cinq ans.

— Elle a appelé jeudi dernier. Vous n'êtes pas allé la chercher à son cours de danse irlandaise.

— Ça ne compte pas, affirma-t-il en levant les yeux au ciel. Ma fille de cinq ans ne risque pas de faire perdre des centaines de millions d'euros à cette entreprise.

Encore une fois, il n'attendit pas la réponse.

— Parmi les mécontents, y en a-t-il qui ne portent pas mon patronyme ?

Alison réfléchit longuement.

— Votre sœur a-t-elle repris son nom de jeune fille après son divorce ?

Il lui lança un regard furieux.

— Alors non, monsieur.

— C'est quoi cette histoire de « monsieur » ?

— Je me suis dit que si vous comptiez me traiter en parfaite étrangère, j'allais faire de même, déclara-t-elle, les joues rouges.

— Je vous traite comme une étrangère ?

Elle tourna la tête.

— Alison, reprit-il en baissant la voix. Nous sommes au bureau, que voulez-vous que je fasse ? Que je vous dise à quel point j'adore vous baiser comme une brute pendant que vous énoncez mes rendez-vous ?

— Vous ne m'avez pas baisée comme une brute, nous n'avons fait que nous embrasser.

— Peu importe.

Il agita la main avec dédain.

— Alors, de quoi s'agit-il ?

Elle n'avait pas vraiment la réponse mais son visage irradiait.

— Il se peut qu'Alfred m'ait fait part de quelque chose.

Le cœur de Lou fit alors quelque chose de surprenant. Comme un battement d'ailes. Lou n'avait jamais ressenti ça.

— Qu'a-t-il dit ?

Elle tourna la tête de nouveau et se mit à triturer un coin de cahier.

— Il m'a vaguement parlé de la réunion de la semaine dernière à laquelle vous n'êtes pas allé.

— Pas de « vaguement ». Je veux des détails, s'il vous plaît.

Elle se raidit.

— OK, d'accord, c'est-à-dire que… Après la réunion de la semaine dernière avec M. O'Sullivan, il, à savoir Alfred, précisa-t-elle en ravalant sa salive, m'a dit qu'il fallait que je vous aie un peu plus à l'œil. Il savait que je venais d'arriver. Il m'a conseillé de ne plus jamais vous laisser rater une réunion importante.

Le sang de Lou ne fit qu'un tour. Son cerveau était en ébullition ; il se sentait complètement perdu. Lou passait sa vie à courir d'un endroit à un autre, ratant la moitié du premier rendez-vous pour arriver tout juste avant la fin du deuxième. Il faisait ça chaque jour, tous les jours, avec toujours cette impression de rattraper son retard pour tenter de prendre de l'avance. Un travail long, dur, éprouvant. Il avait fait d'énormes sacrifices pour arriver là où il était aujourd'hui. Il adorait son travail, y était dévoué corps et âme, ne manquait à aucune de ses obligations professionnelles. Qu'on lui fasse des reproches à propos d'une réunion ratée qui n'était même pas prévue quand il avait décidé de prendre sa matinée le rendait fou de rage. Le fait que c'était à cause d'un empêchement familial le mettait encore plus en colère. S'il avait au moins raté cette réunion pour une autre, il se serait senti mieux. Mais non, et il en voulait terriblement à sa mère. C'était elle qu'il était allé chercher à l'hôpital après son opération de la hanche, le matin de la fameuse réunion. Il était aussi furieux contre sa femme qui s'était mise dans une colère noire quand il avait proposé d'envoyer une voiture à l'hôpital. Devant sa rage, il avait cédé. Il était aussi furieux contre sa sœur Marcia et son frère aîné Quentin pour ne pas y être allés à sa place, lui qui avait tellement de choses à faire. Et la seule fois où il choisissait de faire passer sa famille en premier, on allait le lui faire payer. Il se leva et fit les cent pas devant la fenêtre, mordillant sa lèvre inférieure. Il était tellement en colère qu'il aurait voulu décrocher son téléphone pour appeler sa famille et leur dire : « Vous voyez ? Vous voyez pourquoi je ne peux pas toujours être là. Vous voyez ? Tout ça, c'est de votre faute ! »

— Vous lui avez dit que j'avais dû aller chercher ma mère à l'hôpital ?

Il prononça ces mots doucement parce qu'il détestait avoir à les dire. Il détestait les entendre dans sa bouche, lui qui n'éprouvait que du mépris pour ses collègues qui se réfugiaient derrière de telles excuses. Comment pouvaient-ils ainsi étaler leur vie privée sur un lieu de travail ? Pour lui, cela dénotait un manque de professionnalisme. Soit on fait ce pour quoi on est payé, soit on ne le fait pas.

— Eh bien non, parce que c'était ma première semaine et que M. Patterson se tenait à côté de lui et que je ne savais pas ce que vous vouliez que je leur dise...

— M. Patterson était avec lui ? demanda Lou, les yeux exorbités.

Elle hocha la tête, longuement, les yeux écarquillés comme une poupée de porcelaine.

— Très bien.

Son cœur battait moins vite maintenant qu'il comprenait ce qui se tramait. Son cher ami Alfred avait des idées derrière la tête. Des idées qui concernaient Lou, et dont il s'était cru protégé jusqu'à maintenant. Alfred ne faisait jamais rien comme les autres. Dans les conversations, il voyait toujours les choses sous un autre angle, proposant des points de vue différents pour trouver le meilleur moyen de se sortir d'une situation.

Lou cherchait quelque chose sur son bureau.

— Où est mon courrier ?

— Au douzième étage. Le jeune stagiaire qui s'en occupe est perturbé par l'absence de treizième étage.

— Le treizième étage n'est pas absent ! Nous y sommes ! Mais qu'est-ce qu'ils ont tous aujourd'hui ?

— Nous sommes au quatorzième étage. Ne pas avoir intégré un treizième étage est un énorme défaut de conception.

— Ce n'est pas un défaut de conception, répondit-il, sur la défensive. Certains des plus beaux immeubles au monde n'ont pas de treizième étage.

— Ou de toit.

— Quoi ?

— Le Colisée n'a pas de toit.

— Quoi ? ! hurla-t-il, troublé. Dites au jeune homme de prendre dorénavant l'escalier et de compter les étages. Comme ça, il n'aura plus de quoi être perturbé. Et pourquoi est-ce un stagiaire qui s'occupe du courrier ?

— Harry dit qu'ils ne sont pas assez nombreux.

— Pas assez nombreux ? Il suffit d'une personne pour monter dans ce foutu ascenseur et m'apporter mon courrier. Comment peuvent-ils ne pas être assez nombreux ?

Sa voix partit dans les aigus.

— Un singe pourrait faire ce travail. Il y a des gens dans les rues qui tueraient pour bosser dans un endroit comme…

— Un endroit comme quoi ? demanda Alison.

Mais Lou ne l'entendit pas car il s'était posté devant les immenses baies vitrées et observait le trottoir en dessous. Dans le reflet de la vitre, Alison vit qu'il avait un air bizarre.

Elle s'éloigna lentement. Pour la première fois depuis des semaines elle était soulagée de comprendre que leur amourette, tout au plus des attouchements dans le noir, n'irait pas plus loin. Peut-être l'avait-elle mal jugé, peut-être que quelque chose ne tournait pas rond chez lui. Elle ne savait pas encore grand-chose sur lui, elle était nouvelle dans cette entreprise. Tout ce qu'elle savait, c'est qu'il lui rappelait le Lapin blanc dans *Alice au pays des merveilles*, toujours pressé, toujours très très pressé mais s'arrangeant pour arriver à chaque rendez-vous juste à temps. Il était sympathique avec tous et faisait bien son travail. En plus, il était beau, charmant, et conduisait une Porsche – ce qui à ses yeux comptait plus que tout. Bien sûr, quand elle avait parlé à la femme de Lou au téléphone, elle avait ressenti un élan de culpabilité à propos de ce qui s'était passé la semaine dernière entre eux, mais ce sentiment s'était rapidement évanoui quand elle avait compris que sa femme était d'une naïveté absolue et ne se doutait pas des infidélités de son mari. Mais tout le monde n'a-t-il pas un point faible ? Pour autant, elle estimait qu'on pouvait pardonner aux hommes leurs écarts, surtout quand c'était d'elle qu'il s'agissait.

— Qu'est-ce qu'il porte comme chaussures, Alfred ? demanda Lou avant qu'elle ait fermé la porte.

Elle remit le pied à l'intérieur.

— Quel Alfred ?

— Berkelcy.

— Je ne sais pas, dit-elle en rougissant. Pourquoi voulez-vous savoir ?

— C'est pour un cadeau de Noël.

— Des chaussures ? Vous voulez offrir une paire de chaussures à Alfred ? Mais j'ai déjà commandé les paniers garnis Brown Thomas, comme vous me l'aviez demandé.

— Essayez de vous renseigner. Mais faites ça l'air de rien, avec discrétion. Je veux que ce soit une surprise.

Elle fronça les sourcils, méfiante.

— Bien sûr.

— Ah, et la nouvelle qui vient d'arriver à la compta. Elle s'appelle comment ? Sandra, Sarah ?

— Deirdre.

— Renseignez-vous aussi sur ses chaussures. Dites-moi si les semelles sont rouges.

— Non, elles ne le sont pas. Elles viennent de chez Top Shop. Des bottines noires, en daim avec des motifs incrustés. J'ai acheté les mêmes l'année dernière. Quand elles étaient à la mode.

Sur ce, elle partit.

Lou soupira, s'effondra sur sa chaise et se pinça l'arête du nez avec le pouce et l'index, espérant prévenir l'arrivée d'une migraine. Peut-être qu'il couvait quelque chose. Il avait déjà gâché quinze minutes ce matin en parlant à un SDF, ce qui ne lui ressemblait absolument pas, mais il s'était senti obligé de s'arrêter. Il y avait quelque chose chez ce jeune homme qui l'avait poussé à s'attarder et à lui offrir une tasse de café.

Incapable de se concentrer sur son emploi du temps, Lou se tourna de nouveau vers les baies vitrées et observa la ville. De gigantesques décorations de Noël ornaient les quais et les ponts ; d'immenses branches de gui et des cloches de néon se balançaient dans le vent. La Liffey débordait d'activité, déferlant sous sa fenêtre pour rejoindre la baie de Dublin. Les trottoirs étaient envahis par une véritable marée humaine se rendant au travail. Tous ces gens frappaient le bitume et se forçaient un chemin devant les silhouettes de cuivre décharnées vêtues de haillons, érigées pour commémorer ceux qui, pendant la Grande Famine, avaient foulé ces mêmes quais et émigré. Mais les Irlandais d'aujourd'hui ne traînaient plus leur misère, ils avaient des tasses Starbucks et des attachés-cases. Les femmes arrivaient au bureau en jupe, chaussées de baskets, leurs talons aiguilles dans leurs sacs. Un destin tout autre et un monde d'opportunités les attendaient.

La seule chose immobile, c'était Gabe, assis par terre, niché dans son pas de porte près de l'entrée, emmitouflé dans une couverture et observant les chaussures qui passaient. Le monde d'opportunités qui l'attendait n'était pas tout à fait le même que celui destiné à tous ceux qui défilaient bruyamment devant lui. Du treizième étage, Gabe était à peine aussi gros qu'un point, mais Lou pouvait voir son bras se dresser et se baisser à mesure qu'il buvait sa tasse de café, faisant en sorte que chaque gorgée dure éternellement, même s'il devait être froid désormais. Gabe l'intriguait. Pas seulement à cause de sa mémoire prodigieuse qui lui permettait de se souvenir de toutes les chaussures en provenance de cet immeuble comme s'il s'agissait d'une table de multiplication, mais aussi, et c'était très déconcertant, parce que l'individu caché derrière ses yeux bleu cristallin lui semblait particulièrement familier. C'était lui-même que Lou voyait quand il regardait Gabe. Les deux hommes avaient à peu près le même âge. Lavé et bien habillé, Gabe aurait pratiquement pu passer pour Lou. Il présentait bien, paraissait aimable, pas bête du tout. Cela aurait très bien pu être Lou assis sur ce trottoir, observant le monde. Pourtant, comme leurs vies étaient différentes...

À cet instant précis, comme s'il avait senti le regard de Lou posé sur lui, Gabe redressa la tête. Treize étages plus haut, Lou eut l'impression que les yeux de Gabe le perçaient à jour, sondant son âme.

Lou en fut troublé. Sa participation à l'élaboration du bâtiment lui permettait de savoir que le verre des vitres était réfléchissant. Aucun doute là-dessus. Gabe n'avait donc pas pu voir Lou en levant les yeux, le menton en l'air, une main sur le front pour se protéger de la lumière du soleil, presque comme s'il saluait. Il n'avait pu voir qu'un vague reflet, se disait Lou. Un oiseau peut-être qui avait plongé et accroché son regard. Évidemment, il n'avait pas pu voir plus qu'une ombre. Mais le regard de Gabe avait été si intense, parcourant les treize étages pour atteindre la fenêtre du bureau et l'âme de Lou, que ce dernier n'avait pu s'empêcher de remettre en cause ses certitudes. Il leva la main et salua, un sourire pincé sur le visage. Ne voulant pas laisser à Gabe la possibilité de réagir, il fit rouler son fauteuil loin des baies vitrées et se retourna. Son pouls battait rapidement, comme s'il venait de commettre un crime et avait été pris en flagrant délit.

Le téléphone sonna. Alison. Elle paraissait mécontente.

— Avant que je vous dise ce que je m'apprête à vous dire, je veux simplement que vous sachiez que j'ai obtenu un master d'études commerciales à UCD.

— Félicitations.

Elle se racla la gorge.

— Voilà. Alfred porte des mocassins marron taille 42. Apparemment, il possède dix paires des mêmes chaussures et il ne porte que ce modèle, donc je ne suis pas certaine que ce soit une bonne idée de cadeau. Je ne sais pas quelle est la marque mais je peux obtenir cette information, ce qui me désole. (Elle respira fortement.) Pour ce qui est des chaussures avec une semelle rouge, Louise en a acheté une paire et les a portées la semaine dernière mais elles lui faisaient très mal à la cheville et elle a voulu les rendre. Malheureusement, le magasin a refusé de les lui reprendre. La couleur des semelles avait commencé à déteindre et il était évident qu'elle les avait mises.

— Qui est Louise ?

— La secrétaire de M. Patterson.

— J'ai besoin de savoir avec qui elle est partie du bureau tous les jours de la semaine dernière.

— Absolument pas, ça ne fait pas partie de mes attributions.

— Je vous laisserai partir plus tôt.

— D'accord.

— Merci d'avoir cédé si vite.

— Pas de problème, je vais pouvoir commencer mes achats de Noël.

— N'oubliez pas ma liste.

Lou n'avait pas appris grand-chose mais cette même sensation étrange, que d'autres auraient considérée comme un sentiment de panique, fit chavirer son cœur. Gabe avait eu raison pour les chaussures et n'avait donc rien d'un fou, contrairement à ce que Lou avait d'abord pensé. Tout à l'heure, Gabe lui avait demandé s'il avait besoin d'un œil de Moscou dans les bureaux. Décrochant son téléphone, Lou revint sur une décision prise auparavant.

— Pouvez-vous me passer Harry, au courrier ? Ensuite, j'ai besoin que vous alliez chercher la chemise, la cravate et le pantalon de secours qui se trouvent dans mon armoire et que vous les apportiez en bas au type assis près de la porte. Amenez-le aux toilettes avant, faites en sorte qu'il soit tout à fait présentable, puis conduisez-le au courrier. Il s'appelle Gabe, et Harry s'attend à le voir arriver. Je vais régler ce petit problème de manque de personnel.

— Quoi ?

— Gabe. Diminutif de Gabriel. Mais appelez-le Gabe.

— Non, je voulais dire…

— Faites-le, c'est tout. Ah, et Alison…

— Quoi ?

— J'ai vraiment adoré notre baiser la semaine dernière et j'ai hâte de pouvoir vous baiser comme une brute dans les jours qui viennent.

Il l'entendit rire brièvement avant de raccrocher.

Il avait recommencé. Alors même qu'il avait eu l'intention de dire la vérité, il avait sorti un énorme mensonge. On pouvait presque l'admirer. Tout en aidant quelqu'un d'autre – à savoir Gabe –, Lou s'aidait lui-même ; une bonne action était en effet un triomphe pour l'âme. Malgré tout, il savait bien que derrière son petit manège de sauveteur des âmes se cachait une autre finalité, qui consistait à sauver tout autre chose. Sa propre peau. Mais ce n'était pas tout. Lou avait parfaitement conscience que son geste était motivé par la peur. Pas seulement par la peur de finir comme Gabe, si la chance et la réussite le lâchaient. Mais pire, par la peur de s'être trompé. Enfouie si profondément en lui que Lou pouvait à peine la sentir et encore moins la voir, se nichait la crainte d'avoir fait une erreur en orchestrant sa propre carrière. Malgré tous ses efforts, Lou ne pouvait l'ignorer. La peur était là, tout le temps, mais elle savait prendre une autre apparence aux yeux des autres.

Comme le treizième étage.

6

Marché conclu

Alors que le rendez-vous de Lou avec M. Brennan concernant les limaces sur le site d'exploitation de County Cork allait s'achever – une situation problématique mais assez courante –, Alison apparut à la porte de son bureau, apparemment anxieuse, portant à bout de bras la pile d'habits destinés à Gabe.

— Désolé, Barry, je vais devoir vous quitter, s'empressa de dire Lou. Il faut que j'y aille, on m'attend ailleurs, dans deux endroits différents, chacun à l'autre bout de la ville. Et vous savez comment est la circulation à cette heure de la journée.

C'est ainsi que, grâce à un sourire en porcelaine et à une poignée de main ferme, M. Brennan se retrouva dans l'ascenseur à destination du rez-de-chaussée, son manteau d'hiver posé sur un bras et ses dossiers rangés dans sa serviette nichée sous l'autre. Et pourtant ce rendez-vous avait été très agréable.

— Il a dit non ? demanda Lou à Alison.

— Qui ?

— Gabe ? Il ne veut pas de ce travail ?

— Je n'ai trouvé personne en bas, dit-elle, l'air confus. J'étais à l'accueil et je l'ai appelé à plusieurs reprises – mon Dieu, quelle humiliation – mais personne ne s'est présenté. C'est quoi cette plaisanterie, Lou ? Quand je pense que je m'étais promis de ne plus jamais me faire avoir depuis ce jour où vous m'avez demandé d'accompagner le vendeur de roses roumain dans le bureau d'Alfred.

— Ce n'est pas une plaisanterie.

Il lui attrapa le bras et la traîna jusqu'à sa fenêtre.

— Mais il n'y a personne, gémit-elle, exaspérée.

Il regarda par la vitre et vit Gabe, toujours au même endroit. Une fine pluie commençait à tomber, un simple crachin au début qui se mit vite à tambouriner sur la fenêtre à mesure que se formait une averse de grêle. Gabe recula davantage dans le pas de la porte, ramenant ses genoux vers lui et loin du sol mouillé. Il enfila sa capuche et tira longuement sur les ficelles. Tout là-haut, au treizième étage, Lou eut l'impression qu'il tirait aussi sur les ficelles de son cœur.

— Et lui, ce n'est pas un homme ? demanda-t-il, désignant l'être en bas.

Alison plissa les yeux et se rapprocha de la vitre.

— Oui, mais...

Il saisit les habits qu'elle tenait dans ses bras.

— OK, je vais m'en occuper, finit-il par dire.

Dès que Lou sortit, l'air glacial lui fouetta le visage. Il eut momentanément le souffle coupé par une bourrasque. Les gouttes de pluie qui frappaient sa peau lui faisaient penser à des glaçons. Gabe fixait toujours aussi intensément les chaussures devant lui, cherchant sans doute à s'évader, à fuir le déchaînement des éléments autour de lui. Dans sa tête, il se trouvait ailleurs, n'importe où sauf ici. Sur une plage au soleil, là où le sable ressemble à du velours. La Liffey était un océan immense. Dans son autre monde, il ressentait une joie particulière que personne vivant dans les mêmes conditions que lui n'aurait pu éprouver.

Mais son visage ne reflétait pas ses douces pensées. Le bonheur douillet du matin s'était évaporé. Ses yeux bleus n'évoquaient plus les mers tropicales comme tout à l'heure. Ils étaient glacials tandis qu'ils suivaient l'avancée de Lou depuis les portes battantes jusqu'à sa couverture.

En voyant arriver les chaussures, Gabe pensa qu'elles appartenaient à un jeune homme du coin travaillant sur une des plages de son imagination. Le jeune homme s'approchait de lui, un cocktail en équilibre au centre d'un plateau tenu à bout de bras. Il avait l'air d'un chandelier. Gabe avait commandé cette boisson il y a un moment mais il n'allait pas en faire la remarque au serveur. Il faisait plus chaud que d'habitude, la plage était couverte de corps en sueur luisant de beurre de noix de coco – il excuserait le vendeur pour ce retard. Tout prenait forcément plus de temps dans cet air moite et lourd. Les pieds chaussés de tongs qui venaient vers lui s'enfonçaient dans le sable, projetant des grains de chaque côté. À mesure que l'homme avançait, les grains de sable se transformaient en gouttes de pluie, et les tongs en une paire de chaussures lustrées qui lui semblaient familières. Gabe leva les yeux, espérant voir un cocktail multicolore avec des fruits et des petites ombrelles accrochées au bord du verre. Mais il ne vit que Lou, une pile d'habits dans les bras, et il lui fallut un instant pour s'habituer de nouveau au froid, au bruit de la circulation et à l'effervescence qui avait remplacé son paradis tropical.

Lou avait changé depuis ce matin. Ses cheveux à présent mal coiffés ne lui conféraient plus une allure carygrantesque. Les espèces de glaçons tombant du ciel avaient atterri sur ses épaules et donnaient l'impression, en fondant, que son costume de luxe était recouvert de pellicules. Ils laissaient ensuite des taches sombres sur le tissu. Lou avait manifestement été balayé par le vent, ce qui ne lui ressemblait pas. Lui d'habitude si décontracté avait la tête rentrée dans les épaules, pour protéger ses oreilles du froid. Il tremblait, souffrant de l'absence de son manteau en cachemire comme un mouton qui vient d'être tondu et qui se tient tout nu, les jambes cagneuses.

— Tu veux du travail ? demanda Lou, confiant.

Mais sa proposition sonna faiblement, à peine audible, assourdie par le bruit du vent. La fin de la question, emportée par la rafale, parvint aux oreilles d'un étranger un peu plus loin sur le trottoir.

Gabe sourit.

— Tu es sûr ?

Troublé par sa réaction, Lou hocha la tête. Certes, il ne s'attendait pas à ce que Gabe le prenne dans ses bras et l'embrasse, mais il eut l'impression que ça n'avait rien d'une surprise. Cela lui déplut. Des hurlements de joie l'auraient mis plus à l'aise, des « oooh » et des « aaah », des mercis et une reconnaissance éternelle. Mais Gabe ne fit rien de tout ça. Il se contenta de sourire calmement et, après avoir retiré sa couverture et s'être mis debout, lui serra la main, d'une poignée ferme, obligée et chaleureuse – malgré la température. Rien d'autre ne fut dit. Ils avaient tous deux l'impression d'avoir passé un accord que Lou ne se rappelait pas avoir négocié.

Ils étaient de la même taille et s'observaient de leurs yeux bleus. Une bonne partie du visage de Gabe était cachée sous sa capuche, lui donnant l'air d'un moine, mais son regard plongeait dans celui de Lou avec une telle intensité que celui-ci dut cligner des yeux et détourner la tête. En même temps, maintenant que sa bonne action prenait forme, Lou fut saisi d'un doute. Celui-ci traversa son esprit avec la même désinvolture qu'un invité borné qui n'a pas fait de réservation à l'hôtel et insiste auprès de la réception pour avoir une chambre. Lou se tenait là, troublé, ne sachant pas quelle décision prendre. Que faire de ce doute ? Le préserver ou le chasser ? Il avait beaucoup de questions à poser à Gabe, des questions qu'il aurait certainement dû poser, mais il n'y en eut qu'une qui lui vint à l'esprit tout de suite.

— Je peux te faire confiance ? demanda-t-il.

Il voulait être convaincu, afin d'apaiser son esprit. Mais la réponse de Gabe le prit complètement au dépourvu.

— Tu peux me confier ta vie, répondit-il sans sourciller.

Ça méritait au moins la suite présidentielle.

7

Après réflexion

Gabe et Lou quittèrent l'air glacial et pénétrèrent dans la chaleur du hall d'entrée en marbre. Les murs, sols et piliers étaient recouverts de traînées couleur vanille, caramel et chocolat, et Gabe dut se retenir pour ne pas lécher la surface. Il savait qu'il avait froid mais il n'avait pas su à quel point avant de s'immerger dans cette chaleur. Tandis que Lou traversait l'accueil accompagné d'un homme apparemment abîmé, il vit que tous les regards étaient tournés vers lui. Ils entrèrent dans les toilettes du rez-de-chaussée. Sans vraiment savoir pourquoi, Lou vérifia que toutes les cabines étaient vides avant de parler.

— Tiens, je t'ai apporté ceci, dit-il en tendant à Gabe la pile d'habits, désormais humides. Tu peux les garder.

Il se tourna vers le miroir et se coiffa, rajusta ses cheveux pour qu'ils soient parfaits. Il sécha les gouttes et traces de grêle sur ses épaules et fit de son mieux pour retrouver un semblant de normalité, physiquement et mentalement. Gabe passait les habits en revue. Un pantalon Gucci gris, une chemise blanche, une cravate rayée blanc et gris. Il les caressait délicatement, de peur que le simple fait de les toucher ne les réduise en miettes.

Pendant que Gabe se débarrassait de sa couverture et s'enfermait dans une des cabines pour s'habiller, Lou faisait les cent pas devant les urinoirs et répondait à divers e-mails et coups de téléphone. Il s'affairait tellement que, quand il leva les yeux, il ne reconnut pas l'homme qui se tenait devant lui et retourna à son BlackBerry. L'instant d'après, il prit conscience avec stupeur de sa méprise et redressa lentement la tête.

De l'ancien Gabe, il ne restait que la paire de Doc Martens usées qui dépassait de sous le pantalon Gucci. Tout lui allait parfaitement. Gabe s'observait dans le miroir, se dévisageait de haut en bas, presque hypnotisé. Il avait enlevé son bonnet, révélant à présent une bonne masse de cheveux noirs, semblables à ceux de Lou mais en plus ébouriffés. Il avait chaud et ses lèvres étaient rouges et gonflées. Ses joues étaient d'un joli rose et non plus pâles et grises comme avant.

Lou ne savait pas vraiment quoi dire. Le moment était trop solennel pour lui et il se sentait mal à l'aise. Il décida d'orienter la conversation vers des considérations plus terre à terre.

— Au fait, à propos de ce que tu m'as raconté sur les chaussures, tout à l'heure...

Gabe hocha la tête.

— C'était très utile. J'aimerais bien que tu restes à l'affût de ce genre d'informations. Reviens me voir de temps en temps pour me parler de ce que tu as vu et entendu.

Gabe hocha la tête de nouveau.

— Tu as un toit en ce moment ?

— Oui.

Gabe observa son reflet dans le miroir. Il parlait doucement.

— Tu as une adresse à communiquer à Harry ? C'est ton patron.

— C'est pas toi mon patron ?

— Non.

Lou sortit son BlackBerry de sa poche et lut quelques mails sans importance.

— Non, tu seras dans un autre... service.

— Ah, bien sûr.

Gabe se redressa, un peu honteux d'avoir pu penser une chose pareille.

— D'accord. Très bien. Merci beaucoup, Lou. Vraiment.

Lou haussa les épaules, honteux à son tour.

— Tiens, dit-il en tendant son peigne à Gabe.

Puis il se détourna.

— Merci.

Gabe saisit le peigne, le passa sous l'eau et commença à dompter cette chevelure sauvage. Lou le pressa un peu, le fit sortir des toilettes et le mena à travers le hall de marbre jusqu'aux ascenseurs.

Gabe voulut rendre son peigne à Lou, qui secoua la tête et fit un geste sec de la main. Il regarda autour de lui pour s'assurer que personne n'avait vu leur échange.

— Garde-le. Tu as un numéro de Sécurité sociale, quelque chose comme ça ? bredouilla-t-il.

Gabe secoua la tête, inquiet. Il touchait sans cesse sa cravate en soie, comme si elle avait été un animal domestique et qu'il avait eu peur qu'elle ne s'échappe.

— Ne t'inquiète pas, on se débrouillera. D'accord ?

Le téléphone de Lou sonna. Il fit un pas sur le côté.

— Je dois y aller, des rendez-vous en même temps, pas au même endroit.

— Bien sûr. Encore merci. Où est-ce que je dois…

Mais Gabe ne put finir sa phrase car Lou arpentait déjà le hall. Son corps était secoué de mouvements brusques et dessinait dans l'espace une sorte de danse marchée typique des gens qui parlent au téléphone. De sa main gauche, Lou faisait tressauter la monnaie qu'il avait dans sa poche. Sa main droite était collée à son oreille.

— OK, Michael, faut que je file.

Lou referma le clapet et claqua la langue en voyant la foule qui attendait toujours devant les ascenseurs.

— Il faut vraiment faire réparer ces trucs-là, lança-t-il à voix haute.

Gabe le regarda d'une manière que Lou ne put pas déchiffrer.

— Quoi ?

— Où dois-je me rendre ? demanda Gabe.

— Ah oui, désolé. Descends un étage, à la salle du courrier.

— Ah, lâcha Gabe, vraisemblablement surpris. (Cela ne dura qu'une seconde. Puis, il reprit, de nouveau enthousiaste) OK, parfait. Merci.

— Tu as déjà travaillé au courrier ? D'après ce que je sais, il s'y passe des choses étonnantes.

Lou savait que sa proposition était généreuse et que le travail qu'il avait offert à Gabe n'avait rien de dégradant, mais il eut l'impression que ça ne suffisait pas, que le jeune homme debout devant lui non seulement s'attendait à mieux mais en était capable. Lou ne put trouver aucune raison valable pour expliquer son sentiment, d'autant plus que Gabe était toujours aussi calme, reconnaissant, amical. Mais quelque chose dans sa manière de... enfin, il y avait quelque chose qui n'allait pas.

— Ça te dit qu'on déjeune ensemble ? proposa Gabe avec espoir.

— Pas possible, répondit Lou alors que son téléphone recommençait à sonner. J'ai une journée tellement chargée et j'ai...

Sa voix disparut quand les portes de l'ascenseur s'ouvrirent. Les gens s'avancèrent. Gabe se faufila pour entrer en même temps que Lou.

— Celui-ci monte, expliqua calmement Lou, ses mots barrant le passage à Gabe.

— Ah, d'accord.

Gabe recula. Avant que les portes se ferment et pendant que les derniers se pressaient dans la cabine, il lança :

— Pourquoi tu fais ça pour moi ?

Lou ravala douloureusement sa salive et fourra ses mains dans ses poches.

— Disons que c'est un cadeau.

Les portes se refermèrent.

Quand Lou arriva au quatorzième étage, il fut plus que surpris de voir Gabe pousser le chariot à courrier et déposer paquets et enveloppes sur les bureaux des employés.

Combien de temps ai-je mis pour arriver jusqu'ici ? se demanda Lou. Pris de court, il observa Gabe, bouche bée.

— Euh… commença Gabe en regardant à droite et à gauche avec hésitation. On est bien au treizième étage ?

— Au quatorzième, l'informa Lou avec hâte, par habitude, sans se rendre compte de ce qu'il disait. Je sais que cet étage fait partie de ta tournée, mais c'est simplement que…

Il s'interrompit, posa une main sur son front brûlant, espérant ne pas avoir attrapé froid dehors sous la pluie sans son manteau.

— Tu es arrivé ici si vite que j'ai… non, laisse tomber, poursuivit-il en secouant la tête. Ces foutus ascenseurs, marmonna-t-il comme pour lui-même en se rendant dans son bureau.

Alison bondit de sa chaise et l'attrapa avant qu'il n'ouvre la porte.

— Marcia est au téléphone, annonça-t-elle. Encore.

Gabe poussa son chariot le long du couloir cossu, vers un autre bureau. L'une des roues grinçait fortement. Lou l'observa un moment, perdu dans ses pensées, puis se ressaisit.

— Je n'ai pas le temps, Alison. Vraiment. Je devrais déjà être parti pour un rendez-vous mais je dois assister à une réunion avant. Où sont mes clés ?

Il fouilla dans les poches de son manteau accroché au perroquet dans un coin.

— Elle a déjà appelé trois fois ce matin, siffla Alison en posant une main sur le combiné qu'elle tenait éloigné, comme s'il avait été empoisonné. J'ai l'impression qu'elle ne me croit pas quand je lui dis que je vous ai fait part de ses appels.

— Ses appels ? demanda Lou en plaisantant. Pourquoi ? Elle a déjà appelé ?

Alison lâcha un petit cri de panique et éloigna le combiné pour que Lou ne puisse pas le prendre.

— Vous n'avez pas intérêt à me faire un truc pareil. C'est pas ma faute ! Il y a déjà trois messages sur votre bureau rien que depuis ce matin. Et votre famille me déteste déjà suffisamment comme ça.

— On ne peut pas leur en vouloir, non ?

Il se tenait tout près d'elle et l'obligea à reculer dans son bureau. Il lui lança un regard qui la fit fondre entièrement et laissa deux de ses doigts ramper le long de son bras, jusqu'à sa main. Il saisit le téléphone. Quelqu'un toussa derrière lui et il s'éloigna brusquement, posant le combiné sur son oreille. Tout en donnant l'impression que ça lui était égal, il pivota sur lui-même avec nonchalance pour voir qui les avait interrompus.

Gabe. Muni du charlot grinçant. Bizarre, Lou n'avait rien entendu cette fois.

— Oui, Marcia, dit-il à sa sœur au téléphone. Oui, bien sûr que j'ai reçu tes dizaines de milliers de messages. Alison me les a tous gentiment transmis.

Il sourit agréablement à Alison, qui lui tira la langue tandis qu'elle accompagnait Gabe dans son bureau. Il se redressa pour suivre Gabe des yeux.

Derrière Alison, Gabe contemplait le vaste bureau de Lou comme un enfant au zoo. Lou le vit admirer l'immense antichambre, les baies vitrées qui donnaient accès à toute la ville, l'énorme bureau en chêne qui prenait plus de place que nécessaire, l'espace salon avec un canapé dans le coin à gauche, la table de réunion qui pouvait accueillir dix personnes, l'écran plasma de cent vingt centimètres. Le bureau était aussi grand, voire plus grand, qu'un appartement standard dublinois.

Gabe parcourait la pièce des yeux, observant les moindres recoins. Il était difficile de savoir ce qu'il pensait. Quand il croisa le regard de Lou, il lui adressa un sourire tout aussi curieux. Ce n'était pas vraiment le visage plein d'admiration qu'espérait Lou, mais pas non plus de la jalousie. Plutôt un air amusé. Quoi qu'il en soit, Lou ne put éprouver un sentiment de fierté ou d'autosatisfaction – l'attitude de Gabe l'en empêchait. Ce sourire semblait ne s'adresser qu'à Lou, mais le problème était que Lou ne savait pas s'il était l'objet de la plaisanterie ou s'il en était complice. Perdant un peu de son habituelle confiance, il hocha la tête en direction de Gabe.

Pendant ce temps, au téléphone, Marcia poursuivait son bavardage incessant. Lou avait l'impression que sa fièvre ne faisait qu'augmenter.

— Lou ? Lou, tu m'écoutes ? demanda-t-elle d'une voix douce.

— Tout à fait, Marcia. Mais je ne peux pas rester parce qu'il faut que je sois à deux endroits différents et ils sont tous les deux loin d'ici, expliqua-t-il.

Après un léger silence, il rit, pour mieux faire passer la pilule.

— Oui, je sais que tu es très occupé, répondit-elle. Je n'aurais pas à te déranger au travail si on te voyait de temps en temps le dimanche, ajouta-t-elle ensuite, sans pour autant adopter un ton désagréable.

— Ah, ça y est, allons-y, lança-t-il.

Il leva les yeux au ciel, attendant le sermon.

— Non, ce n'est pas mon intention. S'il te plaît, Lou, écoute-moi. J'ai vraiment besoin de ton aide. Je ne veux pas t'embêter mais Rick et moi sommes en train d'étudier les papiers pour le divorce et… (Elle soupira.) Enfin, je veux faire ça bien et je ne peux pas y arriver seule.

— Ça ne m'étonne pas.

Il n'était pas tout à fait sûr de ce qu'elle n'arrivait pas à faire seule car il n'avait pas la moindre idée de ce dont elle parlait. Toute son attention était focalisée sur Gabe qui s'affairait dans son bureau. Lou se sentait envahi par une paranoïa grandissante.

Il tira le téléphone jusqu'à un coin de la pièce pour attraper son manteau. Il ne tarda pas à s'emmêler les pinceaux, voulant s'habiller tout en gardant le téléphone calé entre son oreille et son épaule. Le combiné tomba par terre. Il enfila le vêtement avant de se jeter sur le téléphone. Marcia parlait toujours.

— Donc, est-ce que tu peux au moins répondre à la question que je t'ai posée concernant le lieu ?

— Le lieu ? répéta-t-il.

Son portable sonna dans sa poche et il posa la main sur le combiné pour étouffer la sonnerie. Il aurait tellement voulu pouvoir répondre.

Marcia resta silencieuse un instant.

— Oui, le lieu. (Sa voix était si douce que Lou dut faire un effort pour l'entendre.)

— Ah oui, le lieu pour…

Il regarda Alison d'un air paniqué. Elle cessa de regarder Gabe et se dépêcha de sortir de son bureau, armée de Post-it jaunes.

— Ah ! ah ! s'exclama Lou en saisissant le morceau de papier, énonçant les mots à voix haute tout en les déchiffrant. *Pour l'anniversaire de votre père…* de mon père. Tu cherches un lieu pour la fête d'anniversaire de papa.

Lou perçut de nouveau une présence derrière lui.

— Oui, soupira Marcia, soulagée. Mais je ne cherche pas un lieu, j'en ai déjà trouvé deux. Tu te souviens ? Je t'en ai déjà parlé. Il faut simplement que tu m'aides à choisir. Quentin penche pour l'un et moi pour l'autre, et maman n'a pas du tout envie de s'en mêler et…

— Marcia, tu peux m'appeler sur mon portable ? Il faut vraiment que j'y aille. Je vais être en retard pour un déjeuner.

— Non, Lou ! Dis-moi simplement où…

— Écoute, je connais un endroit super, l'interrompit-il de nouveau, regardant sa montre. Papa va adorer et tout le monde va bien s'amuser, dit-il en espérant se débarrasser d'elle.

— Je ne veux pas rajouter un autre lieu à notre sélection. Tu sais comment est papa. Une petite réunion de famille, intime, un endroit où il se sentira bien...

— Intime et bien, OK, j'ai noté.

Lou prit le stylo entre les doigts d'Alison et écrivit un mémo à propos de la fête qu'il voulait qu'elle commence à organiser.

— Super. Et on fait ça quel jour ?

— Le jour de son anniversaire.

Lou regarda Alison d'un air interrogateur. Elle se précipita sur son agenda et se mit à tourner les pages frénétiquement.

— Je pensais qu'on ferait ça un week-end pour que tout le monde puisse en profiter. Tu sais, pour qu'oncle Léo puisse vraiment se lâcher sur la piste de danse, dit-il, un immense sourire sur le visage.

— Il vient d'apprendre qu'il a un cancer de la prostate.

— C'est pas là que je voulais en venir. Le week-end le plus proche, c'est quand ? demanda-t-il à tout hasard.

— Cette année, l'anniversaire de papa tombe un vendredi, répondit-elle, fatiguée. C'est le 21 décembre, Lou. Comme l'année dernière. Ou l'année d'avant.

— OK, le 21 décembre.

Il lança un regard accusateur à Alison qui se renfrogna, embêtée de ne pas avoir trouvé la date plus vite.

— C'est le week-end prochain, Marcia. Pourquoi tu t'y prends si tard ?

— Je ne m'y prends pas tard. J'ai réservé à deux endroits différents.

Lou ne l'écoutait déjà plus. Il attrapa l'agenda des mains d'Alison et se mit à le parcourir.

— Ah non, ça va pas être possible. Tu ne vas peut-être pas me croire mais c'est le même jour que la fête de Noël du bureau. Il faut vraiment que j'y sois, on a invité des clients importants. On peut fêter l'anniversaire de papa le samedi, dit-il en réfléchissant tout haut. Il faudra que j'annule deux trois trucs, mais ça peut marcher.

— C'est le soixante-dixième anniversaire de ton père, tu ne peux pas changer la date simplement parce que c'est la fête de Noël du bureau, lança-t-elle, folle de rage. Et de toute façon, la musique, la nourriture, tout a déjà été réservé pour cette date-là. Il faut simplement décider du lieu...

— OK, eh bien annule tout, annonça-t-il en sautillant autour de son bureau, prêt à raccrocher. Le lieu auquel je pense fournit aussi la nourriture et la musique, tu n'auras pas à bouger le petit doigt, d'accord ? Bon, super, voilà qui est réglé. Je te passe Alison pour que tu puisses lui donner les détails.

Il posa le téléphone sur son bureau et attrapa son attaché-case.

Il savait que Gabe était derrière lui mais il ne se retourna pas.

— Tout va bien, Gabe ? demanda-t-il en prenant des dossiers posés sur le bureau d'Alison pour les glisser dans sa sacoche.

— Ouais, parfait. Je me disais que j'allais prendre l'ascenseur avec toi, vu qu'on descend tous les deux.

— Ah.

Lou ferma son attaché-case, pivota sur lui-même. Il marcha rapidement jusqu'à l'ascenseur, tout à coup effrayé par l'idée qu'il avait peut-être commis une terrible erreur et qu'il allait maintenant devoir expliquer à Gabe qu'il ne lui avait pas offert ce job pour pouvoir passer du temps avec lui. Il appuya sur le bouton d'appel et tripota son téléphone en attendant l'arrivée de la cabine.

— Alors comme ça, tu as une sœur ? commença Gabe gentiment.

— Ouais, répondit Lou tout en envoyant un texto.

Il avait l'impression d'être de retour à l'école : il lui fallait encore une fois se débarrasser du boulet collé à lui. Tout ça parce qu'il s'était montré gentil. Et comme par hasard, son téléphone refusait de sonner.

— C'est super.

— Mmmmmm.

— Qu'est-ce que tu as dit ?

Gabe avait parlé si sèchement que Lou redressa la tête.

— Je n'ai pas entendu ce que tu as dit, reprit-il, sur le ton d'un instituteur.

Pour une raison inconnue, Lou fut alors submergé par la culpabilité. Il mit son téléphone dans sa poche.

— Désolé, Gabe, souffla-t-il en s'essuyant le front. J'ai passé une matinée étrange. Je ne suis pas dans mes baskets.

— Alors tu es dans les baskets de qui ?

Lou le regarda d'un air troublé. Gabe se contenta de sourire.

— Tu me parlais de ta sœur.

— Ah bon ? Elle se comporte comme d'habitude, en fait, dit Lou en soupirant. Elle me rend fou avec cette histoire de fête d'anniversaire de mon père. Malheureusement, c'est le même jour que la fête de Noël du bureau, ce qui me pose de sérieux problèmes, tu imagines bien. C'est très sympa la fête de Noël, ici.

Il cligna de l'œil en direction de Gabe.

— Tu verras ce que je veux dire. Mais je viens de la décharger de toute l'organisation, pour qu'elle puisse respirer un peu.

— Tu ne penses pas que ça lui plaît, d'organiser ? demanda Gabe.

Lou baissa les yeux. Marcia était ravie d'organiser cette fête d'anniversaire, cela faisait pratiquement un an qu'elle y pensait. En lui ôtant cela des mains, il ne faisait que se simplifier la vie à lui-même. Il n'en pouvait plus des vingt appels par jour. Que pensait-il du gâteau ? Était-il d'accord pour que trois de leurs tantes décrépies dorment chez lui ? Pouvait-il prêter quelques grandes cuillères pour le service ? Depuis sa séparation, Marcia était focalisée sur cette fête. « Si elle avait consacré autant d'énergie à sauver son mariage, elle ne serait pas chez Curves tous les jours en train de pleurer avec ses copines », pensa-t-il. La décharger de cette fête lui rendait service aussi bien à elle qu'à lui. D'une pierre deux coups. Excellent.

— Mais tu comptes bien aller à la fête d'anniversaire de ton père, non ? demanda Gabe. Ton père va avoir soixante-dix ans. Tu ne vas pas rater ça.

Lou se sentit de nouveau mal à l'aise et mécontent. Ne sachant pas si Gabe le sermonnait ou s'il disait ça par amitié, il lui jeta un regard rapide. Mais Gabe était occupé à trier les enveloppes dans son chariot pour savoir à quel étage se rendre ensuite.

— Évidemment que je vais y aller, répondit Lou en se forçant à sourire. Je passerai, à un moment donné. C'est ce que j'ai toujours eu l'intention de faire.

La voix de Lou sonnait faux. Merde, pourquoi avait-il besoin de s'expliquer ?

Gabe ne répondit pas. Quelques lourds instants de silence défilèrent. Lou appuya nerveusement sur le bouton de l'ascenseur.

— Ces foutus trucs sont vraiment lents, marmonna-t-il.

Enfin, les portes s'ouvrirent. La cabine bondée ne pouvait plus accepter qu'une seule personne.

Gabe et Lou se regardèrent.

— Y en a un de vous deux qui va rentrer ? aboya quelqu'un du fond de l'ascenseur.

— Vas-y, dit Gabe. Il faut aussi que je descende ceci, ajouta-t-il en désignant son chariot. Je prendrai le prochain.

— Tu es sûr ?

— Bon, les amoureux, on peut y aller ? s'écria un homme.

Les autres se mirent à rire et Lou se précipita à l'intérieur, ne pouvant détacher ses yeux du visage tranquille de Gabe. Les portes se fermèrent, l'ascenseur se mit en marche.

Après seulement deux arrêts, ils parvinrent au rez-de-chaussée. S'étant retrouvé coincé au fond, Lou dut attendre que tout le monde sorte. Il observa les employés se précipiter vers les portes pour aller déjeuner, emmitouflés dans leurs manteaux et prêts à affronter les éléments.

Quand la masse de gens se dispersa, son cœur sursauta. Devant le bureau de l'agent de sécurité se trouvait Gabe qui cherchait Lou parmi la foule, son chariot à côté de lui.

Lou sortit de l'ascenseur et se dirigea vers lui.

— J'ai oublié de te donner ça, expliqua Gabe en lui tendant une fine enveloppe. C'était caché derrière le courrier de quelqu'un d'autre.

Lou prit l'enveloppe et l'enfouit dans la poche de son manteau sans même y jeter un œil.

— Quelque chose ne va pas ? demanda Gabe – ne manifestant cependant pas la moindre inquiétude.

— Non, non, tout va bien, l'assura Lou. Comment es-tu descendu aussi vite ?

— Ici ? demanda-t-il en montrant le sol.

— Oui, ici, rétorqua Lou avec sarcasme. Le rez-de-chaussée. Tu devais prendre l'ascenseur suivant. Depuis le quatorzième étage. Il y a moins de trente secondes.

— Ah oui, acquiesça Gabe en souriant. Mais ça ne fait pas vraiment trente secondes.

— Et ?

— Et... (Il fit une pause.) Il faut croire que je suis arrivé ici avant toi.

Il haussa les épaules et desserra le frein du chariot avec son pied, prêt à partir. Au même moment, le portable de Lou se mit à sonner et son BlackBerry lui annonça qu'il avait reçu un nouvel e-mail.

— Tu devrais y aller, suggéra Gabe en s'éloignant. Des choses à voir, des gens à faire, lança-t-il, reprenant les mots de Lou.

Puis il sourit, mais son sourire de porcelaine n'eut pas du tout le même effet sur Lou que le matin même où il l'avait rempli de chaleur. Au contraire : Lou sentit une pointe d'angoisse transpercer son cœur et son estomac. Aux deux endroits. En même temps.

8

Tarte et pudding

Il était dix heures du soir quand la ville se décida enfin à recracher Lou et à l'envoyer sur les routes côtières jusqu'à sa maison de Howth, dans le comté de Dublin. Une rangée de maisons bordait la mer, comme le cadre ouvragé d'une aquarelle parfaite. Battues par les vents, érodées par l'air marin, les bâtisses se pliaient à la coutume américaine en hébergeant Pères Noël et rennes géants sur leurs toits étincelants. Derrière toutes les fenêtres dont les rideaux n'étaient pas tirés, on voyait scintiller un sapin. Lou se souvint que, enfant, il essayait de compter le plus de sapins possible pour faire passer le temps en voiture. À sa droite, il pouvait voir Dalkey et Killiney de l'autre côté de la baie. Les lumières de la capitale brillaient au-delà de la mer d'encre, comme des anguilles électriques au fond d'un puits obscur.

Lou avait toujours rêvé d'habiter Howth. C'était là, précisément, que remontaient ses premiers souvenirs, son premier désir d'appartenance, son premier sentiment d'intégration. Le port de pêche et de plaisance était une station balnéaire populaire, du côté nord de Howth Head, à quinze kilomètres de Dublin. Ce village avait une histoire ; des chemins côtiers longeaient Howth et son abbaye en ruine, un château du XVe siècle se dressait entre des jardins de rhododendrons, et de nombreux phares constellaient la côte. C'était un village vivant, populaire, rempli de pubs, d'hôtels et de bons restaurants de poisson. On avait une vue magnifique sur la baie de Dublin, et, au-delà, sur les montagnes du Wicklow et la vallée de Boyne. Howth était une péninsule rattachée au continent par une minuscule bande de terre. Une minuscule bande de terre qui reliait Lou à sa famille. À peine un lambeau. Quand une tempête se déchaînait, Lou observait la Liffey en colère depuis la fenêtre de son bureau et imaginait les féroces vagues grises qui s'écrasaient sur ce même passage, léchant la lande telles des flammes, menaçant de couper sa famille du reste du pays. Parfois, lors de ces rêveries, il se trouvait loin des siens, séparé à jamais. Quand il était de meilleure humeur, il s'imaginait avec eux, les enveloppant de ses bras pour les protéger de la furie des éléments.

Derrière leur superbe jardin aménagé, s'étendait la campagne, sauvage et accidentée, avec ses bruyères pourpres, ses herbes hautes – jusqu'à la taille – et ses chaumes. Au premier plan, on apercevait Ireland's Eye. Les jours de beau temps, la vue était si magnifique qu'on aurait dit qu'un écran vert géant avait été abaissé et déroulé du ciel jusqu'au plancher marin. Un ponton s'étirait depuis le port et Lou adorait le parcourir, même seul. Il ne l'avait pas toujours été ; son amour pour ce quai avait débuté quand il était enfant. Tous les dimanches, ses parents les emmenaient se promener à Howth, lui, Marcia et Quentin, qu'il pleuve ou qu'il fasse beau. En général, la chaleur était telle qu'il pouvait encore aujourd'hui, dès qu'il s'avançait sur le quai, se souvenir du goût de sa glace. Les jours de mauvais temps, il leur fallait s'accrocher les uns aux autres pour ne pas se faire balayer par le vent et tomber à l'eau, perdus à jamais.

Lors de ces promenades familiales, Lou trouvait refuge dans son monde intérieur. Ces jours-là, il était pirate et défiait les hautes mers. Il était maître nageur. Il était soldat, baleine. Il était tout ce qu'il n'était pas.

Dès qu'il posait un pied sur le ponton, il commençait par marcher à reculons, observant leur voiture dans le parking jusqu'à ce que la forme rouge lumineuse disparaisse et que les gens soient devenus des pingouins, des taches noires qui se dandinaient à l'aveuglette.

Lou aimait toujours autant se promener sur ce quai ; c'était sa piste de décollage vers la tranquillité. Il aimait voir disparaître les voitures et les maisons perchées au bord de la falaise à mesure qu'il s'éloignait. Il se tenait au même niveau que le phare, tourné comme lui vers l'horizon. Ici, après une dure semaine de travail, il pouvait jeter à l'eau tous ses problèmes et les voir sombrer parmi les vagues dans un bruit sourd, jusqu'au fond.

En rentrant chez lui ce soir-là, jour de sa rencontre avec Gabe, Lou sut qu'il était trop tard pour aller marcher sur le quai. Ce doux projet avait succombé, happé par la nuit. Tout ce qu'il pouvait voir, c'était la lumière clignotante provenant d'un phare. Malgré l'heure et le fait qu'on était en milieu de semaine, le village n'avait rien d'une retraite paisible. En cette fin d'année, les restaurants débordaient de clients venus pour les fêtes de Noël, des réunions annuelles, toutes sortes de réjouissances. Tous les bateaux se trouvaient au port. Les phoques avaient quitté les rochers, le ventre plein de maquereaux achetés par les touristes trop heureux de les leur donner. La route en lacets qui menait au sommet de la colline était sombre et calme. Il n'y avait personne dans les environs et il était si près de chez lui qu'il ne put résister à l'envie d'appuyer sur l'accélérateur de sa Porsche 911. Il baissa sa vitre, sentit l'air frais dans ses cheveux. Il franchit le sommet de Howth et écouta le bruit du moteur qui résonnait au-delà des collines et rebondissait sur les arbres. Sous lui, la ville brillait de mille feux et le suivait du regard tandis que – telle une araignée dans l'herbe – il se faufilait dans la montagne recouverte de forêts.

Il fut rattrapé par un hululement électronique. Parfait pour couronner la journée. Dans le rétroviseur, il vit la voiture de police venir à lui, pleins phares. Il relâcha sa pression sur l'accélérateur, espérant qu'elle le dépasserait, mais sans succès. La sirène s'adressait manifestement à lui. Il activa son clignotant, s'arrêta, mains sur le volant, et vit une silhouette familière sortir du véhicule de patrouille. L'homme avança lentement, observant la nuit comme s'il se promenait, ce qui laissa à Lou le temps de faire travailler son cerveau pour trouver le nom de l'agent. Il éteignit la musique, qui hurlait, et regarda plus longuement l'homme qui s'approchait dans son rétroviseur, espérant faire jaillir son nom de sa mémoire.

L'homme s'arrêta devant la portière et se pencha en avant pour venir s'appuyer contre la fenêtre ouverte.

— Monsieur Suffern, dit-il, sans moquerie, au grand soulagement de Lou.

— Sergent O'Reilly.

Il s'était souvenu du nom juste à temps. Il lui offrit son plus large sourire, dévoilant tellement de dents qu'il ressemblait à un chimpanzé stressé.

— Nous nous retrouvons là dans une situation habituelle, dit le sergent en grimaçant. Malheureusement pour vous, je crois que l'on rentre tous deux à la maison à peu près à la même heure.

— Ça semble être le cas, en effet, monsieur. Mes excuses, les routes étaient désertes, j'ai pensé que ça ne poserait pas de problème. Il n'y a pas un chat.

— Non, mais il peut y avoir quelques innocents, c'est toujours là le souci.

— Et j'en fais partie, votre honneur, déclara Lou en riant, levant ses mains comme pour se dédouaner. C'est la dernière ligne droite avant la maison, croyez-moi je n'ai accéléré que quelques secondes avant que vous m'arrêtiez. Je meurs tout simplement d'envie de rentrer chez moi. Sans vouloir faire de mauvais jeu de mots.

— Je vous ai entendu arriver depuis Sutton Cross, en bas de la colline.

— La nuit est calme.

— Et votre moteur est bruyant, je suis au courant, mais on ne sait jamais, monsieur Suffern, on ne sait jamais.

— Vous ne pourriez pas tout simplement me donner un autre avertissement ? demanda Lou en affichant un sourire de vainqueur.

Il espérait à la fois paraître sincère et désolé.

— Vous connaissez la limite de vitesse ?

— Soixante kilomètres.

— Oui, et pas cent...

Le sergent s'arrêta de parler tout à coup et se redressa brusquement. Ce n'était plus son visage que Lou avait en face de lui mais la boucle de sa ceinture. Ne sachant pas vraiment ce que comptait faire le sergent, Lou resta assis et regarda l'étendue de la route devant lui. Il espérait ne pas perdre d'autres points sur son permis. Sur les douze points de départ, il ne lui en restait plus que quatre, et il frôlait dangereusement le retrait de permis. Il jeta un œil au sergent et le vit attraper sa poche gauche.

— Vous cherchez un stylo ? demanda Lou en approchant sa main de sa poche de poitrine.

Le sergent tressaillit et tourna le dos à Lou.

— Eh, vous allez bien ? demanda Lou, inquiet.

Il avança la main vers la portière puis se ravisa.

Le sergent marmonna quelque chose d'inaudible mais dont le ton semblait suggérer une sorte de danger. Dans son rétroviseur, Lou le vit marcher lentement vers sa voiture. Son pas était inhabituel. Il semblait traîner sa jambe gauche derrière lui. Était-il ivre ? Puis le sergent ouvrit la porte de sa voiture, monta, alluma le moteur, fit demi-tour et disparut. Lou fronça les sourcils. Cette journée – même à cette heure avancée de la nuit – devenait à chaque instant de plus en plus bizarre.

Lou s'engagea dans l'allée avec le même sentiment de fierté et de satisfaction que celui qu'il ressentait tous les soirs en arrivant chez lui. Pour la plupart des gens, la taille n'avait aucune importance. Mais Lou ne voulait pas être comme la plupart des gens. Il pensait que ses biens devaient refléter l'homme qu'il était. Il voulait toujours ce qu'il y avait de mieux et, pour lui, la taille et la quantité étaient de bons indices de qualité. Bien qu'elle fût située dans un cul-de-sac très protégé sur les hauteurs de Howth Summit, il s'était arrangé pour que les murs de sa propriété soient plus hauts que les autres et avait fait installer des caméras de surveillance sur un immense portail électronique à l'entrée.

À l'avant de la maison, les chambres des enfants étaient éteintes. Lou en fut étrangement soulagé.

— Je suis rentré, annonça-t-il à la maison silencieuse.

Un bruit lointain lui parvint, celui d'une femme à bout de souffle et quelque peu hystérique qui énonçait une suite de mouvements depuis la salle de la télé. Le DVD d'aérobic de Ruth.

Il défit sa cravate et ouvrit le col de sa chemise. Il ôta ses chaussures. Le chauffage au sol apaisa ses pieds à travers le marbre tiède. Il se mit à trier le courrier posé sur la table à l'entrée. Son esprit commençait lentement à décompresser, les conversations entendues lors de diverses réunions ou coups de fil semblaient ralentir. Bien que toujours présentes, les voix paraissaient plus calmes. Chaque fois qu'il enlevait un vêtement – son manteau jeté sur la chaise, sa veste de costume sur la table, ses chaussures balancées de l'autre côté de la pièce, sa cravate en travers du bureau mais qui glissait inéluctablement vers le sol, son attaché-case là, ses clés ailleurs –, il avait l'impression de se débarrasser des événements de la journée.

— Bonsoir ! s'écria-t-il, sa voix devenant plus forte quand il se rendit compte que personne – pas même sa femme – n'était venu l'accueillir.

Peut-être était-elle trop occupée à respirer en quatre temps, comme la femme en nage de la télévision.

— Chut ! lui intima une voix au premier étage de la maison.

Il entendit le plancher grincer tandis que sa femme apparaissait sur le palier.

Cela le perturba. Pas le grincement, car sa maison était assez vieille et qu'il ne pouvait pas faire grand-chose pour empêcher ce phénomène. Mais qu'on lui demande de faire moins de bruit, voilà qui lui posait problème. Il avait passé sa journée à parler, à jouer habilement avec les mots, à mener des conversations intelligentes et intéressantes, à proposer des marchés, à les suivre et à les voir aboutir, et personne ne lui avait dit chut. Non, il n'y avait que les institutrices et les bibliothécaires pour employer pareil langage. Pas des adultes dans leur propre maison. Il avait l'impression d'avoir quitté le monde réel pour entrer dans une crè-che. Il avait à peine franchi le pas de sa porte et il se sentait déjà énervé. C'était souvent le cas ces derniers temps.

— Je viens tout juste de recoucher Pud. Il a du mal à dormir, expliqua Ruth depuis le haut de l'escalier, en murmurant fortement.

Lou grimaça de nouveau. Tout comme le chut, ce genre de chuchotement sonore ne devait être utilisé que par des enfants dans une salle de classe ou par des ados faisant le mur. Il comprenait que Ruth y ait recours mais ne pouvait l'accepter. Il n'aimait pas se sentir contraint, surtout dans sa propre maison. Encore de quoi être énervé.

Le « Pud » auquel Ruth faisait allusion était leur fils, Ross. Il avait un peu plus d'un an mais ne s'était pas encore débarrassé de ses rondeurs de nourrisson. Sa peau ressemblait à de la pâte à pudding. D'où le sur-nom de Pud qui, malheureusement pour Ross, semblait lui coller au corps.

— Rien de neuf ? marmonna-t-il en référence aux nuits agitées de Pud.

Il parcourait le courrier à la recherche de quelque chose qui ne ressemblerait pas à une facture.

Ruth descendit l'escalier, vêtue d'un jogging-pyjama en velours. En ce moment, Lou ne parvenait pas à faire la différence entre ses habits de jour, de nuit, d'intérieur… Ses longs cheveux couleur chocolat étaient relevés en une queue-de-cheval haute. Elle s'approcha de lui en traînant des pieds. Le bruit des chaussons râpait ses oreilles, pire que le vrombissement de l'aspirateur qu'il avait toujours détesté.

— Salut, dit-elle dans un sourire.

Son visage fatigué se ranima et il aperçut fugitivement l'étincelle de la femme qu'il avait épousée. Mais, aussi rapidement qu'elle avait brillé, elle s'éteignit, et il ne put que se demander si c'était lui qui l'avait imaginé ou si cet aspect d'elle existait bien encore. Le visage de la femme qu'il voyait tous les jours s'approcha de lui et vint l'embrasser sur les lèvres.

— Bonne journée ? demanda-t-elle.

— Chargée.

— Mais bonne ?

Le contenu d'une enveloppe en particulier suscita son intérêt. Après un long moment, il sentit qu'on le fixait avec intensité.

— Hmmm ? bredouilla-t-il en levant les yeux.

— Je viens de te demander si tu avais passé une bonne journée.

— Oui et je t'ai dit qu'elle avait été chargée.

— Oui, et j'ai rajouté : « Mais bonne ? » Toutes tes journées sont chargées mais elles ne sont pas forcément bonnes. En tout cas, j'espère qu'elle l'a été, conclut-elle d'une voix lasse.

— On ne dirait pas, répondit-il, le regard plongé dans sa lettre.

— C'est pourtant ce que j'espérais la première fois que je t'ai posé la question.

Le ton de sa voix demeurait indifférent.

— Ruth, je suis en train de lire mon courrier !

— Oui, j'ai vu, marmonna-t-elle en se penchant en avant pour attraper les enveloppes vides qui gisaient par terre et sur la table à l'entrée.

— Que s'est-il passé ici aujourd'hui ? demanda-t-il, ouvrant une autre enveloppe.

Un morceau de papier voleta jusqu'au sol.

— La même folie que d'habitude. Et ensuite j'ai fait le ménage, juste avant que tu rentres, pour la millième fois, expliqua-t-elle en ramassant un énième morceau de papier roulé en boule et s'assurant que Lou la voie. Marcia a appelé plusieurs fois. Elle te cherchait. Mais avant ça, il a fallu que je retrouve le téléphone. Pud avait encore caché le combiné, j'ai mis des heures à le retrouver. Bref, elle a besoin d'aide pour décider d'un lieu où organiser la fête de ton père. Elle aime bien l'idée d'installer une grande tente ici, mais évidemment Quentin est contre. Il veut faire ça au yacht-club. Je pense que l'un comme l'autre plairaient à ton père – non, ce n'est pas vrai, je crois que l'un comme l'autre ne plairaient pas à ton père, mais comme personne ne semble lui demander son avis, je pense que tout lui conviendra. Ta mère ne veut pas se mêler de ça. Alors, tu lui as répondu quoi ?

Silence. Elle le regarda patiemment lire la dernière page du document qu'il avait dans les mains et attendit une réponse. Il le replia, le laissa tomber sur la table et en prit un autre.

— Chéri ?

— Hmmm ?

— Je t'ai posé une question à propos de Marcia, siffla-t-elle entre ses dents.

Puis elle alla ramasser les morceaux de papier qui venaient tout juste de tomber par terre.

— Ah oui.

Il déplia un autre document.

— Elle était simplement…

Le contenu le déstabilisa.

— Oui ? dit-elle à haute voix.

Il leva les yeux et la dévisagea, comme s'il venait de s'apercevoir de sa présence.

— Elle appelait à propos de la fête.

— Je sais, grimaça-t-il.

— Comment le sais-tu ?

Il se remit à lire.

— Parce qu'elle a... oh, et puis laisse tomber !

Ça y est, ça recommençait.

— Elle est tellement heureuse d'organiser cette fête, tu ne trouves pas ? C'est vraiment super de la voir si enthousiaste après l'année qu'elle a passée. Elle peut parler pendant des heures de la nourriture, de la musique...

Elle se tut.

Silence.

— Hmmm ?

Marcia, reprit-elle en frottant ses yeux lourds. On est en train de parler de Marcia, mais toi tu ne t'intéresses...

Elle se dirigea vers la cuisine.

— Ah oui, la fête. Je l'en ai déchargée. C'est Alison qui va l'organiser.

Ruth s'arrêta.

— Alison ?

— Oui, ma secrétaire. Elle est nouvelle. Tu l'as rencontrée ?

— Pas encore.

Elle s'approcha lentement de lui.

— Chéri, Marcia avait l'air vraiment ravie de s'occuper de cette fête.

— Je peux t'assurer qu'Alison aussi, dit-il en souriant. Ou pas, ajouta-t-il.

Puis il se mit à rire.

Elle sourit patiemment en attendant qu'il se remette de sa blague qui n'amusait que lui. Elle avait envie de l'étrangler. Comment pouvait-il priver sa sœur du plaisir d'organiser cet anniversaire ? Surtout si c'était pour en confier la préparation à une femme qui ne savait absolument rien de l'homme qui s'apprêtait à fêter ses soixante-dix ans avec les gens qu'il aimait et qui l'aimaient.

Elle prit une grande inspiration, relâchant ses épaules en soufflant, et ajouta :

— Ton dîner est prêt.

Elle se dirigea de nouveau vers la cuisine.

— Il me faut une petite minute pour tout réchauffer. Et je t'ai acheté la tarte aux pommes que tu aimes.

— J'ai déjà dîné, dit-il en pliant et déchirant une lettre.

Quelques morceaux de papier tombèrent au sol. Était-ce le bruit du papier sur le marbre ou ses paroles qui l'arrêtèrent ? Quoi qu'il en soit, elle se figea.

— C'est bon, je vais ramasser ces foutus papiers, grogna-t-il, énervé.

Elle pivota lentement sur elle-même.

— Où as-tu dîné ? demanda-t-elle d'une voix calme.

— Chez Shanahans. Une entrecôte. Je n'ai plus faim.

Inconsciemment, il se caressa l'estomac.

— Avec qui ?

— Des collègues de travail.

— Qui ?

— Eh, c'est quoi là ? L'inquisition espagnole ?

— Non, simplement une femme qui demande à son mari avec qui il a dîné.

— Quelques gars du boulot. Tu ne les connais pas.

— J'aurais aimé que tu me le dises.

— Ça n'avait rien de formel. Les autres femmes n'étaient pas là non plus.

— Non, ce n'est pas... J'aurais aimé être au courant, comme ça je ne t'aurais pas fait à manger.

— Merde, Ruth ! Je suis désolé que tu aies fait la cuisine et acheté cette foutue tarte, cria-t-il.

— Chut ! souffla-t-elle en fermant les yeux, espérant que ses cris n'aient pas réveillé le bébé.

— Non, je ne vais pas me taire ! explosa-t-il. D'accord ?

Il se dirigea vers le petit salon, laissant ses chaussures au milieu de l'entrée. La table était couverte de papiers et d'enveloppes.

Ruth prit de nouveau une grande inspiration, se détourna de tout ce bazar et se dirigea vers le coin opposé de la maison.

Quand Lou retrouva sa femme, elle mangeait des lasagnes et de la salade, assise à la table de la cuisine. La tarte semblait être la prochaine victime. Elle regardait des femmes vêtues de lycra faire des bonds sur le grand écran plasma du salon.

— Je croyais que tu avais dîné avec les enfants, commenta-t-il après l'avoir observée un moment.

— Oui, répondit-elle la bouche pleine.

— Alors pourquoi tu manges encore ?

Il regarda sa montre.

— Il est presque onze heures, reprit-il. Un peu tard pour manger, tu ne crois pas ?

— Tu manges bien à cette heure, toi, observa-t-elle l'air maussade.

— Oui, mais moi je ne me plains pas ensuite d'être gros. Évidemment, si tu manges deux fois des lasagnes et une tarte... poursuivit-il en riant.

Ruth avala sa nourriture. Elle eut l'impression d'avoir un caillou coincé dans la gorge. Il avait parlé sans réfléchir, sans intention de la blesser. Il n'en avait jamais l'intention, mais il y parvenait chaque fois. Après un long silence au cours duquel la colère de Ruth s'estompa, lui ouvrant de nouveau l'appétit, Lou alla la rejoindre à table. Dehors, l'obscurité s'accrochait à l'encadrement gelé de la fenêtre, attendant la première occasion pour entrer. Au-delà, de l'autre côté de la baie, les millions de lumières de la ville scintillaient, pareilles à des décorations de Noël accrochées dans la nuit.

— J'ai passé une journée étrange, dit enfin Lou.

— C'est-à-dire ?

— Je ne sais pas, soupira-t-il. C'est juste que je ne me sentais pas bien.

— Moi, ça m'arrive presque tous les jours, déclara Ruth en souriant.

— Peut-être que je couve quelque chose. Je ne suis pas... dans mon assiette.

Elle posa sa main sur son front.

— Tu n'as pas de fièvre.

— Ah bon ? s'exclama-t-il en la regardant avec surprise avant de poser lui-même la main sur son front. Moi, je me sens fiévreux. C'est ce type au boulot. (Il secoua la tête.) Il est tellement étrange.

Ruth fronça les sourcils et l'observa, n'ayant pas l'habitude de le voir si hésitant.

— Tout avait bien commencé, reprit-il en faisant tourner le vin dans son verre. J'ai rencontré un homme devant le bureau. Gabe. Un SDF – enfin, je ne sais pas s'il est SDF, il m'a dit qu'il avait un toit, mais il faisait la manche dans la rue.

Le moniteur bébé se mit alors à grésiller. Pud gémissait doucement dans son sommeil. Ruth posa ses couverts, éloigna le plat entamé, et pria pour qu'il ne se réveille pas.

— Quoi qu'il en soit, poursuivit Lou qui n'avait rien remarqué, je lui ai offert une tasse de café et on a discuté.

— C'est gentil de ta part, reconnut Ruth.

Ses instincts maternels se réveillaient et la seule voix qu'elle entendait à présent était celle de son fils, dont les geignements s'étaient transformés en pleurs.

— Il me faisait penser à moi, avoua Lou, troublé. Il me ressemblait tellement et on a eu une étonnante conversation à propos de chaussures.

Il se mit à rire en y repensant.

— Il se souvenait de toutes les paires de chaussures qui étaient entrées dans le bâtiment, alors je l'ai embauché. Enfin, ce n'est pas moi, j'ai appelé Harry...

— Lou, chéri, interrompit-elle. Tu n'entends rien ?

Il la regarda sans comprendre, au départ un peu agacé qu'elle lui ait coupé la parole. Puis il inclina la tête, à l'affût. Enfin, les pleurs de son fils s'insinuèrent dans ses pensées.

— Très bien, vas-y, soupira-t-il en se massant l'arête du nez. Du moment que tu te souviens que j'étais en train de te parler de ma journée, parce que tu es toujours en train de râler que je ne te raconte jamais rien, marmonna-t-il.

— Ça veut dire quoi, ça ? demanda-t-elle en élevant la voix. Ton fils pleure. Tu veux que je reste assise là toute la nuit pendant qu'il appelle à l'aide jusqu'à ce que tu aies fini ton histoire de SDF qui aime les chaussures ? Ou bien est-ce que l'idée de monter et d'aller voir si tout va bien va un jour te traverser l'esprit ?

— D'accord, j'y vais, déclara-t-il, furieux.

Il resta assis.

— Non, j'y vais, conclut-elle en se levant de table. J'aimerais que tu y ailles sans que j'aie à te le demander. Tu ne fais pas ça pour avoir un bon point, Lou. Tu le fais parce que c'est ton fils et que tu as envie d'aller le voir.

— Tu n'as pas vraiment l'air d'en avoir envie, toi non plus, grommela-t-il en tripotant ses boutons de manchettes.

Elle s'arrêta à mi-chemin entre la table et la porte.

— Tu sais que tu n'as encore jamais passé une journée entière seul avec Ross ?

— Si tu as utilisé son vrai prénom, c'est que tu parles sérieusement. Mais qu'est-ce qui te prend ?

Il l'avait poussée à bout. Frustrée, elle lâcha tout ce qu'elle avait sur le cœur.

— Tu n'as jamais changé sa couche, tu ne lui as jamais donné à manger.

— Je l'ai nourri, protesta-t-il.

Les pleurs augmentaient en puissance.

— Tu n'as pas préparé un seul biberon, un seul repas. Tu ne l'as jamais habillé, tu n'as jamais joué avec lui.

Les rares fois où tu es seul avec lui, je suis obligée de débarquer toutes les cinq minutes pour le récupérer parce que tu as un e-mail à envoyer ou un coup de fil à passer. Cet enfant est sur terre depuis plus d'un an, Lou. Plus d'un an.

— Attends. (Il passa sa main dans ses cheveux et en saisit une poignée en signe de colère.) Comment est-on passé d'une discussion à propos de ma journée – dont tu veux toujours tout savoir – à cette agression généralisée ?

— Tu étais tellement occupé à parler de toi que tu n'as pas entendu ton enfant, répondit-elle avec lassitude, sachant parfaitement où allait mener cette conversation, semblable à toutes les autres : nulle part.

Lou regarda la pièce autour de lui. Il agita les bras dans un geste théâtral qui englobait toute la maison.

— Tu crois que je reste assis à mon bureau toute la journée à me tourner les pouces ? Non, je fais de mon mieux, je jongle sans cesse pour que toi et les enfants vous puissiez avoir tout ça, pour pouvoir nourrir Ross. Alors pardonne-moi si je ne suis pas là tous les matins pour lui faire avaler sa banane écrasée.

— Tu ne jongles pas, Lou. Tu fais certains choix plutôt que d'autres. Ce n'est pas la même chose.

— Je ne peux pas faire deux choses en même temps, Ruth ! Si tu as besoin d'aide à la maison, je te l'ai déjà dit, tu n'as qu'à me demander et on embauche une nounou sur-le-champ.

Il savait qu'il venait là de s'engager en terrain miné. Lou se préparait à affronter l'assaut inévitable tandis que les pleurs de Pud redoublaient d'intensité sur le moniteur bébé. Histoire d'éviter la dispute habituelle, il faillit rajouter : « Et je te promets de ne pas coucher avec celle-là. »

Mais la dispute n'arriva jamais. Ruth avait décidé d'aller plutôt s'occuper de son fils. Elle baissa les épaules, rendant les armes.

Lou attrapa la télécommande et la dirigea vers la télévision, comme pour la mitrailler. Il pressa le bouton « arrêt » avec rage et les femmes en sueur et en lycra se réduisirent à un petit cercle de lumière au centre de l'écran avant de disparaître complètement.

Il se saisit de la tarte aux pommes sur la table et se mit à en picorer des morceaux. Il cherchait à comprendre. Comment la situation avait-elle pu de nouveau dégénérer ? Tout ça allait se terminer comme d'habitude : il irait se coucher et elle dormirait, ou du moins elle ferait semblant. Quelques heures plus tard il se réveillerait, ferait ses exercices, prendrait sa douche et partirait travailler.

Il soupira et se rendit compte en entendant son propre souffle que le moniteur bébé grésillait encore mais que Pud ne pleurait plus. Il se leva pour le désactiver, mais un autre bruit lui donna plutôt envie d'augmenter le volume. Son cœur se brisa et les sanglots retenus de Ruth envahirent la cuisine.

9

Le garçon à la dinde – 2

— Vous l'avez laissé partir ?

Une voix jeune pénétra les pensées de Raphie.

— Que dis-tu ?

Raphie reprit ses esprits et concentra toute son attention sur l'adolescent assis en face de lui.

— Je vous ai demandé si vous l'avez laissé partir.

— Qui ?

— Le gars riche dans la Porsche. Il roulait trop vite mais vous l'avez laissé partir.

— Non, je ne l'ai pas laissé partir.

— Si, vous ne lui avez même pas retiré de points sur son permis. Rien du tout. Vous l'avez simplement relâché. C'est toujours pareil avec vous, les flics, vous êtes toujours du côté des riches. Si ç'avait été moi, j'aurais été condamné à une peine de prison à vie. Je n'ai fait que jeter une foutue dinde et je suis coincé ici pour toute la journée. Et en plus, c'est Noël.

— Arrête de gémir, on attend ta mère, tu sais bien. Et je ne pourrais pas lui en vouloir si elle décidait pour finir de te laisser ici toute la journée.

Le garçon bouda pendant quelque temps.

— Alors comme ça, tu es nouveau par ici. Vous avez emménagé récemment ? demanda Raphie.

L'adolescent hocha la tête.

— Vous étiez où avant ?

— En République de Ton Cul.

— Très malin, dit-il d'un ton moqueur.

— Pourquoi vous n'avez pas insisté avec le gars à la Porsche ? voulut-il enfin savoir, trop curieux pour rester silencieux. Vous avez eu la trouille ?

— Ne sois pas idiot, fiston. Je lui ai donné un avertissement, répondit Raphie en se redressant sur sa chaise.

— Mais c'est illégal, vous auriez dû lui donner une amende. Il aurait pu tuer quelqu'un à cette vitesse.

Les yeux de Raphie s'assombrirent et le garçon comprit qu'il valait mieux ne pas insister.

— Tu veux entendre la suite de l'histoire ou pas ?

— Oui, allez-y.

Le garçon se pencha au-dessus de la table et posa son menton sur ses mains.

— J'ai toute la journée devant moi, ajouta-t-il avec un grand sourire impertinent.

10

Le lendemain matin

Lou se réveilla à 5 h 59. La soirée précédente s'était déroulée exactement comme prévu : quand il était allé se coucher, il avait pu constater que Ruth lui tournait le dos, qu'elle tenait son pyjama serré sur son corps, et qu'elle était aussi facile à atteindre que la lune. Le message était clair et net.

Lou n'avait pas trouvé le courage de la réconforter, de franchir la ligne qui les séparait dans le lit et dans la vie, pour tout arranger. Même quand ils étaient étudiants, fauchés, et habitaient dans les pires appartements possibles, avec un chauffage capricieux et une salle de bains qu'il fallait partager avec des dizaines de personnes, leur relation n'avait jamais été aussi catastrophique. Ils avaient vécu dans une chambre si minuscule qu'il fallait en sortir de temps en temps pour se changer les idées, et dormi dans le même lit simple, mais ça ne les avait pourtant jamais dérangés. Cela leur plaisait même, de vivre l'un sur l'autre. À présent, ils avaient un lit de deux ou trois mètres de large, si grand que quand ils étaient tous les deux allongés les bras étendus, leurs doigts s'effleuraient à peine. Un monstre rempli d'espaces vides et froids qui s'insinuaient sous les draps, impossibles à atteindre et à réchauffer.

Lou repensa au début, quand lui et Ruth s'étaient rencontrés pour la première fois – deux jeunes gens de dix-neuf ans, insouciants et ivres, fêtant la fin des examens du premier semestre. Ils avaient fait connaissance à l'International Bar sur Wicklow Street, le soir où on y jouait des spectacles comiques. Ils ne pensaient qu'aux vacances à venir et surtout pas aux résultats des examens. Après cette soirée, Lou avait songé à elle tous les jours une fois rentré chez ses parents pour les fêtes de Noël. Qu'il mangeât de la dinde, déballât un cadeau ou se disputât avec sa famille pendant une partie de Monopoly, elle était avec lui. À cause d'elle, il avait même perdu son titre de champion au concours de « compte la farce » qu'il organisait avec Marcia et Quentin. Lou regarda le plafond et sourit en se souvenant comment chaque année lui, son frère et sa sœur – des couronnes de papier sur la tête et la langue pendante – s'affairaient à compter chaque miette de farce dans leur assiette, bien après que les parents avaient quitté la table. Tous les ans, Marcia et Quentin s'alliaient dans l'espoir de le battre mais leur rage de vaincre s'épuisait rapidement et l'acharnement de Lou – voire l'obsession, selon certains – ne pouvait pas être égalé. Sauf cette année-là. Même Quentin l'avait battu. Le téléphone avait sonné, c'était elle. Le reste n'avait plus d'importance. Finies les traditions enfantines. En théorie, c'était ce jour-là que Lou était devenu un homme. En théorie.

Le jeune homme de dix-neuf ans de ce Noël-là aurait aimé être à sa place. Il aurait saisi des deux mains l'occasion d'être transporté dans le futur rien que pour pouvoir s'allonger aux côtés de Ruth dans un beau lit, dans une belle maison, avec deux merveilleux enfants endormis dans les chambres voisines. Il regarda Ruth sur le lit près de lui. Elle avait roulé sur le dos, la bouche légèrement entrouverte. Ses cheveux ressemblaient à une botte de foin sur le haut de son crâne. Il sourit.

Elle avait eu de meilleures notes que lui aux examens, ce qui n'était pas difficile. Et cela avait perduré pendant les trois années qui avaient suivi. Apprendre était un jeu pour elle, alors que lui, au contraire, avait l'impression de trimer comme un galérien pour décrocher simplement la moyenne. Il ne savait pas où elle trouvait le temps de penser, encore moins d'étudier, puisqu'elle était surtout occupée à organiser leurs folles soirées à travers la ville. Au moins une fois par semaine, ils s'incrustaient dans des fêtes, se faisaient virer et s'endormaient sur les escaliers de secours. Pourtant, Ruth ne manquait jamais un cours et rendait tous ses devoirs. Elle pouvait tout faire en même temps. Ruth entraînait toujours tout le monde dans ses histoires car elle détestait être inoccupée. Elle avait besoin de vivre des aventures, des choses hallucinantes, tout ce qui pouvait sortir de l'ordinaire. Lui donnait vie aux fêtes, mais elle, elle en était l'âme, chaque fois.

Quand il ratait un examen et se voyait obligé de le repasser, elle était à ses côtés, rédigeant des dissertations qu'il apprenait ensuite par cœur. L'été, pour l'aider, elle inventait des jeux télévisés, avec des prix et des buzzers, des troisièmes manches où on pouvait tout perdre, des gages et des punitions. Elle mettait ses plus beaux habits et jouait le rôle de l'animatrice, de l'assistante, du mannequin qui présentait les prix qu'il pouvait être amené à gagner s'il répondait correctement aux questions. Elle faisait des fiches, écrivait les questions, et n'oubliait ni la musique ringarde ni les faux applaudissements. Faire les courses devenait un jeu dont elle était la présentatrice ; pas de bonne réponse, pas de bonbon. Pour une boîte de pop-corn, peux-tu me dire...

— Je passe, répondait-il, frustré, cherchant à attraper la boîte quand même.

— Tu ne peux pas passer, Lou, tu sais la réponse, disait-elle fermement, adossée au rayon.

Non, il ne la savait pas, mais elle faisait tout pour l'aider. Elle le motivait pour qu'il aille fouiller dans les moindres recoins de son cerveau, dans des endroits dont il ignorait l'existence, jusqu'à ce qu'il trouve la réponse qu'il ne pensait même pas connaître. Avant de

faire l'amour, elle se dérobait à ses caresses et tempo-
risait.

— Attends, réponds à cette question.

Malgré ses protestations et ses manigances, elle refusait de céder.

— Allez, Lou, tu sais, ça.

Ils avaient prévu de partir tous les deux en Australie
après l'université. Un périple d'un an loin de l'Irlande
avant de rentrer dans la vie adulte. Ils prévoyaient de
rejoindre des amis à eux et comptaient bien y arriver.
Ils passèrent l'année à mettre de l'argent de côté pour
les billets d'avion ; lui travaillait derrière le comptoir
dans un bar sur Temple Street et elle servait en salle.
Ils économisèrent pour réaliser leur rêve mais il rata
ses examens ; pas Ruth. Il aurait voulu tout plaquer là,
maintenant, mais elle refusait d'en entendre parler.
Elle réussit à le convaincre qu'il pouvait y arriver,
comme elle, et il changea d'avis. Pendant qu'il se
replongeait dans ses cours, Ruth fêtait sa réussite,
acquise facilement. Elle avait même reçu les félicitations du jury lors de la cérémonie de remise de diplôme
à laquelle Lou n'avait pas eu le courage d'assister. Il
s'était rendu aux fêtes organisées ensuite, avait bu un
peu trop et lui avait complètement gâché la soirée.
C'était la moindre des choses.

En attendant qu'il repasse ses examens, Ruth commença des études commerciales. Elle obtint sa maî-
trise. Il fallait bien qu'elle s'occupe. Jamais elle ne
s'était moquée de lui, jamais elle ne lui avait donné
l'impression qu'il était nul. Elle refusait toujours de
célébrer ses succès pour ne pas qu'il se sente inférieur.
Elle était l'amie, la petite amie, la vie et l'âme de toutes
les fêtes, l'excellente élève, celle qui réussit.

Était-ce à ce moment-là qu'il avait commencé à la
mépriser ? Il y a si longtemps que ça ? Il ne savait pas
si c'était parce qu'il ne s'était jamais senti assez bien, si
c'était un moyen de la punir, ou si, toute psychologie
mise à part, c'était parce qu'il était simplement trop

faible et égoïste pour dire non quand une jolie femme le regardait avec insistance – ne parlons pas du moment où cette jolie femme attrapait son sac, son manteau et ensuite sa main. Quand une telle chose se produisait, il s'oubliait. Il savait faire la part des choses, évidemment qu'il savait que ce n'était pas bien, mais il s'en fichait éperdument. Il se sentait invincible et il pensait qu'il n'y aurait ni conséquences ni répercussions.

Ruth l'avait pris en flagrant délit avec la nounou six mois auparavant. Les occasions avec elle avaient été rares, certes, mais il savait aussi qu'en matières d'offenses conjugales, coucher avec la nounou était très grave. Depuis, il n'y avait eu personne, excepté un petit rien du tout avec Alison, ce qui avait été une erreur. Le même tribunal qui l'avait condamné pour la nounou ne pouvait pas lui en vouloir pour ça. Il était ivre, elle était attirante, une chose avait entraîné l'autre, mais il regrettait profondément. Cette histoire ne comptait pas.

— Lou, dit Ruth sèchement, faisant irruption dans ses pensées.

Il tressaillit et se tourna vers elle.

— Bonjour, sourit-il. Tu ne devineras jamais à quoi j'étais en train de p...

— Comment peux-tu ne rien entendre ? l'interrompit-elle. Tu es complètement réveillé et tu fixes le plafond.

— Hein ?

Il pivota sur sa gauche et remarqua que le réveil avait sonné six heures.

— Désolé, souffla-t-il en se penchant en avant pour éteindre l'alarme.

Manifestement, ce n'était pas ça qu'il aurait dû faire. Le visage de Ruth vira au rouge. Elle s'expulsa du lit comme si elle avait été tirée d'un canon et se précipita hors de la chambre, les cheveux en pagaille. On aurait dit qu'elle avait mis les doigts dans la prise. Ce n'est qu'alors qu'il entendit les pleurs de Pud.

— Merde, bredouilla-t-il en se frottant les yeux.

— Tu as dit un gros mot, s'écria une petite voix derrière la porte.

— Bonjour, Lucy, annonça-t-il en souriant.

Elle apparut alors, une petite fille de cinq ans dans un pyjama rose, traînant derrière elle sa couverture. Ses cheveux et sa frange couleur chocolat étaient tout emmêlés après cette nuit de sommeil. On lisait de l'inquiétude dans ses grands yeux marron. Elle s'approcha du bord du lit et Lou attendit qu'elle parle.

— Tu viens ce soir, hein, papa ?

— Y a quoi, ce soir ?

— C'est le spectacle de l'école.

— Ah oui, ma puce, c'est vrai ; mais tu ne veux pas vraiment que je vienne, si ?

Elle hocha la tête.

— Mais pourquoi ? demanda-t-il en se frottant de nouveau les yeux. Tu sais que papa est très occupé, ça va être compliqué pour moi de venir.

— Mais je me suis entraînée.

— Pourquoi tu ne me montrerais pas ça maintenant, comme ça je n'aurais pas besoin de venir plus tard ?

— Mais j'ai pas mon costume.

— Pas de problème, je vais me servir de mon imagination. Maman dit toujours qu'il faut se servir de son imagination, non ?

Il jeta un œil à la porte et vérifia que Ruth ne les entendait pas.

— Et tu peux me montrer ça pendant que je m'habille, d'accord ?

Tandis que Lucy commençait à sautiller un peu partout, il souleva les couvertures et se précipita de l'autre côté de la pièce. Il passa rapidement un short et un T-shirt avant de descendre à la salle de sport.

— Papa, tu me regardes pas !

— Si, ma chérie. Viens, on va à la salle de sport. Il y a plein de miroirs, ce sera mieux pour répéter.

Une fois sur le tapis roulant, il alluma l'écran plasma et se brancha sur Sky News.

— Papa, tu me regardes pas.

— Si, ma chérie.

Il se tourna rapidement vers elle.

— Tu es déguisée en quoi ?

— En feuille. Il y a du vent alors je me décroche de l'arbre, et je tombe comme ça.

Elle tourbillonna dans la salle de sport et Lou se concentra sur la télé.

— Qu'est-ce qu'une feuille a à voir avec la naissance de Jésus ?

— Le chanteur ?

Elle cessa de tournoyer et s'appuya sur le banc, près des haltères, un peu étourdie.

Lou fronça les sourcils.

— Non, pas le chanteur. De quoi parle la pièce de théâtre ?

Elle prit une grande inspiration puis se lança. On aurait dit qu'elle avait tout appris par cœur.

— Les trois Rois mages doivent trouver une étoile.

— Non, ils suivent une étoile, rectifia-t-il, augmentant son rythme.

Il courait à présent.

— Non, ils trouvent une étoile. Donc ils deviennent le jury de l'émission *La Nouvelle Étoile*, et ensuite Ponce Pilate chante et tout le monde le hue, et ensuite Judas chante et tout le monde le hue, et alors Jésus chante et c'est lui qui gagne parce qu'il a le Fear Factor.

— Doux Jésus ! soupira Lou en levant les yeux au ciel.

— Oui, *Jésus Christ Superstar*. C'est comme ça que ça s'appelle.

Elle fit quelques pas de danse.

— Alors pourquoi tu es une feuille ?

Elle haussa les épaules et il ne put s'empêcher de rire.

— Tu vas venir me voir ? S'il te plaaaaaaaaaîîîîîîîîîîît !

— Oui, affirma-t-il, s'essuyant le visage avec une serviette.

— Tu promets ?

— Absolument, répondit-il, un peu vexé. Bon, maintenant, tu vas remonter voir ta mère. Moi, il faut que je prenne une douche.

Vingt minutes plus tard, Lou était déjà passé en mode travail. Il se rendit dans la cuisine pour dire au revoir rapidement. Pud était dans sa chaise bébé et s'imprégnait les cheveux de banane écrasée ; Lucy suçait une cuillère et regardait des dessins animés, le volume de la télé beaucoup trop haut ; et Ruth, en robe de chambre, préparait le petit déjeuner de sa fille. Elle avait l'air épuisé.

— Salut, lança-t-il en embrassant Lucy sur la tête.

Elle était tellement absorbée par son dessin animé qu'elle ne répondit pas. Il se tint au-dessus de Pud, essayant de trouver un endroit sur son visage qui ne soit pas recouvert de nourriture.

— Euh, salut.

Il l'embrassa maladroitement sur le haut du crâne, puis se dirigea vers Ruth.

— Tu veux qu'on se retrouve là-bas à six heures ou bien qu'on parte ensemble depuis la maison ?

— Où ça ?

— À l'école.

— Ah oui, à ce propos… commença-t-il en baissant la voix.

— Tu dois y aller, tu as promis.

Elle cessa de beurrer le pain et le regarda avec colère.

— Lucy m'a montré son spectacle dans la salle de sport et on en a parlé. Ça ne la dérange pas que je ne vienne pas.

Il attrapa une tranche de jambon.

— Tu sais pourquoi on lui a donné le rôle de la feuille dans un spectacle sur la naissance de Jésus ?

Ruth se mit à rire.

— Lou, arrête de te moquer de moi. Je t'ai dit de réserver cette date le mois dernier. Et je te l'ai rappelé la semaine dernière. J'ai aussi appelé cette Tracey au bureau et...

— Ah, je comprends ce qui a dû se passer, murmura-t-il en claquant des doigts, comme pour signifier que c'était vraiment, vraiment trop dommage. Problème de communication. Tracey est partie. Alison l'a remplacée. Peut-être y a-t-il eu un problème lors de la transition.

Il essaya de donner à son explication un ton joyeux mais il voyait bien que le visage heureux de Ruth se décomposait lentement. Bientôt, il put y voir de la déception, de la haine et du dégoût, un joli mélange qui ne s'adressait qu'à lui.

— Je l'ai mentionné deux fois la semaine dernière. Je t'en ai parlé hier matin. J'ai l'impression d'être un putain de perroquet mais tu ne te souviens jamais de rien. Le spectacle de l'école et ensuite on dîne avec ton père, ta mère, Quentin et Alexandra. Marcia sera peut-être là aussi si elle arrive à déplacer son rendez-vous chez le psy.

— Non, il faut vraiment qu'elle y aille, dit-il en levant les yeux au ciel. Ruthie, s'il te plaît, je préférerais me planter des aiguilles dans les yeux plutôt que de dîner avec eux.

— C'est ta famille, Lou.

— Quentin ne parle que de son bateau, de son bateau et encore de son foutu bateau. Il est parfaitement incapable de suivre une conversation où il n'y aurait pas les mots « bôme » et « taquet ».

—Tu adorais faire de la voile avec Quentin avant.

— Non, j'aimais faire de la voile mais pas nécessairement avec Quentin, grogna-t-il. Et c'était il y a très longtemps. Aujourd'hui, je ne suis plus certain de savoir faire la différence entre une bôme et un taquet. Marcia... reprit-il. Ce n'est pas d'une thérapie qu'elle a besoin, c'est d'un bon coup de pied au cul. Il n'y a qu'Alexandra qui ne me dérange pas, conclut-il en laissant traîner sa voix, perdu dans ses pensées.

— Le voilier ou sa femme ? demanda Ruth avec sarcasme.

Elle inclina la tête et le regarda longuement. Lou ne l'entendit pas ou choisit de l'ignorer.

— Je ne sais pas ce qu'elle lui trouve, à Quentin. Je n'ai jamais bien compris. Elle ne lui convient absolument pas.

— Tu veux dire qu'elle te convient à toi, remarqua Ruth sèchement.

— Enfin, elle est modèle, Ruth.

— Et alors ?

— La seule chose que Quentin a en commun avec un modèle c'est qu'il met des modèles réduits dans ses maquettes de bateau.

Il se mit à rire puis, irrité tout à coup, voulut passer à autre chose.

— Papa et maman viennent aussi ? demanda-t-il. Alors compte pas sur moi.

— T'as pas le choix, répondit-elle en continuant de préparer le déjeuner de sa fille. Lucy s'attend à te voir ce soir, tes parents sont contents et moi j'ai besoin que tu sois là. Je ne peux pas cuisiner et faire l'hôtesse en même temps.

— Maman peut t'aider.

— Ta mère a une prothèse de hanche.

Ruth luttait de toutes ses forces pour ne pas hurler.

— Et j'en sais quelque chose ! C'est moi qui suis allé la chercher à l'hôpital. Et ensuite, j'ai eu des ennuis, comme prévu, marmonna-t-il. Pendant que Quentin traînait sur son voilier.

— Il avait une régate, Lou !

Elle posa son couteau et se tourna vers lui, l'air radouci.

— S'il te plaît.

Elle l'embrassa tendrement sur les lèvres et il ferma les yeux, savourant ce moment rare.

— Mais j'ai tellement de choses à faire, murmura-t-il pendant leur baiser. C'est important pour moi.

Ruth eut un mouvement de recul.

— Eh bien, je suis ravie de savoir qu'il y a quelque chose d'important dans ta vie, parce que pendant un instant je me suis demandé si tu étais vraiment un être humain.

Elle sombra dans le silence tout en tartinant violemment son pain. Son couteau heurtait ce dernier avec une telle force qu'elle fit des trous dedans. Elle plaqua des tranches de jambon, jeta une tranche de fromage, posa l'autre tranche de pain, appuya dessus et coupa le sandwich en diagonale à l'aide d'un couteau bien aiguisé. Elle s'affairait dans la cuisine, claquait des portes de placard et arrachait furieusement des morceaux de feuilles d'alu du rouleau.

— OK, qu'est-ce qui ne va pas ?

— Qu'est-ce qui ne va pas ? On n'est pas sur terre uniquement pour travailler, on est là pour vivre. Il faut qu'on commence à faire des choses ensemble, et ça, ça implique que tu fasses des choses pour moi, même quand tu n'en as pas envie, et vice versa. Sinon, à quoi ça sert ?

— Et vice versa ? Que veux-tu dire par là ? Quand est-ce que je t'ai obligée à faire quelque chose que tu n'avais pas envie de faire ?

— Lou, siffla-t-elle entre ses dents. C'est ta foutue famille, pas la mienne.

— Alors, annule ! J'en ai rien à faire.

— Tu as des responsabilités familiales.

— Mais j'ai plus de responsabilités professionnelles. Ma famille ne va pas me virer si je ne vais pas à un foutu dîner, si ?

— Si, Lou, elle peut, répondit-elle calmement. Ce n'est pas le même mot mais le résultat est le même.

— C'est une menace ? demanda-t-il en baissant la voix, furieux. Tu ne peux pas me dire des choses pareilles, Ruth, ce n'est pas juste.

Elle ouvrit une cantine Barbie, la posa violemment sur le plan de travail et y jeta le sandwich, des tranches d'ananas et des flageolets dans un Tupperware. Elle ajouta une serviette Barbie sur le dessus puis fit claquer la fermeture. Malgré toute cette brutalité, Barbie, stoïque, n'émit pas le moindre son.

Ruth se contenta de le fixer sans rien dire, laissant parler son regard.

— OK, d'accord, je vais faire de mon mieux pour être là, concéda Lou, autant pour lui faire plaisir que pour sortir de la maison le plus vite possible – mais n'en pensant pas un mot.

Comme elle semblait sceptique, il reprit, plus clairement :

— J'y serai.

Lou arriva dans son bureau à huit heures pile, une bonne heure avant les autres. C'était très important pour lui d'être le premier, cela lui donnait l'impression d'être efficace, en tête de peloton. Il arpentait la cabine de l'ascenseur et se réjouissait du fait qu'il n'y avait pas besoin de s'arrêter avant le quatorzième étage. Souhaitant qu'il soit tous les jours aussi vide, il sortit de l'ascenseur et avança dans le couloir silencieux. Les odeurs des produits d'entretien utilisés par les gens du ménage la veille – shampooing à moquette, cire à bois, désodorisants – flottaient encore, pour le moment exemptes des arômes de café et senteurs corporelles de toutes sortes. De l'autre côté de la baie vitrée scintillante, il faisait toujours nuit noire en cette heure d'hiver bien matinale, et les fenêtres paraissaient froides et dures. On entendait le vent cingler l'air. Lou avait hâte de quitter ces couloirs vides quelque peu étranges et de s'installer à son bureau pour s'occuper des affaires de la matinée.

Sur le chemin, il s'arrêta net tout à coup. Comme d'habitude à cette heure, il put constater que le bureau d'Alison était vide. Mais la porte de son bureau à lui était entrouverte et les lumières étaient allumées. Il s'avança rapidement, le cœur battant la chamade parce qu'il voyait à présent Gabe se déplacer dans son bureau. Il cria, se mit à courir et ouvrit la porte d'un coup de poing. Il la regarda pivoter violemment sur son axe. Il ouvrit la bouche pour crier de nouveau mais avant de pouvoir articuler le moindre son il entendit une voix de l'autre côté du battant.

— Mon Dieu, mais qui est-ce ? demanda la voix avec effroi.

Lou reconnut son patron.

— Oh, monsieur Patterson, je suis vraiment désolé, déclara Lou à bout de souffle, s'interposant rapidement entre lui et la porte pour qu'elle n'aille pas le percuter en pleine figure. Je ne savais pas que vous étiez là.

Il se frotta les mains. Son poignet le lançait douloureusement à cause du choc.

— Lou, dit M. Patterson. (Il avait eu peur et reprenait désormais sa respiration.) Appelez-moi Lawrence, bon sang de bonsoir, je n'arrête pas de vous le répéter. Je vois que... vous êtes plein d'énergie aujourd'hui.

Il essayait toujours de se remettre de sa frayeur.

— Bonjour, monsieur.

Lou regardait M. Patterson et Gabe avec incertitude.

— Je suis désolé de vous avoir effrayé. Mais j'ai eu l'impression qu'il y avait ici quelqu'un qui n'aurait pas dû y être.

Ses yeux se plantèrent sur Gabe.

— Bonjour, Lou.

— Gabe, dit Lou en hochant la tête.

À présent, tout ce qui comptait pour Lou était de savoir pourquoi Gabe et son patron se trouvaient dans son bureau à huit heures du matin.

Son regard glissa du chariot à courrier vide de Gabe sur les dossiers inconnus posés sur son bureau. Il repensa à la nuit précédente, se revit en train de finir sa paperasse et la ranger, comme toujours, incapable de quitter son bureau tant que tout n'était pas bouclé.

Sachant que ni lui ni Alison, qui était partie à seize heures, n'avaient laissé les dossiers là, ses soupçons se tournèrent rapidement vers Gabe. Il fronça les sourcils.

Gabe le regardait, impassible.

— Je discutais simplement avec ce jeune homme, expliqua M. Patterson. Il m'a expliqué qu'il avait commencé à travailler chez nous hier. Vous ne trouvez pas ça formidable qu'il soit le premier arrivé au bureau ce matin ? Quel dévouement !

— Le premier ? Vraiment ? demanda Lou en se forçant à sourire. Waouh. On dirait bien que tu m'as battu ce matin, parce que, d'habitude, c'est moi le premier arrivé.

Lou se tourna vers M. Patterson et lui présenta son plus beau sourire.

— Mais tu le savais, ça, non, Gabe ?

Gabe lui sourit à son tour, avec autant de sincérité.

— Vous savez ce que l'on dit : l'avenir appartient à ceux qui se lèvent tôt.

— Absolument. Il leur appartient.

Lou le regardait d'un air menaçant, un sourire sur les lèvres. Un regard menaçant et un sourire. Les deux en même temps.

Au milieu de tout ça, M. Patterson se sentait de plus en plus mal à l'aise.

— Eh bien, il est à peine huit heures passées, je devrais partir.

— À peine huit heures, dites-vous, reprit Lou dont le moral venait tout à coup de remonter. Le courrier n'est même pas encore arrivé. Qu'est-ce que tu fais, exactement, dans mon bureau, à cette heure-ci, Gabe ?

Il était impossible de ne pas saisir le tranchant dans sa voix. M. Patterson paraissait encore plus gêné ; Gabe affichait un sourire étrange.

— Eh bien, je suis arrivé tôt pour pouvoir me familiariser avec les bureaux. J'ai tellement d'étages à parcourir en si peu de temps. J'avais envie de faire un peu de repérage.

— C'est merveilleux, non ? ajouta M. Patterson qui ne voulait pas laisser le silence s'installer.

— Oui, ça l'est, mais tu savais déjà où était mon bureau, remarqua Lou sèchement. Tu t'es familiarisé avec les locaux hier... donc, si je peux me permettre, que fais-tu dans mon bureau ?

— Un instant, Lou, je crains que tout ça ne soit à cause de moi, intervint M. Patterson, toujours aussi embarrassé. J'ai croisé Gabe dans le couloir et nous nous sommes mis à bavarder. Pour me rendre service, il a accepté de venir déposer des dossiers dans votre bureau. C'est ce qu'il était en train de faire quand je me suis rendu compte que j'en avais laissé un dans mon attaché-case. Il est vrai que ce jeune homme se déplace à grande vitesse. J'avais à peine le dos tourné qu'il avait disparu. Pouf ! En un clin d'œil, gloussa M. Patterson.

— Pouf ! ajouta Gabe en souriant à Lou. Ça c'est tout moi.

— J'apprécie ceux qui travaillent rapidement, c'est vrai. Mais je préfère encore quand ils sont rapides et efficaces, ce que vous êtes, sans aucun doute.

Lou s'apprêtait à le remercier quand Gabe le devança.

— Merci à vous, monsieur Patterson, et si je peux faire quoi que ce soit d'autre pour vous, n'hésitez pas à me le faire savoir. Mon service se termine à l'heure du déjeuner mais je serais plus que ravi de vous aider pendant l'après-midi. J'aime travailler.

Lou sentit un nœud se former dans son estomac.

— C'est merveilleux, Gabe, merci. Je n'hésiterai pas. Bon, Lou, poursuivit M. Patterson en se tournant vers lui. (Lou s'attendait à ce que Gabe, qui ne faisait plus partie de la conversation, s'en aille. Mais il ne bougea pas.) Je me demandais si vous pouviez rencontrer Bruce Archer ce soir. Vous vous souvenez de Bruce ?

Lou hocha la tête, le cœur lourd.

— Je devais le voir ce soir mais je me suis rappelé ce matin que j'avais autre chose à faire.

— Ce soir ? demanda Lou, son cerveau en ébullition.

Tout en pensant à ce rendez-vous, il revoyait Lucy tourbillonnant en pyjama dans la salle de sport et le visage de Ruth quand il avait rouvert les yeux un peu prématurément en l'embrassant, aussi beau et serein que dans ses souvenirs.

Il s'aperçut qu'ils le regardaient tous les deux. Les yeux de Gabe semblaient même vouloir le percer à jour.

— Oui, ce soir. Mais seulement si vous êtes libre. Sinon, je peux demander à Alfred d'y aller, ne vous inquiétez pas, dit M. Patterson en agitant la main dans un geste qui devait le rassurer.

— Non, non, lança Lou. Ce soir, pas de souci. Aucun problème.

Il avait brisé sa promesse, faite à peine une heure auparavant. Dans son esprit, il voyait Lucy, prise de vertige après tant de tourbillons, s'écraser par terre, et Ruth ouvrir les yeux et reculer la tête, mettant fin à leur baiser.

Parfait, parfait. Melissa va vous donner tous les détails, l'heure et le lieu, etc. Moi, j'ai une soirée très importante, expliqua-t-il en clignant de l'œil en direction de Gabe. C'est le spectacle de Noël de mon petit dernier. J'avais complètement oublié jusqu'à ce que je le voie ce matin habillé en étoile. Vous y croyez, vous ? Mais moi je ne raterais ça pour rien au monde.

— Tout à fait, ouais, bredouilla Lou, la gorge serrée. C'est très important, en effet.

— Très bien, alors amusez-vous bien ce soir et encore merci pour avoir déniché ce jeune homme, conclut M. Patterson en tapotant l'épaule de Gabe.

Alors qu'il se tournait vers Gabe et le regardait d'un air menaçant, Lou entendit une voix guillerette derrière lui.

— Bonjour, Lawrence.

— Ah, Alfred, dit M. Patterson.

Alfred était grand, un mètre quatre-vingt-huit, les cheveux blond clair, comme un Milky Way géant fondu et remodelé par un enfant. Quand il parlait, il avait toujours un sourire en coin et un accent qui laissait entendre, même s'il avait passé tous ses étés en Irlande, son pays d'origine, qu'il avait fréquenté les meilleures écoles privées d'Angleterre. Son nez était de travers, séquelle d'une jeunesse vouée au rugby. Il se pavanait dans les bureaux, comme l'avait observé Gabe, en faisant sauter les glands de ses chaussures bateau, une main dans la poche, et avec l'air – tel un vilain garçon – de préparer un mauvais coup.

Le regard d'Alfred tomba sur Gabe, qu'il examina silencieusement, en attendant qu'on fasse les présentations. Gabe l'imita, détaillant Alfred avec assurance.

— Jolies chaussures, dit enfin Gabe.

Aussitôt Lou se pencha pour voir les mocassins marron que Gabe avait décrits la veille.

— Merci, répondit Alfred, quelque peu déstabilisé.

— J'aime aussi beaucoup vos chaussures, monsieur Patterson, ajouta Gabe, déplaçant son regard.

Dans un mouvement maladroit, tous se baissèrent alors pour contempler les chaussures en question. La situation leur parut même étrange, sauf pour Lou, dont le cœur se mit à battre à une allure ridicule quand il vit les chaussures noires sans lacets et les mocassins marron. Les mêmes chaussures, précisément, que celles mentionnées par Gabe le matin précédent. Conclusion : Alfred avait eu rendez-vous avec M. Patterson. Lou posa son regard sur Alfred, puis sur M. Patterson, se sentant trahi. Rien n'avait été officiellement annoncé à propos du départ de Cliff, mais tout le monde savait que la place était à prendre. Et Lou était bien déterminé à faire en sorte que ce poste lui revienne à lui, et pas à Alfred.

M. Patterson leur dit au revoir et s'engagea dans le couloir tout en balançant joyeusement son attaché-case.

— Qui êtes-vous ? demanda Alfred à Gabe.

110

L'attention de Lou se porta alors de nouveau sur ce qui se passait dans la pièce.

— Je m'appelle Gabriel, annonça-t-il en lui tendant la main. Mes amis m'appellent Gabe, mais vous pouvez m'appeler Gabriel.

Il sourit.

— Enchanté, Alfred, répondit ce dernier en avançant la main.

Leur poignée de main fut molle et froide, et les bras revinrent rapidement se poser le long du corps. Alfred essuya même sa main sur son pantalon, mais qui sait si ce geste était conscient ou pas.

— On se connaît ? poursuivit Alfred en plissant les yeux.

— Non, on ne s'est jamais rencontrés, mais vous me reconnaissez peut-être.

— Pourquoi ? Vous avez participé à une émission de télé ou un truc dans le genre ? continua Alfred en l'étudiant davantage.

Son sourire en coin s'effaçait légèrement.

— Vous me croisiez tous les matins, juste devant l'immeuble.

Alfred plissa davantage les yeux, observant Gabe. Il se tourna ensuite vers Lou, un sourire nerveux sur les lèvres.

— Eh, tu me donnes un indice ?

— Avant, je m'asseyais sur le pas de la porte d'à côté. Lou m'a trouvé un travail.

Un sourire se dessina sur le visage arrogant d'Alfred. Il semblait manifestement soulagé. Comprenant que son poste n'était en aucune façon menacé par un SDF, il modifia sa posture et adopta une attitude de meilleur ami.

Il pivota vers Lou en riant. Ce qu'il pensait se lisait sur son visage et dans le ton de sa voix qu'il ne prit même pas la peine de camoufler en présence de Gabe.

— Tu lui as filé un boulot, Lou ? s'étonna-t-il, tournant le dos à Gabe. Après tout, c'est bien à ce moment de l'année qu'il faut se montrer charitable, en effet. Bordel, qu'est-ce qui te prend ?

— Alfred, laisse tomber, murmura Lou, embarrassé.

— OK, gloussa Alfred en levant les mains. Chacun gère son stress comme il peut. Hé, je peux utiliser ton cabinet de toilette ?

— Quoi ? Non, non, pas ici, va aux toilettes des hommes.

— Allez, merde, sois sympa.

Sa langue paraissait trop grosse pour sa bouche.

— J'en ai pour une seconde. À plus tard, Gabe, j'essayerai de bien viser la prochaine fois que je mettrai des pièces dans ton gobelet, plaisanta Alfred en le détaillant de nouveau.

Il rit et lança un clin d'œil à Lou. Puis il se précipita dans le cabinet de toilette.

Un long reniflement parvint jusqu'aux oreilles de Lou et de Gabe.

— On dirait qu'il y a un vilain rhume qui circule par ici, déclara Gabe en souriant.

— Écoute, Gabe, je suis désolé, bredouilla Lou en levant les yeux au ciel. Il est, tu sais, enfin... n'écoute pas ce qu'il dit, c'est pas sérieux.

— Oh, personne ne devrait être pris au sérieux. Après tout, on ne peut contrôler que ce qu'il y a à l'intérieur de cette zone, expliqua Gabe tout en dessinant un cercle autour de lui. Tant qu'on ne fait pas tous ça, personne ne doit être pris au sérieux. Tiens, je t'ai apporté quelque chose.

Il se pencha pour attraper un gobelet en polystyrène rempli de café au fond de son chariot.

— Je te l'ai promis hier. C'est un *latte*, la machine fonctionnait de nouveau ce matin.

— Oh, merci, dit Lou, honteux, incapable de savoir ce qu'il éprouvait vraiment pour cet homme.

— Alors, tu as un dîner d'affaires, ce soir ? demanda Gabe en libérant les freins de son chariot.

Il se mit en route. Une des roues grinçait.

— Non, ce n'est pas un dîner, on va simplement prendre un café, rectifia Lou, ne sachant pas vraiment si Gabe voulait qu'on lui propose de venir. Ce n'est rien, en fait. Tout au plus, j'en ai pour une heure.

— Voyons, Lou... lança Gabe en souriant.

Il ressemblait de façon alarmante à Ruth. *Voyons, Lou, tu sais la réponse.* Mais il ne finit pas la phrase de la même façon.

— ... tu sais bien que ce genre de rendez-vous se transforme toujours en dîner. Ensuite, un digestif, et après, qui sait ? (Il cligna de l'œil.) Tu vas avoir des problèmes à la maison, n'est-ce pas, Aloysius ? chantonna-t-il d'une voix qui glaça Lou jusqu'au sang.

Gabe sortit du bureau et se dirigea vers l'ascenseur. Le couloir vide amplifiait les grincements de la roue.

— Hé ! s'écria Lou. (Mais Gabe ne se retourna pas.) Hé ! répéta-t-il. Comment as-tu su ? Personne n'est au courant !

Bien qu'il fût seul dans le bureau, Lou jeta un œil autour de lui pour vérifier que personne ne l'avait entendu.

— T'inquiète pas ! Je ne dirai rien, lança Gabe d'une voix qui ne rassura absolument pas Lou.

Il observa Gabe qui appuyait sur le bouton de l'ascenseur et attendait patiemment que la cabine décolle du rez-de-chaussée.

La porte de la salle de bains s'ouvrit et Alfred en sortit, se frottant le nez et reniflant.

— C'est quoi tous ces cris ? Hé, où est-ce que tu as eu ton café ?

— Gabe, répondit Lou, distrait.

— Qui ? Ah, le clodo... marmonna Alfred avec ennui. Vraiment, Lou, où as-tu la tête ? Il pourrait très bien te dévaliser.

— Comment ça, me dévaliser ?

— Enfin, t'es né de la dernière pluie ou quoi ? Tu as amené un homme qui n'a rien dans un endroit où il y a tout. Tu as entendu parler d'un truc qui s'appelle la tentation ? Ah, mais en fait, laisse tomber, ce n'est pas à toi que je devrais dire ça, dit-il l'air moqueur. Chaque fois, tu te fais avoir. Peut-être que toi et le SDF vous n'êtes pas si différents, ajouta-t-il. En tout cas, vous vous ressemblez. Vous n'avez qu'à chanter *Nourrir les p'tits oiseaux* tous les deux et on verra bien.

Il se mit à rire. Il avait du mal à respirer, conséquence de ses deux paquets par jour.

— Eh bien, cela en dit beaucoup sur la façon dont tu as été élevé, Alfred, si tout ce que tu sais des SDF se résume à *Mary Poppins*, dit Lou sèchement.

Alfred se mit à tousser.

— Désolé, mec, j'ai visé juste ?

— Nous n'avons rien en commun, lança Lou avec mépris, le regard posé sur Gabe près de l'ascenseur.

Mais Gabe n'était plus là. La sonnerie de l'ascenseur retentit et les portes s'ouvrirent. Il n'y avait personne à l'intérieur, personne qui entrait. Dans le miroir au fond de la cabine, Lou pouvait voir le reflet de son visage visiblement troublé.

11

Le jongleur

À dix-sept heures, au moment même où Lou aurait dû quitter le bâtiment pour rentrer chez lui et aller voir le spectacle de Lucy, il arpentait son bureau. Du bureau à la porte, de la porte au bureau, et encore et encore. La porte était grande ouverte, prête à laisser passer un Lou lancé à cent à l'heure, direction le bureau de M. Patterson. Là, il lui annoncerait qu'il ne pouvait pas, en fait, boire un café avec Bruce Archer. Tout comme M. Patterson, il avait lui aussi des engagements familiaux. « Ce soir, Lawrence, ma fille va jouer la feuille. » Il en avait les jambes qui flageolaient. Chaque fois qu'il parvenait sur le seuil de sa porte, il s'arrêtait, pivotait sur lui-même et repartait pour un aller et retour.

Alison l'observait avec curiosité et levait les yeux de son ordinateur dès qu'il atteignait la porte. Enfin, le bruit de ses faux ongles heurtant les touches du clavier prit fin.

— Lou, je peux faire quelque chose pour vous ?

Il la regarda alors comme s'il prenait conscience du fait qu'il était dans son bureau, qu'Alison avait été là pendant tout ce temps. Il se redressa, resserra sa cravate et s'éclaircit la gorge.

— Euh… Non, merci, Alison, répondit-il, la voix pincée.

S'il avait voulu la persuader de sa bonne santé mentale, c'était raté. On aurait dit un homme ivre qui cherche à tout prix à faire croire qu'il n'a pas bu.

Il repartit dans une série d'allers et retours mais s'arrêta brusquement et passa la tête dans le bureau d'Alison.

— En fait, si, Alison, ce café…

— Avec Bruce Archer, oui.

— C'est simplement un café, non ?

— C'est ce qu'a dit M. Patterson.

— Et il sait que c'est moi qui y vais ?

— M. Patterson ?

— Non, Bruce Archer.

— M. Patterson l'a appelé tout à l'heure pour lui expliquer qu'il ne pouvait pas le voir mais qu'il avait un collègue qui serait plus que content de le rencontrer.

— D'accord. Donc il ne s'attend peut-être pas à me voir ?

— Vous voulez que je confirme ? Encore ?

— Euh… non. Enfin, si.

Alison s'apprêtait à décrocher le combiné mais attendit. Lou réfléchissait encore.

— Non, déclara-t-il, et il retourna dans son bureau.

Quelques secondes plus tard, sa tête jaillit de nouveau dans l'encadrement de la porte.

— Oui, confirmez.

Puis il disparut rapidement.

Pendant qu'il arpentait son bureau, il entendit Alison s'écrier d'une voix joyeuse :

— Salut, Gabe.

Lou se figea. Pour des raisons qu'il n'arrivait pas bien à s'expliquer, il se précipita vers la porte, plaqua son dos contre le mur et resta là, immobile, à écouter leur conversation.

— Salut, Alison.

— Tu es bien beau, aujourd'hui.

— Merci. M. Patterson m'a demandé de lui rendre quelques petits services par ici, alors j'ai pensé qu'il fallait que j'aie l'air respectable.

Lou jeta un œil à travers la fente située au niveau du gond de la porte pour espionner Gabe. Il avait une nouvelle coiffure, soignée comme celle de Lou. Un costume sombre semblable à celui de Lou était enveloppé, neuf, dans un sac plastique transparent et posé sur son épaule.

— C'est aussi pour ça que tu as un nouveau costume ? demanda Alison.

— Quoi, ça ? Je préfère en avoir un sous la main. On ne sait jamais, on peut toujours avoir besoin d'un costume neuf, expliqua-t-il. (Lou trouva cette réponse très curieuse.) Bref, je suis là pour te donner ceci. Je crois que ce sont des plans et que Lou voulait les consulter.

— Où les as-tu trouvés ?

— Je les ai récupérés chez l'architecte.

— Mais il travaillait chez lui aujourd'hui, continua Alison en regardant l'enveloppe kraft, troublée.

— Oui, je les ai récupérés chez lui.

— Mais Lou les a demandés à M. Patterson il y a à peine cinq minutes. Comment as-tu pu les obtenir aussi rapidement ?

— Oh, je ne sais pas... tu sais, j'ai simplement...

Lou vit Gabe hausser les épaules.

— Non, je ne sais pas, déclara Alison en riant. Mais j'aurais bien aimé. Si tu continues comme ça, je ne serais pas surprise que M. Patterson te donne le poste de Lou.

Ils se mirent à rire et Lou se sentit piqué au vif. Il jura de faire de la vie d'Alison un enfer sitôt cette conversation finie.

— Lou est là ?

— Oui, pourquoi ?

— Il va aller prendre un café avec Bruce Archer tout à l'heure ?

— Oui. Du moins, je crois. Pourquoi ?

— Oh, comme ça. Je me posais la question, c'est tout. Et Alfred, il est libre ce soir ?

— C'est drôle, Lou m'a posé la même question tout à l'heure. Oui, Alfred est libre, j'ai vérifié auprès de sa secrétaire. Elle s'appelle Louise, elle te plairait, gloussa-t-elle, légèrement aguicheuse.

— Donc, si je comprends bien, Lou sait qu'Alfred est disponible pour aller boire un café avec Bruce Archer, au cas où ?

— Oui, je le lui ai déjà dit. Pourquoi ? Qu'est-ce qui se passe ? (Elle baissa la voix.) Qu'est-ce qu'il a de si particulier ce rendez-vous ? Lou se comporte de façon très étrange depuis qu'il sait qu'il doit y aller.

— Ah bon ?

Assez ! Il n'en pouvait plus. Lou ferma la porte de son bureau, les faisant très certainement sursauter tous les deux. Il s'assit et décrocha son téléphone.

— Oui, répondit Alison.

— Trouvez-moi Harry, du service courrier, et ensuite appelez Ronan Pearson et vérifiez avec lui si Gabe a vraiment récupéré les plans en personne. Faites-le sans que Gabe soit au courant.

— Oui, bien sûr, un instant s'il vous plaît, annonça-t-elle de manière très professionnelle en prenant sa plus belle voix.

Le téléphone sonna. Lou rajusta sa cravate encore une fois, s'éclaircit la gorge et fit pivoter son énorme fauteuil en cuir pour se trouver face à la fenêtre. Dehors, il faisait froid mais beau. Pas un brin de vent. Les passants en bas s'activaient dans tous les sens, les bras chargés de sacs. Au milieu des nombreux néons aux couleurs primaires scintillantes, le dévouement à la nouvelle religion ne manquait pas d'adeptes en cette saison.

— Allôôôô ? hurla Harry au téléphone.

— Harry, c'est Lou.

— Quoi ? s'écria Harry, incapable d'entendre quoi que ce soit à cause du bruit des machines derrière lui.

Lou fut obligé d'élever la voix. Avant de parler, il vérifia qu'il était bien seul.

— C'est Lou, Harry.

— Lou qui ?

— Suffern.

— Oh, Lou, salut ! Que puis-je faire pour toi ? Ton courrier est encore arrivé au douzième étage ?

— Non, non, je l'ai bien reçu, merci.

— Super. Ce jeune homme que tu m'as envoyé est un génie.

— Tu trouves ?

— Gabe ? Absolument. Les gens appellent toute la journée pour me vanter ses mérites. Un vrai cadeau du ciel. Je te dis, il n'aurait pas pu mieux tomber, sans plaisanter. On avait du mal, tu sais bien. Ça fait des années que je bosse ici et je peux te dire que cette période de Noël est la pire que j'aie jamais vue. Tout va de plus en plus vite. Enfin, il me semble, parce que je ne pense pas que c'est moi qui aille plus lentement. Excellent choix, Lou, je te dois une fière chandelle. Qu'est-ce que je peux faire pour toi aujourd'hui ?

— En fait, c'est à propos de Gabe, commença-t-il lentement, son cœur battant la chamade. Tu sais qu'il a accepté de faire des petits boulots pour M. Patterson ? En plus de son travail au courrier.

— Oui, je sais. Il était heureux comme tout ce matin. Il est même allé s'acheter un costume pendant sa pause. Je ne sais même pas comment il a eu le temps, il y en a qui ont à peine allumé leur cigarette que la pause est déjà finie. Il est rapide, ce jeune homme. Je pense que d'ici peu il vous aura rejoints là-haut. On dirait que M. Patterson s'est entiché de lui. Je suis content pour lui, c'est un garçon bien.

— Ouais… quoi qu'il en soit, je t'appelais pour te mettre au courant. Je ne voulais pas que ça pose un problème. Il ne faudrait pas non plus qu'il soit distrait, continua Lou, se livrant à une dernière tentative. Qu'il pense à ce qu'il a à faire ici pendant qu'il travaille pour toi. Tu vois ce que je veux dire ? Des fois, ici, c'est vraiment l'hystérie, c'est si facile d'être distrait.

— Je te remercie de t'inquiéter pour moi, Lou, mais ce qu'il fait après treize heures ne regarde que lui. Pour être honnête, je suis content qu'il ait trouvé autre chose. Il est tellement rapide que j'ai du mal à l'occuper toute la matinée.

— D'accord, OK. Mais bon, s'il te donne des soucis, n'hésite pas à faire ce qu'il faut, Harry. Ne te sens absolument pas obligé de le garder uniquement pour moi. Tu comprends ?

— Oui, évidemment, Lou. Mais c'est un bon garçon, tu n'as pas à t'inquiéter.

— OK, merci. À plus tard, Harry.

Son interlocuteur raccrocha. Lou soupira et fit lentement pivoter sa chaise pour reposer le combiné. Il se trouva alors nez à nez avec Gabe, qui se tenait de l'autre côté du bureau et le regardait intensément.

Lou poussa un petit cri et sursauta. Il fit tomber le téléphone.

— Mon Dieu !

Il posa sa main sur son cœur en délire.

— Non, ce n'est que moi, dit Gabe, ses yeux bleus transperçant ceux de Lou.

— On ne t'a jamais appris à frapper à la porte ? Où est Alison ?

Lou se pencha sur le côté. Il n'y avait personne dans le bureau d'Alison.

— Tu es là depuis combien de temps ?

— Suffisamment, répondit-il d'une voix douce, ce qui ne fit qu'augmenter l'angoisse de Lou. Tu veux que j'aie des ennuis, Lou ?

— Quoi ?

Le cœur de Lou s'emballait, toujours pas remis de sa frayeur et quelque peu décontenancé par l'absence d'Alison et la proximité de Gabe. La présence de cet homme troublait énormément Lou.

— Non, reprit-il en avalant sa salive et en maudissant sa faiblesse. J'ai simplement appelé Harry pour savoir s'il était satisfait. C'est tout.

Il était parfaitement conscient du fait qu'il devait ressembler à un écolier mentant pour éviter la punition.

— Et il est satisfait ?

— Oui, oui, tout à fait. Mais tu dois comprendre que je ressens une certaine responsabilité envers lui, puisque c'est moi qui t'ai trouvé.

— Tu m'as trouvé, répéta Gabe en souriant.

On aurait dit qu'il n'avait jamais entendu ou prononcé ces mots.

— En quoi c'est drôle ?

— En rien, poursuivit Gabe, souriant toujours.

Il regarda autour de lui, les mains dans les poches, avec ce même air supérieur qui ne manifestait ni jalousie ni admiration.

— Il est 17 heures 22 minutes et 33 secondes, à présent, affirma Gabe sans regarder sa montre. Trente-quatre, trente-cinq, trente-six...

Il se tourna vers Lou, un sourire toujours aux lèvres.

— Enfin, tu connais la suite.

— Et alors ?

Lou enfila sa veste de costume et essaya de jeter un œil discrètement à sa montre pour vérifier. Il était pile 17 h 22.

— Il faut que tu partes maintenant, non ?

— À ton avis, qu'est-ce que je suis en train de faire ?

Gabe se dirigea vers la table de réunion et saisit trois fruits dans le bol – deux oranges et une pomme. Il les examina longuement, un par un.

— Tant de décisions à prendre, murmura-t-il.

Il prit les trois fruits dans ses mains.

— Tu as faim ? demanda Lou, nerveux.

— Non, répondit Gabe en riant. Tu sais jongler ?

Un sentiment familier transperça de nouveau le cœur de Lou et il se rappela exactement ce qui lui déplaisait chez Gabe. Ce genre de questions, de déclarations, de commentaires dérangeaient Lou, l'atteignant au plus profond.

— Je pense qu'il vaut mieux que tu répondes, ajouta Gabe.

— Que je réponde à quoi ?

Avant que Gabe ne puisse parler, le téléphone sonna. Bien qu'il préférât qu'Alison filtre les appels, il se précipita sur le combiné et décrocha.

C'était Ruth.

— Salut, ma chérie.

Il fit signe à Gabe de le laisser tranquille. L'ignorant, Gabe se mit à jongler avec les fruits. Lou lui tourna le dos, mais savoir qu'il était derrière lui le mettait très mal à l'aise. Il revint dans sa position initiale pour pouvoir le surveiller et baissa la voix.

— Euh, oui, en fait, à propos de ce soir... Il y a du neuf...

— Lou, ne me fais pas ça ! s'écria Ruth. Tu vas briser le cœur de ta fille.

— C'est seulement le spectacle auquel je ne peux pas aller, chérie. Dans le noir, Lucy ne verra même pas que je suis absent. Tu n'as qu'à lui dire que j'étais là. Je vous retrouve après. M. Patterson m'a demandé de prendre un café avec un de nos clients. C'est un homme important et ce rendez-vous me permettrait peut-être de décrocher le poste de Cliff. Tu comprends ?

— Je sais, je sais. Et quand tu auras eu ta promotion, on te verra encore moins.

— Non, non, ce n'est pas vrai. Il faut simplement que je travaille dur ces quelques mois pour faire mes preuves.

— Pour faire tes preuves ? Mais Lawrence sait déjà de quoi tu es capable, ça fait cinq ans que tu travailles dans cette entreprise. Mais bon, de toute façon, je ne veux pas parler de ça maintenant. Tu viens au spectacle, oui ou non ?

— Le spectacle ?

Lou se mordit la lèvre et regarda sa montre.

— Non, non, je ne pense pas venir.

Gabe laissa tomber la pomme, qui roula sur la moquette et atterrit au pied du bureau de Lou. Il continua de jongler avec les oranges.

— Mais tu seras à la maison pour le dîner ? Avec tes parents, Alexandra et Quentin ? Je viens d'avoir ta mère au téléphone, elle est vraiment contente pour ce soir. Tu sais, ça fait un mois que tu ne les as pas appelés.

— Mais ça ne fait pas un mois que je ne les ai pas vus. J'ai vu papa il y a… marmonna-t-il à voix basse, calculant dans sa tête. Oui, après tout, ça fait peut-être bientôt un mois.

Un mois ? Comme le temps passait vite.

Rendre visite à ses parents était une véritable corvée pour Lou, la même que celle qui consistait à devoir faire son lit quand il était enfant. Au bout de quelque temps, la vision de ces draps défaits venait hanter son esprit et il s'en débarrassait en finissant par faire son lit. Il ressentait alors un immense sentiment de satisfaction et se disait qu'il n'avait plus à y penser. Jusqu'au lendemain matin, quand il se réveillait et se rendait compte qu'il allait falloir tout recommencer. Entendre son père se plaindre que cela faisait beaucoup trop longtemps qu'ils ne s'étaient pas vus lui donnait envie de courir dans la direction opposée. Cette litanie perpétuelle le rendait fou. La menace qu'elle représentait incitait Lou à éviter ses parents le plus possible, et cette envie dépassait de loin toute forme de culpabilité. Il fallait qu'il soit de bonne humeur pour entendre ce que son père avait à dire, qu'il puisse mettre ses sentiments de côté. Sinon il ne cessait d'aboyer sur ses parents, et, uniquement pour faire taire son père, il leur parlait des heures interminables qu'il passait au travail et des contrats qu'il avait négociés. Aujourd'hui, il n'était absolument pas d'humeur. Peut-être que s'il arrivait quand ils auraient tous bu un peu ça irait mieux.

— Je ne serai peut-être pas là pour le dîner mais je serai là pour le dessert. Tu as ma parole.

Gabe laissa tomber une orange. Lou aurait bien aimé percuter le plafond avec son poing pour fêter ça mais il se contenta plutôt de se trouver des excuses auprès de Ruth. Il refusait catégoriquement de demander pardon pour quelque chose qu'il ne pouvait absolument pas contrôler. Finalement, il raccrocha le téléphone et se croisa les bras sur la poitrine.

— Pourquoi tu ris ? demanda Gabe tout en jonglant avec la dernière orange, une main dans la poche.

— Tu ne jongles pas très bien, ricana-t-il.

— *Touché*, répondit Gabe en souriant. Tu es très observateur. En effet, je ne jongle pas très bien, mais je ne jongle pas vraiment si j'ai décidé dès le début de laisser tomber ces deux fruits et de n'en garder qu'un seul dans la main, si ?

Lou fronça les sourcils en entendant cette réponse étrange et s'affaira à son bureau. Il enfila son manteau, prêt à partir.

— Non, Gabe, tu ne jongles pas vraiment si tu décides...

Il s'arrêta tout à coup, prenant conscience de ce qu'il s'apprêtait à dire. Il entendit la voix de Ruth dans sa tête. Il tressaillit, de nouveau parcouru par un frisson. Gabe était parti, il ne restait plus qu'une orange sur son bureau.

— Alison, commença Lou en quittant son bureau, une orange à la main, est-ce que Gabe vient de sortir d'ici ?

Alison leva son index, lui faisant comprendre qu'il devait patienter pendant qu'elle prenait des notes sur un carnet et écoutait la personne à l'autre bout du fil.

— Alison, interrompit-il de nouveau.

Elle se mit à paniquer légèrement et à écrire un peu plus vite, hochant la tête. Elle tendit le bras, paume ouverte.

— Alison ! s'écria-t-il sèchement. (Il posa sa main sur le combiné, mettant fin à son appel.) Je n'ai pas toute la journée.

Elle le regarda, la bouche grande ouverte. Le téléphone pendait dans sa main.

— J'arrive pas à croire que vous...

— Ouais, ouais, eh bien si, je l'ai fait. Va falloir vous en remettre. Est-ce que Gabe vient de passer ? demanda-t-il.

Sa voix semblait pressée, comme si elle courait, sautait, bondissait pour se maintenir au niveau des battements de son cœur.

— Euh... réfléchit-elle. Il est venu me voir il y a vingt minutes environ et...

— Ouais, ouais, je sais tout ça. Il était dans mon bureau il y a une seconde et il a disparu. À l'instant. Vous l'avez vu passer ?

— Eh bien, c'est-à-dire que...

— Vous l'avez vu ?

— Non, j'étais au téléphone et...

— Bon Dieu.

Il cogna le bureau de son poignet déjà douloureux.

— Et merde !

Il le ramena vers lui et cala son bras contre son ventre.

— Qu'est-ce qui ne va pas, Lou ? Calmez-vous, dit Alison en se levant.

Elle tendit sa main pour le toucher.

Il eut un mouvement de recul.

— Ah oui, j'allais oublier, commença-t-il en baissant la voix et en se penchant vers elle. Est-ce que mon courrier m'est parfois adressé sous un autre prénom ?

— Que voulez-vous dire ? demanda-t-elle en fronçant les sourcils.

— Vous savez...

Il jeta un œil à gauche puis à droite, remuant à peine les lèvres en parlant.

— Aloysius, bredouilla-t-il.

— Aloysius, répéta-t-elle d'une voix forte.

Il lui jeta un regard assassin.

— Moins fort, grommela-t-il.

— Non, murmura-t-elle. Je n'ai jamais vu le prénom Aloysius sur aucun de vos courriers.

Puis, comme si les mots avaient mis du temps à atteindre ses oreilles, elle sourit, hoqueta puis se mit à rire.

— Pourquoi y aurait-il du courrier au nom d'Aloy...

À la réaction de Lou, ses mots s'évanouirent et son sourire disparut.

— Ah. Mince alors ! C'est un... (Sa voix monta d'une octave.)... très joli prénom.

Lou traversa la nouvelle passerelle Sean O'Casey qui reliait le quai North Wall au quai Sir John Rogerson, au sud, tout juste réhabilités. Cent mètres après le pont, il arriva à destination. *The Ferryman* était le seul pub authentique encore en activité le long des quais. Ici, pas de cappuccino ni de ciabatta, et la clientèle était assez particulière. Dans le bar, il y avait une poignée de gens en mission cadeaux de Noël qui étaient sortis des sentiers battus pour venir faire une pause et enrouler leurs doigts violets autour d'un verre bien chaud. Les autres étaient des employés et des cadres, jeunes et vieux, venus décompresser après une dure journée de travail. Portant toujours leur costume, ils étaient assis devant des pintes et des demis. Il était à peine dix-huit heures mais les gens avaient déjà fui leur lieu de travail, heureux de se réfugier dans ce lieu réconfortant et de faire une offrande au dieu de la bière.

Bruce Archer était de ceux-là. Accoudé au comptoir, une Guinness à la main, il rugissait de rire à propos de ce qu'avait dit son voisin. Un autre type en costume. Et encore un autre. Épaule contre épaule. Costume à fines rayures et chaussettes à carreaux. Des chaussures toutes plus polies et des attachés-cases contenant feuilles de calcul, graphiques et prévisions optimistes des cours de la Bourse. Pas un ne buvait de café. Il aurait dû se méfier. Tout en les observant se donner de grandes tapes dans le dos et rire à gorge déployée, il se rendit compte qu'il n'était pas surpris le moins du monde. Il ne s'était peut-être douté de rien mais il avait toujours su au fond de quoi il s'agissait.

Bruce se retourna et l'aperçut.

— Lou ! cria-t-il de l'autre côté de la pièce, avec un fort accent de Boston.

Des têtes se tournèrent, pas vers Bruce mais en direction du jeune homme fort élégant et immaculé qui venait d'entrer.

— Lou Suffern ! Ça fait plaisir de te voir !

Il se leva de son tabouret, s'avança vers Lou, la main tendue. Il lui serra fermement la main, l'agitant violemment de haut en bas tout en lui tapant dans le dos avec enthousiasme.

— Je vais te présenter. Les gars, voici Lou, Lou Suffern, il travaille chez Patterson Développements. On a bossé ensemble sur le building de Manhattan dont je vous parlais. On a même vécu un truc de dingue un soir, attendez qu'on vous le raconte, vous n'allez pas en croire vos oreilles. Lou, voici Derek, qui travaille...

Et voilà que Lou était perdu dans une nuée de présentations, oubliant les prénoms au moment même où ils étaient mentionnés. Chaque fois qu'il serrait une main, soit trop dure, trop moite, trop molle, ou trop énergique au point de lui démettre l'épaule, il repoussait l'image de sa femme et de sa fille loin à l'arrière de son cerveau. Il essaya d'oublier qu'il avait abandonné sa famille pour ça. Il essaya d'oublier quand ils se moquèrent de son envie de café et lui servirent une bière à la place. Il essaya d'oublier quand ils refusèrent qu'il s'en aille après sa première pinte. Ou après une deuxième. Fatigué d'avoir à se justifier dès qu'une nouvelle tournée était commandée, il les laissa remplir son verre de Jack Daniel's. Il laissa aussi leurs cris d'adolescents le persuader de ne pas répondre au téléphone. Et ensuite, après tout ça, il n'avait plus besoin d'être convaincu de quoi que ce soit. Il était là, avec eux, pour la totale. Peu importe que son téléphone vibrât toutes les dix minutes chaque fois que Ruth appelait. Il savait, à ce stade, que Ruth comprendrait ; si ce n'était pas le cas, c'est qu'elle n'était vraiment pas raisonnable.

Une fille lui lançait des regards depuis l'autre côté du bar ; encore un whisky-Coca sur le comptoir. Bon Sens et Raison avaient fui et patientaient dehors avec les fumeurs. Il faisait froid. Il était partagé entre l'idée d'appeler un taxi et l'envie de trouver une fille avec qui rentrer et passer du bon temps. Peu de temps après, frustré, frigorifié, Bon Sens se résolut à faire plier Raison et se résigna à la bagarre. De son côté, Lou tournait le dos et se contentait de satisfaire sa seule ambition.

12

La voie rapide

Lou se rendit compte qu'il était bien trop ivre pour draguer la séduisante jeune femme qui lui faisait de l'œil depuis le début de la soirée quand, alors qu'il s'acheminait vers sa table, il trébucha et renversa le verre de son amie sur ses genoux. Pas les genoux de la jolie jeune femme, non, les genoux de son amie. Il marmonna quelque chose qui, selon lui, paraissait intelligent et charmeur, mais qu'elle perçut visiblement comme scabreux et insultant. La différence entre scabreux et aguicheur est très mince lorsque, comme Lou Suffern, on a beaucoup trop bu. Au moment où il était entré dans le bar, les femmes l'avaient trouvé charmant et sexy. Ce n'était manifestement plus le cas. Les taches de whisky et de Coca qui maculaient sa chemise impeccablement blanche et sa cravate vibraient telle une énorme faute de goût pour ces femmes d'affaires sophistiquées, et ses yeux bleus, qui donnaient souvent aux femmes l'impression de plonger dans des lacs ultramarins, à présent vitreux et injectés de sang, ne produisaient pas l'effet escompté. Voulant la déshabiller des yeux, il avait paru vicieux. Trop soûl pour que cela mène à quoi que ce soit avec elle – ou avec son amie, qu'il avait essayé de draguer après l'avoir percutée en sortant des toilettes, où elle tentait de nettoyer les marques de vin qu'il avait faites sur son chemisier –, l'option la plus raisonnable semblait être de simplement aller récupérer sa voiture. Et rentrer à la maison.

Il arriva dans le sous-sol froid et sombre du parking qui se trouvait sous ses bureaux – il lui fallut vingt minutes de plus que d'habitude pour marcher jusquelà. Il se rendit compte alors qu'il ne savait plus où il avait garé sa voiture. Il fit le tour du parking, appuyant sur sa clé dans l'espoir qu'une sirène et des phares scintillants le mettent sur la voie. Malheureusement, il s'amusait tellement à tourner en rond qu'il oubliait de surveiller les voitures. Enfin, il vit une lumière. Il avait retrouvé son véhicule, à son emplacement habituel, mais encore fallait-il arriver jusqu'à la Porsche. Il ferma un œil et se concentra.

— Salut, bébé, ronronna-t-il en se frottant contre la carrosserie – pas nécessairement par amour, plutôt pour garder son équilibre.

Il embrassa le capot puis monta à l'intérieur de sa voiture. Mais il n'y avait pas de volant là où il était assis et il dut ressortir pour passer côté conducteur. Il ouvrit la portière de droite et, une fois installé, porta toute son attention sur les piliers en ciment qui soutenaient le toit du parking. Ils ondulaient. Il espérait bien qu'ils n'allaient pas continuer à onduler sur sa voiture tandis qu'il rentrait à la maison. Ce ne serait pas très raisonnable de leur part. Sans compter que ça lui coûterait très cher.

Il s'agissait à présent de mettre la clé dans le contact. Après avoir échoué à plusieurs reprises et gratté le métal autour de la fente avec le bout de la clé, il parvint à viser juste et à l'insérer. En entendant le bruit du moteur, il lança un cri de victoire avant d'appuyer sur l'accélérateur de toutes ses forces. Au dernier moment, il se souvint qu'il devait regarder où il allait et poussa alors un hurlement de frayeur. Devant le capot de la voiture se tenait Gabe, immobile.

— Bon Dieu ! s'écria-t-il, lâchant l'accélérateur et donnant un coup dans le pare-brise de sa main droite blessée. T'es fou ? Tu aurais pu te faire tuer !

Le visage de Gabe devint flou mais Lou aurait juré qu'il était en train de sourire. Il entendit un bruit sourd et sursauta. Quand il releva la tête, il vit Gabe qui le regardait à travers la vitre côté conducteur. Le moteur tournait toujours et Lou baissa la vitre de quelques centimètres.

— Salut.

— Salut, Gabe, répondit-il d'une voix endormie.

— Tu ne veux pas éteindre le moteur, Lou ?

— Non. Non, je rentre à la maison.

— Tu n'iras pas bien loin si tu restes au point mort. Je ne pense pas que ce soit une bonne idée que tu conduises. Et si tu descendais ? On appellera un taxi.

— Non, je ne peux pas laisser la Porsche ici. Un fou pourrait la voler. Un débile mental. Un clodo errant.

Il se mit à rire alors, presque de manière hystérique.

— Ah, j'ai trouvé ! Et si tu me ramenais à la maison ?

— Non, non, je ne pense pas que ce soit une bonne idée, Lou. Sors et on va appeler un taxi, proposa Gabe en ouvrant la portière.

— Non. Pas de taxi, marmonna-t-il.

Il enclencha la première, appuya sur l'accélérateur et la voiture bondit en avant, la portière toujours ouverte. Elle s'arrêta puis elle bondit de nouveau. Et s'arrêta. Gabe leva les yeux au ciel, s'accrochant à la portière tandis que la voiture hoquetait vers l'avant comme un criquet maniaco-dépressif.

— OK, d'accord, concéda Gabe après que Lou eut conduit – même si conduire n'était pas tout à fait le terme exact – jusqu'à la sortie. J'ai dit d'accord, répéta-t-il en élevant la voix alors que la voiture bondissait encore une fois. Je vais te ramener chez toi.

Lou enjamba le levier de vitesses et s'installa côté passager. Gabe s'assit, anxieux. Il n'avait pas besoin de régler le siège ou les rétroviseurs, lui et Lou étaient de la même taille.

— Tu sais conduire ? demanda Lou.

— Oui.

— Tu as déjà conduit une voiture pareille ? demanda Lou, qui repartit de son rire hystérique. Peut-être qu'il y en a une garée sous ton duplex.

— Mets ta ceinture, Lou.

Gabe ne prêtait pas attention aux commentaires de Lou, tout ce qui comptait pour lui était de le ramener chez lui sain et sauf. À ce stade, il s'agissait d'une sacrée tâche.

14

Le garçon à la dinde – 3

— Vous l'avez de nouveau arrêté pour excès de vitesse ? demanda le garçon à la dinde.

Son menton était toujours posé sur ses mains. Il redressa la tête.

— J'espère que vous l'avez mis en prison, cette fois-ci, reprit-il. Il aurait encore pu tuer quelqu'un. Et pourquoi est ce que vous vous garez toujours au même endroit ? On dirait bien que vous l'espionnez.

— Ils ne roulaient pas trop vite, expliqua Raphie tout en ignorant la dernière question. Mais ils ont grillé un feu, c'est tout.

— C'est tout ? J'espère que vous l'avez jeté en prison, ce connard prétentieux.

— Enfin, comment aurais-je pu arrêter Lou, voyons ! continua Raphie sur un ton d'instituteur. Tu ne m'écoutes pas. Ne mets pas la charrue avant les bœufs.

— Mais vous racontez cette histoire si lentement. Vous pouvez pas en venir à l'essentiel ?

— C'est ce que je fais. Mais si tu continues à me parler comme ça, je ne te raconte plus rien.

Raphie regarda le garçon d'un air menaçant. Celui-ci ne fit aucune remarque désagréable et Raphie décida de poursuivre.

— Ce n'est pas Lou qui a grillé ce feu parce que ce n'est pas Lou qui conduisait. Je te l'ai dit.

— Gabe n'aurait pas grillé un feu. Il n'aurait pas fait ça, s'indigna son jeune interlocuteur.

— Et comment pouvais-je le savoir ? Je n'avais jamais rencontré ce gars-là auparavant.

— Ils ont dû échanger leurs places sur le chemin du retour.

— Gabe était au volant. Je te l'accorde, ils se ressemblaient tellement qu'ils auraient pu échanger, mais non. Lou était assis côté passager, complètement ivre, les yeux exorbités.

— Comment ça se fait que vous l'avez arrêté au même endroit que la dernière fois ?

— Je surveille de loin la maison de quelqu'un, c'est tout.

— Un meurtrier ? demanda le garçon avec avidité.

— Non, pas un foutu meurtrier, quelqu'un que je connais.

— Vous espionnez votre femme ? poursuivit le jeune curieux.

Raphie se tortilla légèrement sur sa chaise, mal à l'aise.

— Que veux-tu dire ?

— Pour voir si elle vous trompe.

Raphie leva les yeux au ciel.

— Fiston, tu regardes beaucoup trop de séries télévisées.

— Ah, soupira le garçon, déçu. Alors, qu'est-ce que vous avez fait quand vous les avez attrapés ?

15

Bienvenue à la maison

— Bonjour, sergent, dit Gabe.

Ses grands yeux bleus brillaient d'innocence.

Surpris de se voir appeler par son titre – que l'étranger ne pouvait pas connaître –, Raphie changea d'avis quant à son approche.

— Vous avez grillé un feu rouge, vous savez ?

— Je sais, sergent, je suis vraiment désolé. J'ai fait une erreur. Il était orange et j'ai pensé que j'avais le temps...

— Il n'était plus à l'orange quand vous êtes passé.

— Ah bon.

Gabe se tourna vers la gauche. Lou, qui faisait semblant de dormir, ronflait lourdement et explosait de rire entre chaque ronflement. Il tenait un grand parapluie.

Raphie examina le grand parapluie dans la main de Lou puis suivit le regard de Gabe, fixé sur l'accélérateur.

— Bon Dieu, murmura-t-il.

— Non, moi c'est Gabe, répondit Gabe. Je travaille avec M. Suffern. J'essayais simplement de le ramener chez lui sain et sauf. Il a un peu trop bu.

Lou choisit ce moment pour ronfler lourdement. Il laissa échapper un sifflement et se mit à rire.

— En effet.

— J'ai un peu l'impression d'être son père, ce soir, dit Gabe. Je veille à ce qu'il n'arrive rien à mon enfant. C'est important, vous ne pensez pas ?

— Que voulez-vous dire ?

— Oh, je crois que vous savez parfaitement ce que je veux dire, répondit Gabe, un sourire innocent sur le visage.

Raphie posa les yeux sur Gabe et prit un ton plus autoritaire, au cas où il aurait eu devant lui un de ces connards qui se croient au-dessus des lois.

— Je peux voir votre permis de conduire ? demanda-t-il en tendant la main.

— Ah, euh… Je ne l'ai pas sur moi.

— Vous avez le permis de conduire ?

— Pas sur moi.

— Oui, c'est ce que vous m'avez dit.

Raphie sortit un carnet et un stylo.

— Quel est votre nom, monsieur ?

— Je m'appelle Gabe.

— Gabe comment ? insista Raphie en se redressant légèrement.

— Vous allez bien ? s'inquiéta Gabe.

— Pourquoi vous me demandez ça ?

— Vous aviez l'air d'avoir mal. Quelque chose ne va pas ?

— Tout va bien, répondit-il.

Il fit quelques pas en arrière.

— Vous devriez vous faire examiner, conseilla Gabe, plein de sollicitude.

— Mêlez-vous de vos affaires, aboya Raphie tout en regardant autour de lui pour vérifier que personne ne l'avait entendu.

Gabe observa la voiture de patrouille dans le rétroviseur central. Il n'y avait personne d'autre à l'intérieur. Pas de renfort. Pas de témoin.

— N'oubliez pas de passer au commissariat de Howth cette semaine, Gabe. Apportez votre permis de conduire avec vous et venez me voir. Je m'occuperai de votre cas à ce moment-là. Ramenez ce jeune homme chez lui sain et sauf.

Il fit un signe de tête à Lou et regagna son véhicule.

— L'était 'core bourré ? demanda Lou en ouvrant des yeux hagards.

Il pivota pour voir Raphie monter dans sa voiture.

— Non, il n'est pas soûl, répondit Gabe.

Il observait la lente démarche du policier dans le rétroviseur.

— Alors il est quoi ? grogna Lou.

— Il est différent.

— Non, c'est toi qui es différent. Maintenant, conduis-moi à la maison.

Il fit claquer ses doigts et rit.

— Non, en fait, c'est moi qui vais conduire, grommela-t-il tout en s'agitant dans son siège. Je n'aime pas que les autres pensent que c'est ta Porsche.

— C'est dangereux de conduire en état d'ébriété, Lou. Tu pourrais avoir un accident.

— Et alors, souffla-t-il, comme un enfant. C'est mon problème, non ?

— Un ami à moi est décédé il n'y a pas très longtemps, commença Gabe, le regard toujours fixé sur la voiture de patrouille qui descendait lentement le long de la route. Et crois-moi, quand tu meurs, c'est tout sauf ton problème. C'est pour les autres que ça devient compliqué. Mon ami avait laissé un beau bordel derrière lui. Je mettrais ma ceinture si j'étais toi.

— Qui c'est qui est mort ? dit Lou en fermant les yeux, ignorant le conseil de Gabe.

Il se pencha en arrière sur l'appuie-tête, et abandonna l'idée de conduire.

— Je ne pense pas que tu le connaisses, expliqua Gabe.

Dès que la voiture de patrouille eut disparu, il mit son clignotant et s'engagea sur la chaussée.

— Comment il est mort ?

— Accident de la route, répondit Gabe en appuyant sur l'accélérateur.

La Porsche prit de la vitesse. Le bruit du moteur, puissant et retentissant, déchirait le silence de la nuit.

Lou ouvrit légèrement les yeux et observa Gabe avec lassitude.

— Ah ouais ?

— Ouais. Vraiment très triste. Un gars plutôt jeune. Une famille jeune. Une femme adorable. Une belle carrière.

Il appuya davantage sur l'accélérateur.

Lou avait les yeux grands ouverts désormais.

— Mais ce n'est pas ça le plus triste. Le plus triste, c'est qu'il n'avait pas fini son testament. Ce n'est pas de sa faute, il était jeune et ne s'attendait pas à quitter ce monde si tôt. Mais ça prouve bien qu'on ne sait jamais.

Le compteur frôlait les cent kilomètres/heure au cœur d'une zone réglementée à cinquante kilomètres/ heure. Lou attrapa la poignée de la porte et s'y agrippa de toutes ses forces. Il se redressa sur son siège, poussant ses fesses au fond. Il était assis bien droit à présent, comme un joueur de poker, les yeux sur le compteur. Les lumières floues de la ville de l'autre côté de la baie fusaient devant lui.

Il voulut mettre sa ceinture de sécurité mais, tout à coup, Gabe ralentit, aussi soudainement qu'il avait accéléré. Il jeta un œil dans le rétroviseur, mit le clignotant, et tourna à gauche. Il observa le visage de Lou, à présent devenu verdâtre, et sourit.

— Bienvenue à la maison, Lou.

Ce n'est que plus tard, quand le brouillard de sa gueule de bois commença à se dissiper, que Lou s'aperçut qu'il n'avait pas une seule fois expliqué à Gabe où se trouvait sa maison.

— Maman, papa, Marcia, Quentin, Alexandra ! cria Lou à gorge déployée dès que sa mère, stupéfaite, ouvrit la porte. Je suis rentré-éé, chantonna-t-il. (Il serra sa mère dans ses bras et lui planta une bise sur la joue.) Je suis vraiment désolé d'avoir raté le dîner mais j'ai eu une longue journée au bureau. Plein, plein, plein de choses à faire.

138

Même Lou ne croyait pas à son excuse. Il se tenait dans la salle à manger, haussant et baissant les épaules. Quand il respirait, un râle sibilant se faisait entendre. Tous l'observaient, surpris mais peu impressionnés. Ruth se figea et regarda son mari avec des sentiments mêlés de colère, de douleur et de honte. Quelque part au fond d'elle, il y avait de la jalousie aussi. Toute la journée, elle avait eu à gérer l'excitation incontrôlable de Lucy qu'elle avait essayé de canaliser de toutes les manières possibles, positives ou négatives. Et ensuite elle avait eu à affronter le stress et les larmes de sa fille, qui refusait de monter sur scène tant que son père n'était pas là. Une fois rentrés du spectacle, elle avait couché les enfants et couru partout dans la maison pour préparer le dîner et les chambres des invités. Son visage était cramoisi d'être restée toute la soirée au-dessus des plaques chauffantes, et elle s'était brûlé les doigts en portant toute une série de plats chauds. Elle était fatiguée, à bout, épuisée physiquement et mentalement d'avoir eu à répondre à l'attente de ses enfants, comme toute bonne mère , d'avoir crapahuté par terre avec Pud et séché les larmes de Lucy, qui, n'ayant pas réussi à trouver son père parmi le public malgré les tentatives de Ruth pour la convaincre du contraire, ne pouvait se remettre de sa déception.

Ruth observait Lou qui ondulait dans l'entrée, les yeux injectés de sang, les joues roses, et elle se disait qu'elle aurait aimé être à sa place, jetant tout sens des responsabilités par la fenêtre et se comportant comme un idiot devant les invités. Mais jamais il ne l'aurait accepté – et jamais elle ne l'aurait fait – et c'était bien ça qui les différenciait. Il était là, se balançant sur ses pieds, heureux, pendant qu'elle se demandait, immobile et profondément frustrée, pourquoi diable elle avait choisi d'être la colle chargée de faire tenir tout ça ensemble.

— Papa ! s'écria Lou. Je ne t'ai pas vu depuis des siècles ! Ça fait un bail, non ?

Il sourit, s'avança vers son père en tendant la main, s'installa sur la chaise à côté de lui, et, en voulant la rapprocher de la table, racla le sol. Leurs coudes se touchaient presque.

— Raconte-moi ce que tu deviens. Ah oui, j'aimerais bien un peu de ce vin rouge, merci beaucoup. C'est mon préféré, bien joué, chérie.

Il fit un clin d'œil à Ruth puis, d'un geste incertain, il se versa du vin dans un verre propre. Il en renversa la majeure partie sur la nappe blanche.

— Fais attention, fiston, conseilla son père doucement, posant sa main sur celle de son fils pour lui venir en aide.

— Papa, ça va, répondit Lou sèchement en retirant sa main.

Il renversa du vin sur les manches de son père.

— Voyons, Aloysius ! intervint sa mère.

Lou leva les yeux au ciel.

— Tout va bien, ma chérie, tout va bien, assura son père en essayant de prendre un ton léger.

— Mais c'est ta plus belle chemise, poursuivit-elle.

Elle prit sa serviette, la trempa dans son verre d'eau et se mit à frotter le tissu.

— Maman ! siffla Lou en riant, observant les autres autour de la table. Je n'ai fait que renverser un peu de vin, je ne l'ai pas tué, enfin.

Sa mère le regarda avec mépris puis détourna la tête, concentrée sur la manche de son mari.

— Attends, je vais t'aider.

Lou saisit le sel et commença à saupoudrer le bras de son père.

— Lou ! s'écria Quentin. Ça suffit !

Lou s'arrêta. Il se pencha alors vers Alexandra, et sourit naïvement.

— Ah, Quentin ! soupira Lou en faisant un signe à son frère. Je ne t'avais pas vu. Comment va le bateau ? T'as installé de nouvelles voiles ? Un nouvel équipement ? T'as gagné des courses ces derniers temps ?

Quentin s'éclaircit la gorge, cherchant à garder son calme.

— En fait, on sera en final dans deux sem...

— Alexandra ! explosa Lou au milieu de la phrase de Quentin. Comment ai-je pu ne pas embrasser la belle Alexandra ?

Il se leva et, après avoir percuté chacune des chaises, parvint jusqu'à elle.

— Et comment va la belle Alexandra ce soir ? Tu es splendide, comme toujours.

Il se pencha en avant pour la serrer dans ses bras. Il lui embrassa le cou.

— Salut, Lou, dit-elle en souriant. Tu as passé une bonne soirée ?

— Oh, tu sais, plein, plein, plein de choses à faire, plein de paperasses à classer.

Il jeta sa tête en arrière et se mit à rire de nouveau. Il ressemblait à une mitraillette hors de contrôle.

— Ah là là ! Mais c'est quoi le problème ici ? Vous avez tous des têtes d'enterrement. Ça vous ferait pas de mal de péter un coup. Allez ! s'exclama-t-il, extrêmement agressif. On s'emmerde !

Il reprit son tour de table en frappant dans ses mains. Puis il se tourna pour faire face à sa sœur.

— Marcia, soupira-t-il. Marcia. Salut, finit-il par dire.

Il retourna s'asseoir, un sourire enfantin sur les lèvres.

Pendant le long silence qui suivit, Gabe resta planté dans l'entrée de la salle à manger, mal à l'aise.

— Qui as-tu amené, Lou ? interrompit Quentin, se levant pour aller serrer la main de Gabe. Désolé, nous n'avons pas été présentés. Je suis son frère, Quentin, et voici ma femme, Alexandra.

Lou siffla de manière provocante puis explosa de rire.

— Bonjour, je m'appelle Gabe.

Gabe serra la main de Quentin puis salua tous les membres de la famille l'un après l'autre.

— Lou, dit Ruth avec calme, tu ne préférerais pas un peu d'eau, ou du café ? Je m'apprêtais à en faire.

Lou soupira bruyamment.

— Je te fais honte, hein, Ruth ? lança-t-il. Tu m'as dit de rentrer à la maison. Me voilà !

Un silence se fit à la table alors que chacun essayait maladroitement de ne pas croiser le regard des autres. Le père de Lou le fixait avec colère. Il rougissait de plus en plus et ses lèvres tremblaient légèrement, comme si les mots se déversaient sans faire de bruit.

Gabe poursuivit son tour de table.

— Bonjour, Ruth, je suis vraiment ravi de faire votre connaissance.

Incapable de le regarder dans les yeux, elle se contenta de lui serrer mollement la main.

— Bonjour, répondit-elle dans un murmure. Excusez-moi mais il faut que je ramène tout ça à la cuisine.

Elle se leva et fit un premier voyage, emportant avec elle les restes de fromage et les tasses de café.

— Je vais vous aider, proposa Gabe.

— Non, non, je vous en prie, asseyez-vous.

Gabe lui désobéit et la suivit. Elle était appuyée contre le plan de travail où elle avait déposé la vaisselle et lui tournait le dos. Tête inclinée, épaules rentrées, on l'aurait dit à cet instant vidée de toute énergie. Il fit du bruit en posant les assiettes près de l'évier pour qu'elle sache qu'il était là.

Elle sursauta, consciente de sa présence, et se ressaisit. Son corps s'éveilla, retrouvant sans doute son énergie. Elle pivota pour lui faire face.

— Gabe, dit-elle, un sourire pincé sur les lèvres, je vous ai dit que ce n'était pas la peine.

— Je voulais seulement vous aider, expliqua-t-il gentiment. Je suis vraiment désolé pour Lou mais je n'ai pas passé la soirée avec lui.

— Ah non ?

Elle croisa les bras sur sa poitrine. Elle semblait honteuse d'avoir pensé le contraire.

— Non, je travaille avec lui. Je suis resté tard et j'étais là quand il est revenu de son... rendez-vous.

— Quand il est revenu au bureau ? Mais pourquoi serait-il...

Elle paraissait troublée. Une ombre passa lentement sur son visage à mesure qu'elle comprenait ce qui s'était passé.

— Ah, je vois. Il a voulu prendre sa voiture.

Ce n'était pas une question, plutôt une pensée exprimée à voix haute, et Gabe ne répondit pas. Elle le regarda avec douceur.

— D'accord. Eh bien, je vous remercie de l'avoir ramené à la maison sain et sauf, Gabe. Je suis désolée d'avoir été sèche avec vous mais, vous savez, c'est juste que...

Sa voix se brisa sous le coup de l'émotion. Elle cessa de parler et commença à vider les assiettes dans la poubelle.

— Je sais, vous n'avez pas besoin de m'expliquer.

Elle reposa une assiette, ferma les yeux, et soupira.

— Lou est un homme bien, vous savez, murmura-t-il.

— Merci, Gabe. Croyez-le ou pas mais c'est exactement ce que j'ai besoin d'entendre en ce moment. Seulement j'aurais préféré que ça ne vienne pas d'un de ses collègues de travail. J'aimerais que sa mère soit capable de me le dire. (Elle leva la tête, les yeux voilés.) Ou son père, et ce serait agréable d'entendre sa fille dire une chose pareille. Mais non, ceux qui estiment Lou sont ceux qui travaillent avec lui.

Elle vidait les assiettes rageusement.

— Je ne suis pas un de ses amis, croyez-moi. Lou ne peut pas me supporter.

Elle le dévisagea avec curiosité.

— Il m'a trouvé un travail. Avant, je squattais devant son immeuble tous les matins, et hier, sans prévenir, il s'est arrêté, m'a offert un café et un boulot.

— Oui, il m'a parlé de ça hier soir, répondit Ruth en fouillant sa mémoire. Lou a vraiment fait ça ?

— Ça semble vous surprendre.

— Non, pas du tout. Enfin, si. Je veux dire… qu'est-ce qu'il vous a proposé comme travail ?

— Un poste au courrier.

— Et en quoi ça lui rend service ? demanda-t-elle en fronçant les sourcils.

Gabe se mit à rire.

— Vous pensez qu'il a quelque chose à y gagner ?

— Oui, je sais, c'est terrible de ma part. (Elle se mordit la lèvre pour cacher son sourire.) Ce n'est pas ce que je voulais dire. Je sais que Lou est un homme bien, mais ces derniers temps il est… occupé. Ou disons plutôt distrait ; qu'il soit occupé ne me dérange pas, du moment qu'il n'est pas distrait.

Elle fit un geste de la main, comme si ça n'avait pas d'importance.

— Mais il n'est pas vraiment là. On dirait qu'il est à deux endroits différents au même moment. Son corps est avec nous mais pas son esprit. Toutes les décisions qu'il a prises récemment ont un rapport avec son travail : comment faciliter son travail, comment aller d'un rendez-vous à un autre le plus rapidement possible, etc., etc., etc. Donc le fait qu'il vous offre un poste, pour moi… Oh mon Dieu, qu'est-ce que je raconte ?

Elle se ressaisit.

— Grâce à vous, Gabe, je sais que Lou a aussi ses bons côtés.

— C'est un homme bien, répéta Gabe.

Ruth ne répondit pas mais elle eut l'impression que Gabe pouvait lire dans ses pensées quand il ajouta :

— Mais vous voulez qu'il devienne encore meilleur, non ?

Elle le regarda avec surprise.

— Ne vous inquiétez pas.

Il posa sa main sur la sienne et elle se sentit tout de suite mieux.

— Faites-moi confiance.

Quand, le lendemain, Ruth raconta sa conversation avec Gabe à sa sœur, cette dernière fronça le nez et, comme d'habitude, trouva tout ça très étrange et très suspect. Ruth, elle, ne put s'empêcher de se demander pourquoi elle n'avait pas posé plus de questions à Gabe, pourquoi elle n'avait pas trouvé tout ça bizarre sur le moment. Mais elle savait que seul l'instant comptait, l'instant présent, et, à ce moment-là, elle n'avait pas ressenti le besoin de poser des questions. Elle lui faisait confiance, du moins avait-elle envie de lui faire confiance. Un homme gentil lui avait dit que son mari allait s'améliorer. À quoi bon avoir des arrière-pensées ?

16

Un réveil douloureux

Quand Lou se réveilla le lendemain matin, il eut l'impression qu'un pivert se tenait sur sa tête et martelait avec beaucoup d'application le haut de son crâne. La douleur faisait son chemin depuis le lobe frontal jusqu'aux tempes et la base du crâne. Quelque part dehors un klaxon retentit, ce qui était parfaitement ridicule à cette heure-ci. Un moteur était en marche. Lou ferma les yeux et essaya de disparaître dans un monde de sommeil. Mais son sens des responsabilités, le pivert et la porte d'entrée qui claqua l'empêchèrent de trouver refuge dans le havre de ses beaux rêves.

Il avait la bouche sèche. Il tapota ses gencives et fit tourner sa langue dans sa bouche. Il cherchait à récupérer un peu de salive, de façon à échapper à la terrible corvée d'avoir à se racler la gorge. Mission accomplie. Mais il se retrouva vite dans une fâcheuse posture, entre son lit et la cuvette des toilettes, la température de son corps augmentant, sa tête tournant et la salive arrivant dans sa bouche par vagues. Il se débarrassa de son pyjama, se précipita aux toilettes et, le corps parcouru de spasmes, tomba violemment à genoux devant la cuvette comme s'il avait voulu la vénérer. Ce fut seulement quand il n'eut plus d'énergie, ou quoi que ce soit dans son estomac, qu'il put s'asseoir sur le carrelage. Dans un état d'épuisement physique et mental, il constata que de la lumière filtrait à travers le Velux. D'habitude, quand il se réveillait le matin en cette saison, le ciel était sombre. Là, il était bleu étincelant. Un sentiment de panique le submergea, semblable à celui que ressent un enfant quand il s'aperçoit qu'il est en retard pour l'école.

Lou se redressa péniblement et retourna dans sa chambre, empli du désir d'attraper son réveil et d'écrabouiller ce 9 qui clignotait en rouge effrontément. Ils avaient tous trop dormi et raté le réveil. Enfin, pas vraiment, parce que Ruth n'était pas au lit. Ce n'est qu'à ce moment-là qu'il remarqua l'odeur de friture venue d'en bas lui chatouiller le nez d'un air moqueur, comme une danseuse de cancan. Il entendit le cliquetis des tasses et des coupelles qui s'entrechoquent. Des babillements de bébé. Des bruits du matin, paresseux, étirés, qu'il n'aurait pas dû entendre. Non, lui, il aurait dû entendre le vrombissement du fax et de la photocopieuse, le bourdonnement de l'ascenseur qui monte et descend le long de sa cage et qui, de temps en temps, émet la même petite sonnerie qu'un micro-ondes, comme si les gens à l'intérieur étaient enfin cuits. Il aurait aussi dû entendre le claquement des faux ongles d'Alison sur les touches de son clavier, et le grincement du chariot à courrier de Gabe à mesure qu'il avance dans le couloir.

Gabe.

Il passa une robe de chambre et se précipita en bas, manquant de tomber en trébuchant sur les chaussures et l'attaché-case qu'il avait laissés sur la dernière marche. Il poussa violemment la porte et déboula dans la cuisine. Ils étaient là, les trois coupables : Ruth, sa mère et son père. Pas de Gabe, heureusement. Des morceaux d'omelette dégoulinaient sur le menton mal rasé de son père. Sa mère lisait le journal ; elle et Ruth étaient encore en chemise de nuit. Pud, bavant et chantonnant, fut le seul à émettre un son. Ses sourcils bougeaient de manière tellement expressive qu'on avait vraiment l'impression que ses phrases avaient un sens.

Lou prit le temps d'observer la scène mais fut incapable d'en apprécier le moindre pixel.

— Ruth, c'est quoi ce bordel ? s'écria-t-il.

Toutes les têtes se relevèrent et se tournèrent vers lui.

— Pardon ? demanda Ruth, les yeux écarquillés.

— Il est neuf heures. Putain, il est neuf heures du matin.

— Enfin, Aloysius, intervint son père avec colère.

Sa mère le regardait d'un air choqué.

— Merde, pourquoi tu ne m'as pas réveillé ?

Il fit quelques pas vers elle.

— Lou, pourquoi me parles-tu sur ce ton ? demanda Ruth en fronçant les sourcils. Allez, Pud, mon chéri. Encore quelques cuillerées.

— Parce que tu essayes de me faire virer, c'est pour ça que je te parle comme ça. C'est ça, hein ? Pourquoi tu ne m'as pas réveillé, bordel ?

— Eh bien, j'allais te réveiller mais Gabe m'a dit de ne pas le faire. Il m'a dit de te laisser te reposer au moins jusqu'à dix heures, qu'une bonne nuit de sommeil te ferait le plus grand bien, et j'étais tout à fait d'accord, expliqua-t-elle posément, apparemment peu troublée par cette agression caractérisée en présence des parents de Lou.

— Gabe ?

Il la regardait comme si elle était la chose la plus ridicule de la planète.

— GABE ? hurla-t-il.

— Lou ! s'exclama sa mère. Arrête de crier.

— Gabe, le gars du courrier ? Le putain de gars du COURRIER ? poursuivit-il sans faire attention à sa mère. Tu l'as écouté ? Lui ? Mais c'est un crétin !

— Lou ! lança de nouveau sa mère. Fred, fais quelque chose, reprit-elle en donnant un coup de coude à son mari.

— Eh bien, c'est ce crétin, répondit Ruth en essayant de rester calme, qui t'a ramené à la maison hier soir et t'a ainsi évité de mourir dans un accident de voiture.

Comme s'il venait à peine de se rappeler que Gabe l'avait ramené à la maison, Lou se précipita dehors. Il fit le tour de sa voiture garée dans l'allée, sautant d'un pied sur l'autre pour marcher le moins possible sur les cailloux, tellement préoccupé par son véhicule qu'il ne ressentait aucune douleur quand un coin tranchant lui rentrait dans la peau. Il examina sa Porsche sous tous les angles, passant le doigt sur la surface pour vérifier qu'il n'y avait ni rayure ni égratignure. Ne trouvant rien d'anormal, il se calma un peu, même s'il ne comprenait toujours pas pourquoi Ruth estimait autant l'avis de Gabe. Il y avait quelque chose de pourri dans le royaume. Comment expliquer sinon que Gabe puisse ainsi plaire à tout le monde ?

Il revint à l'intérieur. Son père et sa mère le regardèrent d'une telle façon que pour une fois il n'eut rien à leur répondre. Il les évita et se dirigea dans la cuisine, où Ruth était toujours assise à table et donnait à manger à Pud.

— Ruthie, commença-t-il en s'éclaircissant la gorge, prêt à demander pardon comme il savait si bien le faire, c'est-à-dire sans prononcer le mot « pardon ». C'est simplement que, tu vois, Gabe cherche à me voler mon poste. Tu ne me crois pas, je sais, mais moi, je sais que c'est vrai. Donc, quand il est parti ce matin aux aurores pour aller travailler…

— Il est parti il y a cinq minutes, l'interrompit-elle, sans se retourner, sans le regarder. Il a dormi dans une des chambres d'ami parce que je n'étais pas vraiment sûre qu'il ait quelque part où aller. Il s'est levé et nous a préparé le petit déjeuner. Ensuite, je lui ai appelé un taxi, que j'ai payé, pour qu'il puisse se rendre au travail. Il est parti il y a cinq minutes, donc lui aussi est en retard. Alors je te conseille de garder tes accusations pour toi, de changer d'attitude, et de le rejoindre au bureau, où tu peux te comporter comme un petit voyou.

— Ruthie, je…

— Tu as raison, Lou, et moi j'ai tort. Vu ta conduite de ce matin, il est plus qu'évident que tu gères parfaitement la situation et que tu n'es absolument pas stressé, poursuivit-elle avec sarcasme. Quelle idiote j'ai été de croire que tu avais peut-être besoin de dormir quelques heures de plus. Maintenant, Pud, dit-elle en soulevant le bébé de sa chaise et en embrassant sa joue pleine de nourriture, il est l'heure d'aller au bain.

Elle souriait. Pud applaudit et se laissa couvrir de baisers, fondant comme de la guimauve sous ses assauts. Ruth s'avança vers Lou, le bébé dans les bras. L'espace d'un instant, le visage de Lou s'adoucit en voyant celui de son fils, dont le sourire immense aurait pu éclairer le monde si jamais la lune disparaissait. Il s'apprêta à prendre Pud mais rien ne vint. Ruth passa devant lui, serrant son fils bien fort contre elle pendant qu'il hurlait de rire, comme si ses baisers avaient été la chose la plus drôle jamais arrivée dans sa petite vie. Ce geste de rejet fit réfléchir Lou. Pendant cinq secondes. Puis il se rendit compte qu'il aurait pu utiliser ces cinq secondes pour se rendre à son travail. Et il se mit à courir.

En un temps record, et grâce à l'absence du sergent O'Reilly, Lou, lancé comme un bolide sur la route, pied au plancher, arriva à son bureau à 10 h 15 ; jamais il n'était arrivé aussi tard. Il lui restait encore quelques minutes avant la fin de la réunion. Il cracha dans ses mains et tenta de donner un semblant d'allure à ses cheveux, qui n'avaient pas été lavés, et de rafraîchir son visage, qu'il n'avait pas rasé. Il s'ébroua, cherchant à se débarrasser des vagues de nausée qui le submergeaient, prit une grande bouffée d'air et pénétra dans la salle de réunion.

En le voyant, ils retinrent tous leur respiration. Ce n'était pas tant qu'il avait mauvaise mine, c'était simplement qu'il n'était pas parfait, or Lou était toujours parfait. Il prit une chaise en face d'Alfred, qui était manifestement stupéfait et en même temps ravi de constater que son ami avait en effet perdu les pédales.

— Je suis désolé d'être en retard, dit Lou en s'adressant aux douze personnes autour de la table, l'air plus serein qu'il ne l'était. Je n'ai pas dormi de la nuit – une indigestion probablement –, mais je vais beaucoup mieux maintenant, il me semble.

Ils hochèrent tous la tête en signe de sympathie et de compréhension.

— Je crois que Bruce Archer a attrapé la même chose, déclara Alfred avec un sourire malicieux.

Il fit un clin d'œil à M. Patterson.

Lou sentit alors son sang se mettre à bouillir, il avait l'impression que la vapeur due à l'ébullition allait lui sortir par le nez en sifflant. Il passa la réunion à lutter contre frissons et nausée. La grosse veine sur son front palpitait violemment.

— Donc, ce soir est un soir important pour nous, messieurs, affirma M. Patterson en se tournant vers Lou, qui s'efforça de paraître attentif.

— Oui, j'ai une réunion en vidéoconférence avec Arthur Lynch, renchérit Lou. C'est à 19 h 30, et je suis sûr que ça va très bien se passer. Toute cette semaine, nous avons examiné ensemble les problèmes qu'il se pose et je crois avoir trouvé pas mal de solutions. Je ne pense pas avoir besoin de vous les présenter de nouveau…

— Attendez, attendez, l'interrompit M. Patterson en levant son index.

Lou se rendit compte alors qu'Alfred était aux anges. Voulant croiser le regard d'Alfred, Lou l'observa intensément. Il espérait obtenir un indice, une piste, mais Alfred ne releva pas la tête.

— Non, Lou, vous et Alfred devez dîner avec Thomas Crooke et son associé. Cela fait un an qu'on attend ce rendez-vous, expliqua M. Patterson en riant nerveusement.

On aurait dit qu'un séisme avait frappé Lou. Tout s'effondrait autour de lui. Il ouvrit son agenda, le feuilleta, passa ses mains dans ses cheveux et essuya les perles de sueur sur son front. L'index posé sur son emploi du temps à peine sorti de l'imprimante, il le relut, effaçant les mots à mesure que son doigt moite se posait dessus. Il avait du mal à se concentrer. Là, voilà, la vidéoconférence avec Arthur Lynch. Mais pas de dîner. Pas de foutu dîner.

— Monsieur Patterson, je sais bien que cela fait un moment que vous attendez de pouvoir rencontrer Thomas Crooke, commença Lou. (Il s'éclaircit la gorge et regarda Alfred, troublé.) Mais personne ne m'a jamais parlé d'un dîner, et j'ai fait savoir la semaine dernière à Alfred que j'avais ce rendez-vous avec Arthur Lynch ce soir à 19 h 30, répéta-t-il avec un sentiment d'urgence. Alfred ? Tu es au courant pour ce dîner ?

— Eh bien, oui, Lou, évidemment, répondit Alfred en accompagnant son ton moqueur d'un haussement d'épaules. Dès que ça a été confirmé, je l'ai mis dans mon agenda. C'est l'occasion rêvée de concrétiser notre projet de développement de Manhattan. Cela fait des mois qu'on ne parle que de ça.

Les autres personnes autour de la table se tortillaient dans leur siège, mal à l'aise. Pour autant, Lou était persuadé qu'il y en avait parmi eux qui se délectaient de ce moment, enregistrant chaque soupir, regard et parole, afin de pouvoir le raconter aux collègues dès qu'ils seraient sortis de la pièce.

— Les autres, vous pouvez retourner travailler, déclara M. Patterson, inquiet. Je crains que nous ne devions régler ce problème tout de suite.

La salle se vida. Ne restaient autour de la table que Lou, Alfred et M. Patterson. Lou sut immédiatement à la posture d'Alfred, son expression, et cette façon qu'il avait de rassembler ses doigts boudinés sous son menton comme en prière, que ce dernier avait pris l'ascendant moral sur lui. Alfred se retrouvait dans son rôle préféré, en excellente position d'attaque.

— Alfred, depuis quand es-tu au courant pour ce dîner et pourquoi ne m'as-tu rien dit ? demanda Lou, déclenchant les hostilités.

— Je t'en ai parlé, Lou.

Il s'adressait à lui comme s'il avait été débile et incapable de comprendre.

Alfred était si détendu ; Lou, en nage et mal rasé, ne se montrait certainement pas sous son meilleur jour. Il ôta ses mains tremblantes de son emploi du temps et croisa les doigts.

— Quel bordel ! Quel foutu bordel, reprit M. Patterson en se frottant le menton. J'ai besoin que vous soyez tous les deux à ce dîner, mais je ne peux pas vous laisser rater cet appel avec Arthur. On ne peut pas annuler ce dîner, il nous a déjà fallu assez de temps pour l'organiser. Et ce rendez-vous avec Arthur ?

— Je vais voir ce que je peux faire, proposa Lou en avalant sa salive.

— Si ce n'est pas possible, la seule chose que l'on peut faire c'est laisser Alfred commencer le rendez-vous. Et vous, Lou, dès que vous avez terminé, vous vous dépêchez de le rejoindre.

— Lou a de nombreuses choses à discuter avec Arthur, il aura de la chance s'il arrive au dîner à temps pour le café. Je peux me débrouiller, Lawrence.

Alfred souriait tellement qu'il semblait parler la bouche de travers. Lou avait envie d'attraper la carafe d'eau posée au milieu de la table pour la fracasser sur la tête de son collègue.

— Je suis tout à fait capable de faire ça seul.

— Oui, bon, espérons que Lou arrive à un accord rapidement, sinon toute cette journée aura été une immense perte de temps, conclut M. Patterson sèchement.

Il ramassa ses papiers et se leva. Fin de la réunion. Lou avait l'impression de vivre un cauchemar ; tout s'écroulait, tous ses efforts étaient anéantis.

— Quelle réunion décevante, dit Alfred d'un ton paresseux. Je pensais qu'il allait enfin annoncer qui de nous deux prendrait la relève quand il s'en irait. Mais non, pas un mot. T'y crois, toi ? J'estime pourtant qu'il nous doit bien ça. Bien sûr, moi, je suis ici depuis plus longtemps que toi et...

— Alfred ? le coupa Lou en le regardant avec étonnement.

— Quoi ? répondit Alfred en sortant un paquet de chewing-gum et en mettant un dans sa bouche.

Il en proposa un à Lou qui secoua la tête vivement.

— J'ai l'impression d'être dans la quatrième dimension. Qu'est-ce qui se passe ici, nom de Dieu ?

— Tu as la gueule de bois, voilà ce qui se passe. Tu ressembles plus à un SDF que le SDF lui-même, poursuivit Alfred en riant. Et tu devrais vraiment prendre un chewing-gum, ajouta-t-il en lui montrant le paquet. Ton haleine pue le vomi.

Lou agita la main en signe de refus.

— Pourquoi tu ne m'as rien dit pour ce dîner, Alfred ? demanda Lou avec colère.

— Je t'en ai parlé, répondit Alfred en mastiquant bruyamment. Je suis sûr de t'en avoir parlé. Ou bien je l'ai dit à Alison. Attends, était-ce Alison ? Peut-être que c'était celle d'avant, avec les gros nichons. Tu sais, celle que tu sautais ?

Lou le quitta précipitamment et se dirigea tout droit vers le bureau d'Alison. Il jeta le dossier contenant les détails du dîner sur son clavier, empêchant les faux ongles de continuer à taper.

Elle plissa les yeux et lut le rapport.

— Qu'est-ce que c'est ?

— Un dîner. Ce soir. Un dîner extrêmement important ce soir à vingt heures. Et il faut que j'y sois.

Il fit les cent pas devant elle pendant qu'elle continuait de lire.

— Mais c'est impossible, vous avez la vidéoconférence.

— Je sais, Alison, dit-il froidement. Mais il faut que je sois à ce dîner. (Il frappa la page de son index.) Faites en sorte que ça marche.

Il se rua dans son bureau et claqua la porte. Il se figea en voyant le courrier posé sur son bureau.

Il fit demi-tour, rouvrit la porte.

Alison, qui s'était rapidement mise au travail, raccrocha son téléphone et le regarda.

— Oui ? demanda-t-elle avec enthousiasme.

— Le courrier.

— Oui ?

— Quand est-il arrivé ?

— Gabe l'a déposé à la première heure ce matin, comme toujours.

— Non, ce n'est pas possible, objecta Lou. Vous l'avez vu ?

— Oui, répondit-elle, l'air inquiet. Il m'a aussi apporté une tasse de café. Un peu avant neuf heures, je crois.

— Mais c'est impossible. Il était chez moi, bredouilla Lou, plutôt pour lui-même.

— Euh, Lou, une dernière chose… Vous pensez que le moment est mal choisi pour vous parler de l'anniversaire de votre père ?

Elle avait à peine fini sa phrase qu'il était retourné dans son bureau, claquant de nouveau la porte derrière lui au passage.

Dans la vie, il existe toutes sortes de réveils brutaux. Lou Suffern confiait tous les jours cette tâche à son dévoué BlackBerry. À six heures, tous les matins, alors qu'il se trouvait au lit, dormant et rêvant en même temps, pensant à hier et organisant demain, le réveil de son BlackBerry se déclenchait, produisant une sonnerie délibérément tonitruante et insupportable. Elle partait de la table de nuit pour venir le titiller jusque dans son inconscient. Elle le tirait de son sommeil et le traînait dans le monde éveillé. À ce moment-là, Lou se réveillait. Il passait alors de la position nu dans son lit, les yeux fermés, à la position, yeux ouverts, debout et habillé. Voilà en quoi consistait un réveil brutal pour Lou, c'était juste cette transition entre le sommeil et le travail.

Pour d'autres, les réveils brutaux peuvent prendre des formes différentes, concrètes ou symboliques. Quand Alison avait seize ans, elle crut être enceinte et cet événement la poussa à faire des choix ; pour M. Patterson, ce fut la naissance de son premier enfant qui lui fit voir le monde sous un autre jour et pesa ensuite sur chacune de ses décisions. Alfred, lui, avait été marqué par la ruine financière de son père qui avait perdu des millions quand il avait douze ans. Il avait été obligé d'aller à l'école publique pendant un an. Et bien qu'ils aient rapidement retrouvé leur fortune sans que qui que ce soit d'important ne fût au courant de leurs déboires, cette expérience changea sa façon de voir la vie et les gens. Ruth, elle, eut une révélation le jour où, pendant leurs vacances d'été, elle surprit son mari au lit avec la nounou, une Polonaise de vingt-six ans. Pour la petite Lucy, cinq ans, ce fut le moment où elle observa le public venu voir son spectacle de Noël et constata que le siège à côté de sa mère était vide. Il y a toutes sortes de réveils brutaux, mais il n'y en a qu'un qui ait vraiment de l'importance.

Aujourd'hui, Lou faisait l'expérience d'un réveil tout à fait différent. Voyez-vous, Lou Suffern n'avait pas conscience qu'il est possible de se réveiller alors qu'on est déjà éveillé. Il ne comprenait pas qu'une personne puisse se réveiller alors qu'elle est déjà sortie de son lit, porte un costume chic, organise des réunions et négocie. Il ne comprenait pas qu'on puisse être davantage réveillé alors même qu'on est parfaitement calme, serein et réfléchi, capable d'affronter tous les obstacles que la vie peut mettre sur notre chemin. Les sonneries d'alarme retentissaient de plus en plus fort dans son oreille, mais il n'entendait rien, sauf dans son inconscient. Il cherchait à les éteindre, à appuyer sur la touche « sommeil » afin de se blottir dans ce mode de vie qui lui était si familier, mais ça ne fonctionnait pas. Il ne savait pas que ce n'était pas à lui de décider du moment où la vie lui apprendrait des choses, que c'est la vie elle-même qui décide, quand elle estime que le temps est venu. Il ne savait pas qu'il ne pouvait pas tout à coup appuyer sur des boutons et devenir omniscient ; que c'étaient les boutons en lui qui allaient être activés.

Lou Suffern croyait tout savoir.

Mais il n'avait même pas encore écorné la surface.

17

Un obstacle dans la nuit

À dix-neuf heures ce soir-là, alors que ses collègues avaient été jetés dans la rue et aspirés par la folie grandissante de Noël, Lou Suffern resta à son bureau. Il avait perdu confiance en ses capacités professionnelles. Il avait plutôt le sentiment d'être redevenu Aloysius, le cancre qu'il avait essayé pendant toutes ces années d'oublier. Aloysius regardait les dossiers posés sur son bureau avec la même joie que si ç'avait été une assiette entière de légumes, menaçant sa liberté de toute leur verte splendeur. Quand il avait appris qu'il n'y avait absolument aucun moyen d'annuler ou de déplacer la vidéoconférence, Alfred, apparemment déçu, avait regardé Lou avec des yeux de chien battu, s'était mis en mode limitation des dégâts et avait réfléchi à la meilleure façon d'aborder ce rendez-vous. Toutes traces d'implication de sa part dans ce ratage avaient été nettoyées par ses soins à la Javel, et plutôt deux fois qu'une. Avec toujours autant de conviction, Alfred avait réussi à faire en sorte que Lou ne se souvienne plus des raisons de leur brouille, au point de se demander pourquoi il lui en voulait. Alfred avait souvent cet effet sur les gens. Il suivait la même trajectoire qu'un boomerang qui avait traîné dans la merde mais qui parvenait quand même à revenir dans les mêmes mains ouvertes et accueillantes.

Dehors, il faisait froid et sombre. Des files de voitures remplissaient les ponts et les quais. Les gens rentraient chez eux, le compte à rebours délirant qui devait les amener jusqu'à Noël était enclenché. Harry avait raison, tout allait beaucoup trop vite, et ce qui comptait c'était plus l'agitation précédant la fête que la fête elle-même. La tête de Lou était devenue une véritable caisse de résonance. Son œil gauche palpitait de plus en plus à mesure que la migraine empirait. Tout à coup sensible à la lumière, il baissa la lampe sur son bureau. Il pouvait à peine penser, encore moins produire une phrase cohérente. Il s'emmitoufla dans son manteau en cachemire et son écharpe avant de quitter le bureau. Il voulait se rendre à la pharmacie la plus proche pour acheter des médicaments. Il savait qu'il avait la gueule de bois mais il avait aussi l'impression de couver quelque chose ; ces derniers jours, il ne s'était pas du tout senti dans son assiette. Il était désorganisé, manquait de confiance ; il s'agissait certainement des symptômes d'une maladie.

Les couloirs étaient sombres ; dans les bureaux, les lampes étaient éteintes, à l'exception de quelques lumières d'urgence, faiblement allumées pour la ronde des gardiens de nuit. Il appela l'ascenseur et attendit que le bruit de démarrage de la cabine parvienne jusqu'à lui. Il n'entendit rien. Il appuya de nouveau sur le bouton et observa le signal lumineux éclairant les étages. Celui du rez-de-chaussée était allumé mais l'ascenseur restait immobile. Il appuya encore une fois. Rien. Il appuya plusieurs fois, jusqu'à donner des coups de poing, incapable de réprimer sa rage. Hors service. Ben voyons.

Il s'éloigna de l'ascenseur pour aller trouver l'escalier de secours. Sa tête lui faisait toujours mal. Son rendez-vous était dans une demi-heure – ce qui lui laissait à peine le temps de dévaler l'escalier, acheter ses médicaments et remonter à pied. Il laissa derrière lui le couloir si familier et poussa quelques portes qu'il n'avait jamais vraiment remarquées auparavant. Il se retrouva dans un corridor, plus étroit et dépourvu de moquette soyeuse. Ici, les portes épaisses en noyer et les murs avaient été remplacés par du contreplaqué peint en blanc. Les bureaux étaient minuscules. Au lieu des tableaux de maîtres qu'il observait tous les matins, il n'y avait rien d'autre à voir que des photocopieurs et des fax.

Il tourna à droite, s'arrêta et gloussa. Il venait de découvrir le secret de la rapidité de Gabe. Devant lui se tenait l'ascenseur de service et d'un coup tout devenait clair. Les portes étaient grandes ouvertes. La petite cabine grisâtre était éclairée grâce à un long tube en néon qui diffusait une lumière blanche terrifiante. Il pénétra à l'intérieur, les yeux douloureux à cause de la luminosité. Avant même de pouvoir atteindre les boutons sur le côté, les portes se refermèrent et l'ascenseur se mit à descendre rapidement. Il allait deux fois plus vite que les autres ascenseurs et Lou était content d'avoir enfin compris comment Gabe faisait pour aller avec une telle célérité d'un étage à un autre.

Tandis que l'ascenseur poursuivait sa descente, il appuya sur le bouton du rez-de-chaussée mais le signal lumineux ne se déclencha pas. Il tapa dessus deux trois fois et, de plus en plus inquiet, vit la lumière passer d'un étage à un autre. Douze, onze, dix… L'ascenseur prenait de la vitesse en descendant. Neuf, huit, sept… Il ne semblait pas vouloir ralentir. La cabine de l'ascenseur vibrait à présent et accélérait. La peur de Lou virait à l'angoisse et il se mit à appuyer sur tous les boutons, y compris celui de l'alarme, mais sans succès. L'ascenseur continuait de chuter, manifestement décidé à n'en faire qu'à sa tête.

Peu avant le rez-de-chaussée, Lou s'éloigna des portes et se recroquevilla sur lui-même dans un coin de la cabine. Il enfouit sa tête entre ses jambes, croisa les doigts et se mit en position d'atterrissage forcé.

160

Quelques secondes plus tard, l'ascenseur ralentit et s'arrêta brusquement, la cabine se balançant au bout de ses cordes. Quand Lou ouvrit les yeux, qu'il avait tenus fermés de toutes ses forces, il constata qu'il s'était arrêté au sous-sol. Comme si l'ascenseur avait fonctionné normalement pendant tout ce temps, les portes s'ouvrirent mais aucune sonnerie aiguë et joyeuse ne retentit. En apercevant ce qui se présentait devant lui, Lou frissonna. Rien à voir avec l'accueil chaleureux qu'il recevait chaque fois qu'il descendait au quatorzième étage. Le sous-sol était froid et obscur, le sol en béton recouvert de poussière. Ne voulant pas sortir à cet étage, Lou appuya de nouveau sur le bouton du rez-de-chaussée dans l'espoir de retrouver rapidement les surfaces en marbre et les moquettes, les volutes caramel crémeuses et les chromes. Mais le bouton refusa de lui obéir, les portes restèrent ouvertes. Il n'avait pas d'autre choix que de sortir et essayer de trouver l'escalier de secours afin de remonter au rez-de-chaussée. Dès qu'il fut hors de l'ascenseur, les portes se refermèrent et celui-ci remonta.

Le sous-sol était mal éclairé. Au bout du couloir, un rai de lumière fluorescente clignotait, ce qui aggravait son mal de tête et le fit trébucher à plusieurs reprises. On entendait le vrombissement sourd des machines. Les plafonds n'avaient pas été isolés et révélaient tout un entrelacs de fils électriques et de câbles. Le sol était dur et froid sous ses chaussures en cuir, des moutons de poussière se soulevaient et venaient recouvrir le bout de ses semelles. Alors qu'il avançait dans le couloir étroit, cherchant une sortie, il entendit un bruit de musique dérivant de sous la porte au bout du couloir qui tournait à droite. *Driving home for Christmas* de Chris Rea. Le long du couloir opposé, il vit le dessin d'un homme en vert qui court vers une sortie, symbole de l'issue de secours, éclairé au-dessus d'une porte en métal. Ses yeux allèrent de la sortie à la pièce située au fond du couloir d'où émanaient la musique et la lumière. Il regarda sa montre. Il avait encore le temps de se rendre à la pharmacie et – en espérant que les ascenseurs marchent – de revenir à son bureau avant la vidéoconférence. Mais la curiosité fut plus forte que tout. Il se dirigea le long du couloir et frappa à la porte. La musique était si forte qu'il s'entendit à peine cogner. Il poussa lentement la porte et passa la tête dans l'ouverture.

Ce qu'il vit lui enleva les mots de la bouche.

C'était une petite pièce de rangement. Les murs étaient recouverts du sol au plafond d'étagères en métal, remplies de choses diverses et variées, des ampoules au papier toilette. Il y avait deux allées, chacune longue de trois mètres, mais ce fut la deuxième allée qui accrocha le regard de Lou. De la lumière provenait du sol et éclairait les étagères. Lou se rapprocha de l'allée et vit un sac de couchage familier qui s'étendait du mur aux rangées d'étagères. Sur le sac de couchage, Gabe lisait un livre, tellement absorbé par sa lecture qu'il ne redressa pas la tête. Sur les étagères du bas des bougies brillaient, des bougies parfumées comme celles que l'on trouvait dans les toilettes des bureaux. Une petite lampe sans fil diffusait une faible lueur orangée depuis un coin de la pièce. Gabe était enroulé dans la même couverture sale qu'il avait lorsqu'il vivait dehors, sur le pas de la porte. Une bouilloire était posée sur une étagère. Un sandwich à moitié entamé dans son emballage plastique gisait à côté de lui. Son nouveau costume était accroché à une des étagères, toujours dans son emballage plastique, manifestement jamais porté. Cette vision paraissait à la fois désuète et sacrée, et évoqua chez Lou le souvenir du petit salon de sa grand-mère, une pièce réservée aux grandes occasions qui n'arrivaient jamais.

Gabe releva alors la tête et se redressa rapidement, sur le qui-vive. Il envoya valser son livre et faillit heurter une bougie.

— Lou ! dit-il avec stupeur.

— Gabe, répondit Lou.

Il avait pensé éprouver de la joie en découvrant la précarité de la situation de Gabe mais ce ne fut pas le cas. Ce qu'il voyait le rendait triste. Pas étonnant que cet homme fût le premier au bureau tous les matins et le dernier à en partir. Il vivait dans une petite pièce de stockage pleine à craquer.

— C'est pour quoi, le costume ? demanda Lou en le désignant.

Ce costume chic et propre accroché sur un cintre en bois détonnait dans cette pièce poussiéreuse où tout était usé, fatigué, abandonné et oublié. Et pourtant, il était là, suspendu. Quelque chose clochait.

— Oh, on peut toujours avoir besoin d'un costume neuf, répondit Gabe en observant Lou avec méfiance. Tu vas me dénoncer ? demanda-t-il.

Il ne semblait pas inquiet, simplement curieux.

Lou l'observa à son tour et éprouva un sentiment de pitié.

— Harry sait que tu es ici ?

Gabe secoua la tête. Lou réfléchit un instant.

— Je ne dirai rien.

— Merci.

— Tu as passé la semaine ici ?

Gabe acquiesça.

— Il fait froid dans cette pièce.

— Oui, le chauffage s'éteint quand il n'y a plus personne.

— Je peux t'apporter des couvertures ou, euh, un radiateur électrique, enfin, si tu veux, proposa Lou tout en se sentant parfaitement ridicule.

— Ouais, merci, ce serait bien. Assieds-toi, dit-il en désignant un cageot posé sur l'étagère du bas. S'il te plaît.

Lou remonta ses manches pour ne pas salir son costume et attrapa le cageot. Il s'assit avec précaution.

— Tu veux du café ? Désolé, ce sera un café noir, la machine à *latte* est cassée.

— Non merci. Je suis seulement sorti pour m'acheter de l'aspirine, répondit Lou sans saisir la plaisanterie. (Il regardait autour de lui.) Je te remercie de m'avoir ramené à la maison hier soir.

— De rien.

— Tu sais y faire avec une Porsche, continua Lou en l'examinant. Tu en avais déjà conduit une avant ?

— Oui, évidemment. Elle est garée là-derrière, répondit Gabe en levant les yeux au ciel.

— Oui, désolé. Comment tu as su où j'habitais ?

— J'ai deviné, dit Gabe avec sarcasme en servant un café. (Comme Lou le regardait bizarrement, il poursuivit :) Ta maison était la seule de la rue dont le portail était de très mauvais goût. Il y avait un oiseau dessus. Un oiseau ?

Il regarda Lou comme si la simple idée d'un oiseau en métal avait répandu une mauvaise odeur dans la pièce, ce qui aurait franchement pu être le cas sauf que les bougies parfumées étaient là pour le masquer.

— C'est un aigle, précisa Lou, sur la défensive. Tu sais, la nuit dernière a été...

Lou voulait s'excuser, ou du moins expliquer son comportement. Mais il changea d'avis. Il n'était pas d'humeur à se justifier auprès de qui que ce soit, surtout pas Gabe, qui dormait par terre dans un débarras au sous-sol – même s'il avait néanmoins le cran de se croire supérieur à Lou.

— Pourquoi as-tu dit à Ruth qu'il fallait me laisser dormir jusqu'à dix heures ?

Gabe posa ses yeux bleus sur Lou. Tout ce que Gabe possédait était là, dans cette pièce. Lou, lui, avait un salaire qui se chiffrait en centaines de milliers d'euros et une maison qui en valait plusieurs millions, située dans un des quartiers les plus prestigieux de Dublin. Pourtant, Lou avait toujours l'impression d'être le moins bien loti des deux et se sentait jugé en permanence.

164

— J'ai pensé que tu avais besoin de repos, répondit Gabe.

— De quel droit ?

Gabe se contenta de sourire.

— Qu'est-ce qu'il y a de si drôle ?

— Tu ne m'aimes pas, hein, Lou ?

Ça avait le mérite d'être franc, direct, sans détour, et Lou appréciait.

— Je ne dirais pas que je ne t'aime pas, dit-il.

— Ma présence dans ce bâtiment t'inquiète, poursuivit Gabe.

— M'inquiète ? Non. Tu peux dormir ici si tu veux. Ça ne me dérange pas.

— Ce n'est pas ce que je voulais dire. Suis-je une menace pour toi ?

Lou inclina la tête en arrière et rit. C'était une réaction exagérée – il le savait mais s'en fichait. Il obtint la réaction voulue. Son rire emplit l'espace et résonna dans la petite pièce en béton au plafond d'où pendaient des câbles. Il semblait être trop grand pour ce débarras.

— Tu crois que tu m'intimides ? Eh bien, voyons…

Il écarta les mains, désignant la pièce dans laquelle vivait Gabe.

— Il n'y a rien à rajouter à ça, déclara-t-il pompeusement.

— Ah, je vois, s'exclama Gabe, un immense sourire sur le visage, comme s'il venait de deviner la réponse à un jeu télévisé. J'ai moins de choses que toi, c'est ça. J'avais oublié combien c'est important pour toi.

Il rit sèchement et claqua des doigts. Lou se sentit idiot.

— Les choses n'ont pas d'importance pour moi, se défendit Lou faiblement. D'ailleurs, je contribue à des œuvres de charité. Je donne, tout le temps.

— Oui, dit Gabe en hochant la tête, solennel. Même ta parole.

— De quoi tu parles ?

— C'est une des choses auxquelles tu ne tiens pas.

Il se déplaça rapidement et se mit à fouiller dans une boîte à chaussures sur la deuxième étagère.

— Tu as toujours mal ?

Lou hocha la tête et se frotta les yeux, fatigué.

— Voilà, dit Gabe en sortant de la boîte un petit flacon rempli de pilules. Tu te demandes toujours comment je fais pour me déplacer d'un endroit à un autre. Prends un comprimé.

Il lança la boîte vers Lou.

Lou l'étudia. Il n'y avait pas d'étiquette.

— C'est quoi ?

— Un peu de magie, expliqua-t-il en riant. Quand on en prend un, tout devient plus clair.

— Je ne prends pas de drogue, déclara Lou en refusant le flacon.

Il le déposa à une extrémité du sac de couchage.

— Ce n'est pas de la drogue.

— Alors c'est quoi ?

— Je ne suis pas pharmacien. Tout ce que je sais c'est que ça marche. Prends-les.

— Non, merci, conclut Lou, tout en se levant pour partir.

— Ça pourrait t'aider, tu sais, Lou.

— Parce que j'ai besoin d'aide ? demanda-t-il en se retournant. Tu sais quoi, Gabe, tout à l'heure, tu m'as demandé si je t'aimais. Tu penses que ce n'est pas le cas mais tu te trompes. Tu ne me déranges pas. Je suis un homme occupé, ta présence m'importe peu. Mais il y a bien quelque chose que je n'aime pas du tout chez toi, et c'est ce genre de commentaire condescendant. Je vais bien, merci beaucoup. Ma vie est super. J'ai simplement mal à la tête, c'est tout. D'accord ?

Gabe acquiesça. Lou fit demi-tour et se dirigea de nouveau vers la porte.

Gabe reprit :

— Les gens comme toi sont…

— Comme quoi, Gabe ? s'écria Lou en faisant volte-face, la voix haut perchée. Les gens comme moi sont

166

quoi ? Travailleurs ? Ils aiment satisfaire les besoins de leur famille ? Ils ne restent pas assis sur leur cul toute la journée en attendant l'aumône ? Les gens comme moi qui aident les gens comme toi, qui remuent ciel et terre pour vous donner un travail et améliorer vos vies...

Si Lou avait attendu que Gabe finisse sa phrase, il aurait compris que Gabe n'insinuait rien de tel. Gabe faisait référence aux gens comme Lou qui aiment la compétition. Des gens ambitieux, davantage motivés par la récompense que par la démarche. Des gens qui veulent être les meilleurs pour toutes sortes de mauvaises raisons et qui emprunteraient n'importe quel chemin pour y arriver. Alors que, dans l'absolu, qu'on soit premier, dernier, au milieu, quelle importance ? Enfin, ça dépendait pour qui. Tout était une question de mentalité. Il suffisait d'essayer de comprendre pourquoi, pour un rang donné, certains étaient satisfaits et d'autres pas.

Gabe voulait expliquer à Lou que les gens comme lui étaient constamment sur le qui-vive, constamment en train d'épier les mouvements du voisin, se comparant, voulant sans cesse faire mieux, plus grand. Et Gabe voulait mettre Lou en garde contre les gens comme Lou parce que les gens qui regardent constamment derrière eux ne voient pas où ils vont et tombent.

Le chemin est plus facile à voir quand on cesse de regarder ce que font les autres et qu'on se concentre sur soi. À ce stade de la narration, Lou ne pouvait pas se permettre de tomber. Cela gâcherait très certainement la fin de l'histoire, que nous sommes loin d'avoir atteinte. Oui, Lou a encore beaucoup de choses à faire.

Mais il ne resta pas dans la pièce suffisamment longtemps pour entendre tout ça. Il quitta la chambre de Gabe en secouant la tête. L'effronterie de Gabe le laissait pantois. Il avança le long du couloir mal éclairé qui oscillait entre lumière et obscurité à cause du néon bizarre qui clignotait. Il retrouva son chemin jusqu'à

167

l'issue de secours et grimpa les marches de l'escalier quatre à quatre.

Le rez-de-chaussée était chaleureux et accueillant. Lou se sentit tout à coup bien plus à l'aise. L'agent de sécurité leva le nez de son bureau. Le voyant émerger depuis l'issue de secours, il fronça les sourcils.

— Les ascenseurs ne marchent pas, lui expliqua Lou.

Il ne lui restait pas assez de temps pour aller à la pharmacie et revenir à son bureau pour cette vidéoconférence. Il allait devoir se présenter à son rendez-vous dans cette tenue, dans cet état. Tant pis. Il avait le visage brûlant, le cerveau en compote, et les paroles ridicules de Gabe résonnaient toujours dans sa tête.

— Je n'ai jamais entendu parler de problèmes d'ascenseur, dit l'agent de sécurité en se dirigeant vers Lou.

Il se pencha pour appuyer sur le bouton d'appel. Celui-ci s'alluma instantanément et les portes s'ouvrirent.

Il observa Lou avec suspicion.

— Ah, laissez tomber. Merci.

Lou reprit l'ascenseur jusqu'au quatorzième étage. Il posa sa tête contre le miroir et ferma les yeux. Il voulait être à la maison, au lit avec Ruth blottie contre lui, ses bras et ses jambes enroulés autour de son corps comme elle le faisait toujours – ou comme elle le faisait avant – quand elle dormait.

Dès que les portes de l'ascenseur s'ouvrirent au quatorzième étage, Lou ouvrit les yeux, sursauta et hurla de peur.

Gabe se tenait devant lui dans le couloir – l'air solennel –, si près des portes que son nez les touchait pratiquement. Il secouait le flacon de comprimés.

— MERDE ! GABE !

— Tu les as oubliés.

— Je ne les ai pas oubliés.

Lou attrapa le flacon des mains de Gabe et l'enfouit profondément dans sa poche de pantalon.

— Profites-en bien, dit Gabe en souriant, content.

— Je t'ai dit, je ne prends pas de drogue, murmura-t-il.

Il parlait à voix basse même s'il savait qu'il n'y avait plus personne à l'étage.

— Et moi je t'ai dit que ce n'était pas de la drogue. Vois ça plutôt comme un remède à base de plantes.

— Un remède pour quoi exactement ?

— Pour tes problèmes, qui sont nombreux. Je crois que je te les ai déjà énumérés.

— Non mais tu t'es vu ? Toi qui dors par terre dans un débarras au sous-sol, siffla Lou. Et si à ton tour tu prenais un cachet et remettais un peu d'ordre dans ta vie ? Ou peut-être que c'est à cause de ça que tu es dans cette situation aujourd'hui ? Tu sais quoi, Gabe, j'en ai marre de tes airs condescendants. N'oublions pas que c'est moi qui suis tout en haut et toi tout en bas.

Le visage de Gabe afficha alors un air étrange et Lou se sentit un peu honteux.

— Désolé, soupira-t-il.

Gabe hocha la tête.

Lou examina les comprimés. Le martèlement dans sa tête se faisait encore plus violent.

— Pourquoi devrais-je te faire confiance ?

— Disons que c'est un cadeau, répondit Gabe, répétant mot pour mot ce que Lou lui avait dit quelques jours auparavant.

Cadeau qui procura aussi à Lou son lot de frissons.

18

Exaucé

Seul dans son bureau, Lou sortit les comprimés de sa poche et les plaça sur la table. Il reposa sa tête et ferma enfin les yeux.

— Mon Dieu, t'as une sale mine, souffla une voix proche de son oreille.

Il sursauta.

— Alfred, constata-t-il en se frottant les yeux. Quelle heure est-il ?

— 19 h 25. T'inquiète, tu n'as pas raté ton rendez-vous. Grâce à moi, ajouta-t-il en souriant.

Il fit glisser ses doigts boudinés, rongés et tachés de nicotine sur le bureau de Lou. Ce simple contact allait noircir toute la surface et laisserait une vilaine marque, ce qui énerva Lou. Il aurait bien aimé frapper ces sales paluches.

— Hé, c'est quoi, ça ? demanda Alfred en attrapant le flacon.

Il défit le couvercle.

— Rends-les-moi, dit Lou en avançant la main.

Alfred recula et versa quelques comprimés dans sa paume moite.

— Alfred, donne-les-moi ! ordonna alors Lou, essayant de ne pas paraître aux abois.

Alfred se déplaçait dans la pièce en agitant le flacon dans les airs, se moquant de lui telle une brute dans la cour de récréation.

— Vilain, vilain Lou, à quoi tu joues ? demanda Alfred en chantonnant d'un ton accusateur qui glaça Lou jusqu'au sang.

Sachant qu'Alfred allait très certainement tenter de se servir de ça contre lui, Lou se tritura les méninges à la recherche d'une explication.

— J'ai l'impression que tu mijotes une belle petite histoire, continua Alfred en souriant. Je sais quand tu fais semblant. J'ai assisté à chacune de tes réunions, tu te souviens ? Tu ne me fais pas assez confiance pour me dire la vérité ?

Lou sourit, il semblait léger, enclin à la plaisanterie, mais ils étaient tous les deux on ne peut plus sérieux.

— Honnêtement ? Ces derniers temps, non. Disons que je ne serais pas surpris d'apprendre que tu as manigancé des choses dans mon dos en te servant de ce flacon de comprimés.

Alfred rit.

— Voyons. C'est comme ça que tu traites tes amis ?

Le sourire de Lou s'évanouit.

— Je ne sais pas, Alfred. À toi de me le dire.

Ils s'observèrent pendant un moment en chiens de faïence. Alfred baissa les yeux en premier.

— Quelque chose te tracasse, Lou ?

— À ton avis ?

— Écoute, reprit Alfred. (Il baissa les épaules et abandonna son jeu provocateur pour adopter une attitude plus humble et modeste.) Si c'est à propos du rendez-vous de ce soir, je t'assure que je ne suis pas intervenu dans ton emploi du temps. Parles-en à Louise. Tracey est partie et Alison est arrivée, il se peut que certaines informations aient été perdues lors de la transition, poursuivit-il en haussant les épaules. Mais de toi à moi, j'ai l'impression qu'Alison est assez bizarre.

— Ne fais pas porter le chapeau à Alison, conseilla Lou en croisant les bras.

— Évidemment, dit Alfred en souriant et en hochant la tête. J'avais oublié qu'il y avait quelque chose entre vous.

— Bon Dieu, il n'y a rien entre nous, Alfred.

— Bien sûr, désolé. (Il fit semblant de sceller ses lèvres.) Ruth n'en saura jamais rien, je te jure.

Quand Alfred mentionna sa femme, le sang de Lou ne fit qu'un tour.

— Mais qu'est-ce qui te prend ? lui demanda Lou, parfaitement sérieux. Qu'est-ce qui t'arrive ? C'est le stress ? C'est cette merde que tu t'enfiles dans les narines ? Bordel, c'est quoi ton problème ? Tu t'inquiètes des changements qui...

— Des changements, ricana Alfred. N'essaie pas de me faire passer pour une femme en pleine ménopause.

Lou le regarda.

— Je vais bien, Lou, assura-t-il lentement. Je suis comme je l'ai toujours été. C'est toi qui te comportes un peu bizarrement. Tout le monde en parle, même M. Patterson. Peut-être que c'est à cause de ça.

Il secoua les comprimés devant Lou, comme l'avait fait Gabe.

— Ce sont des médicaments contre le mal de tête.

— Où est l'étiquette ?

— Les enfants l'ont enlevée. Maintenant, est-ce que tu peux arrêter de les tripoter et me les rendre ?

Lou tendit sa paume en direction d'Alfred.

— Contre le mal de tête. Ah oui, je vois. (Il étudia de nouveau le flacon.) C'est à ça qu'elles servent ? Moi, j'ai entendu le SDF dire que c'était un remède à base de plantes.

Lou ravala sa salive.

— Tu m'espionnes, Alfred ? C'est à ça que tu joues ?

— Non, répondit Alfred en riant. Loin de moi cette idée. Mais je vais faire contrôler quelques pilules, pour être bien sûr qu'il ne s'agit que d'un médicament contre le mal de tête.

Il prit un cachet, le mit dans sa poche et lui rendit le flacon.

— C'est utile de pouvoir mener ses propres enquêtes quand on se rend compte que nos amis nous mentent.

— Je vois ce que tu veux dire, observa Lou, ravi d'être de nouveau en possession des comprimés. Comme quand j'ai appris que tu avais eu un rendez-vous avec M. Patterson la semaine dernière, et que vous êtes allés déjeuner ensemble vendredi dernier.

Alfred parut véritablement surpris, ce qui était rare.

— Oh, reprit Lou, doucement. Tu ne savais pas que j'étais au courant, hein ? Désolé. Bon, je crois qu'il serait temps que tu te rendes à ton dîner, sinon tu vas rater les entrées. Et tu es si ronchon quand tu n'as pas eu ton caviar.

Il accompagna Alfred, encore silencieux, jusqu'à la porte, l'ouvrit, et lui lança un clin d'œil avant de la lui refermer au nez.

19 h 30. Les minutes défilèrent. Arthur Lynch ne se manifesta pas sur le grand écran plasma devant Lou dans la salle de réunion. Conscient qu'à n'importe quel moment il pouvait être vu par quiconque présent à ce rendez-vous, Lou essaya de se détendre et de ne pas s'endormir. À 19 h 40, la secrétaire de M. Lynch l'appela pour lui dire que son patron en avait encore pour quelques minutes.

En attendant, Lou, de plus en plus fatigué, imaginait Alfred au restaurant, fier comme un paon, monopolisant l'attention, faisant du bruit et déployant tous les efforts possibles pour amuser la galerie ; volant la vedette, concluant ou dénonçant un accord auquel Lou ne serait jamais associé, sauf si Alfred échouait. En manquant ce rendez-vous – le plus important de l'année –, Lou ratait sa plus belle occasion de montrer à M. Patterson ce dont il était capable. Le poste de Cliff et le fauteuil vide qui venait avec pendaient devant son nez jour après jour telle une carotte au bout d'une corde. L'ancien bureau de Cliff était un peu plus loin dans le couloir, à côté de celui de M. Patterson, les stores ouverts, vide. Un bureau plus beau, plus lumineux, qui lui faisait signe. Six mois avaient passé depuis ce matin mémorable où Cliff avait perdu la tête – après une longue période de comportements étranges. Lou avait fini par trouver Cliff accroupi sous son bureau, tremblant de tout son corps, serrant le clavier de son ordinateur contre lui. De temps à autre, il tapait ce qui ressemblait à un appel à l'aide paniqué en morse. « On vient me chercher », répétait-il, terrifié, les yeux exorbités.

Lou n'avait pas pu établir à qui il faisait référence. Il avait calmement essayé de convaincre Cliff de sortir de sous le bureau, de remettre ses chaussettes et ses chaussures, mais Cliff était devenu violent en voyant Lou approcher et l'avait frappé au visage avec la souris du clavier, dont il faisait tournoyer le câble comme un lasso. Le coup infligé par la souris en plastique n'avait pas fait mal à Lou, en tout cas beaucoup moins que la vision de ce jeune homme brillant en pleine crise. Le bureau était vide depuis. La rumeur circulait que l'état de Cliff empirait. La bataille pour son poste faisait rage à mesure que les sentiments de sympathie à son égard diminuaient. Lou avait entendu dire que Cliff recommençait à voir des gens et il avait l'intention de lui rendre visite. Il fallait qu'il y aille, et il le ferait, à un moment donné, mais il n'arrivait tout simplement pas à trouver un moment…

La frustration de Lou grandit tandis qu'il attendait que l'écran plasma prenne vie. Il avait toujours mal à la tête. La migraine s'étendait de la base de sa tête à ses yeux et il pouvait à peine réfléchir. Dans un élan de désespoir, il sortit les comprimés de sa poche et les regarda.

Il pensa au fait que Gabe était au courant du rendez-vous entre M. Patterson et Alfred. Gabe avait révélé l'affaire des « chaussures », il lui avait apporté un café le matin précédent, l'avait ramené à la maison et avait mystérieusement conquis Ruth. Convaincu que Gabe ne l'avait jamais déçu et qu'il pouvait lui faire confiance à présent, Lou secoua le flacon ouvert. Un comprimé blanc et brillant roula sur la paume de sa main moite. Il joua avec pendant quelque temps, le faisant rouler entre ses doigts, puis il le lécha. Comme rien de catastrophique ne se produisait, il le mit dans sa bouche et l'avala avec un grand verre d'eau.

Lou attrapa la table de réunion, l'agrippant avec une telle force qu'il laissa l'empreinte de ses mains moites sur le verre poli qui recouvrait et protégeait le plateau en noyer. Le cœur battant, il attendit. Il ne se passa rien. Il relâcha la table et examina ses mains, pensant peut-être que les effets de la drogue allaient se manifester sur ses paumes. Toujours pas de changements extraordinaires, pas de trip psychédélique, rien qui ne semblât mettre sa vie en danger. Toutefois son mal de crâne persistait.

À 19 h 45, Arthur Lynch n'était toujours pas apparu sur l'écran plasma. Lou tapotait son stylo contre la surface vitrée avec impatience, ne se souciant plus de l'image qu'il donnerait de lui à ceux qui se trouveraient de l'autre côté de la caméra. En prise à une crise de paranoïa aiguë, Lou finit par se convaincre qu'il n'y avait pas de rendez-vous, qu'Alfred avait, d'une manière ou d'une autre, organisé cette fausse vidéoconférence pour pouvoir aller seul à ce dîner et conclure le meilleur accord possible. Mais Lou n'avait pas l'intention de laisser Alfred saboter davantage tout ce pour quoi il avait travaillé dur. Il se leva brusquement, attrapa son manteau, et se précipita vers la porte. Il la tira vers lui, posa un pied sur le seuil et entendit une voix en provenance de l'écran plasma derrière lui.

— Je suis vraiment désolé de vous avoir fait attendre, monsieur Suffern.

La voix interrompit Lou dans son élan. Il ferma les yeux et soupira, laissant par là même s'échapper son rêve d'un bureau avec une vue à trois cent soixante degrés sur Dublin. Il réfléchit rapidement à la suite : fuir et arriver à temps pour le dîner ou faire demi-tour et affronter la réalité en face. Mais avant d'avoir le temps de prendre une décision, il entendit une autre voix dans le bureau et son cœur manqua de s'arrêter.

— Pas de problème, monsieur Lynch et, je vous en prie, appelez-moi Lou. Ne vous excusez pas, je sais à quel point certaines choses peuvent prendre plus de temps que prévu. Et si on parlait affaires ? Nous avons beaucoup de sujets à aborder.

— Tout à fait, Lou. Et s'il vous plaît, appelez-moi Arthur. Nous avons en effet pas mal de points à voir ensemble, mais avant que je vous présente les deux messieurs qui sont là à côté de moi, voulez-vous finir ce que vous avez à faire de votre côté ? Je vois que vous n'êtes pas seul.

— Non, Arthur, je suis seul au bureau ce soir, s'entendit répondre Lou. Les rats ont quitté le navire.

— Mais il y a un homme près de la porte, je le vois sur mon écran.

Ne pouvant plus se cacher, Lou se retourna lentement et se retrouva face à lui-même. Il était toujours assis à la table de réunion, au même endroit que là où il était avant de décider de s'enfuir, d'attraper son manteau et de se précipiter vers la porte. Le visage qu'il avait devant lui paraissait tout aussi choqué. Le sol se déroba sous ses pieds. Il se retint à l'encadrement de la porte pour ne pas tomber.

— Lou ? Vous êtes là ? demanda Arthur.

Les deux têtes se tournèrent vers l'écran.

— Euh, oui... Je suis là, bredouilla le Lou assis. Je suis désolé, Arthur. Cet homme est un... collègue. Il s'en allait. Je crois qu'il a un dîner important ce soir.

Lou se tourna vers l'autre Lou et lui lança un regard pressant.

— N'est-ce pas ?

176

Lou hocha la tête et quitta la pièce, les jambes flageolantes, tremblant à chaque pas. Parvenu aux ascenseurs, il s'agrippa au mur, cherchant à reprendre son souffle pendant que les vertiges s'estompaient. Les portes de l'ascenseur s'ouvrirent et il s'engouffra à l'intérieur. Il frappa violemment le bouton du rez-de-chaussée et alla se blottir dans un coin, s'éloignant de plus en plus du Lou resté au quatorzième étage.

À vingt heures, tandis que Lou, dans la salle de réunion des bureaux de Patterson Développements, négociait avec Arthur Lynch et qu'Alfred et son groupe de clients étaient menés jusqu'à leur table, Lou entra dans le restaurant. Il laissa son manteau en cachemire à l'hôtesse, ajusta sa cravate, passa sa main dans ses cheveux et se dirigea vers la table d'Alfred, une main dans sa poche et l'autre se balançant le long de sa jambe. Il était détendu. Plus de tension, plus de retenue. Pour être vraiment efficace, il avait besoin de sentir le bercement de son corps, le mouvement décontracté de celui qui se fiche de la décision finale mais qui fera tout ce qu'il peut pour convaincre du contraire, si cela sert les intérêts de son client.

— Veuillez me pardonner, messieurs, je suis un peu en retard, dit-il calmement.

Ils avaient tous le nez plongé dans leur menu mais ils relevèrent la tête. Lou fut particulièrement heureux de voir celle d'Alfred : une véritable vague d'émotions défila sur son visage : la surprise, la déception, le mépris, la colère... Chaque regard laissait comprendre à Lou que ce malentendu à propos du dîner avait en effet été orchestré par Alfred. Il fit le tour de la table, saluant ses invités. Quand il arriva devant Alfred, il constata que ce dernier avait pris un air suffisant et refoulé sa surprise dans un coin de son cerveau.

— Patterson va te tuer, bredouilla-t-il, la bouche de travers. Mais il y a au moins un contrat qui sera signé ce soir. Bienvenue, mon ami.

Il serra la main de Lou avec une joie délirante. La pensée que Lou se ferait licencier le lendemain illuminait son visage.

— Je me suis occupé de tout, répondit simplement Lou.

Il pivota pour se diriger vers une chaise vide.

— Qu'est-ce que tu veux dire par là ? demanda Alfred sur un ton qui laissait comprendre qu'il avait oublié où il se trouvait.

Lou sentit qu'Alfred le retenait fermement par le bras.

Lou observa les invités et sourit. Puis il leur tourna le dos et desserra chacun des doigts d'Alfred.

— Je t'ai dit que je m'étais occupé de tout, répéta Lou.

— Tu as annulé la vidéoconférence ? Je ne comprends pas, poursuivit Alfred en souriant nerveusement. Explique-moi.

— Non, non, je ne l'ai pas annulée. Ne t'inquiète pas, Alfred. Et si on s'intéressait plutôt à nos invités, non ?

Lou lui montra son plus beau sourire et parvint enfin à se défaire de son emprise. Il s'assit.

— Alors, messieurs, qu'est-ce qui vous fait envie ? Je vous recommande le foie gras, j'en ai déjà mangé ici et il est absolument délicieux.

Il sourit à l'assemblée et se laissa absorber par la joie de la négociation.

À 21 h 20, après la vidéoconférence avec Arthur Lynch, Lou, épuisé mais euphorique et triomphant, se tenait à l'extérieur du restaurant Saddle Room. Il était emmitouflé dans son manteau, son écharpe bien enroulée autour de son cou. Le vent de décembre avait repris des forces et pourtant Lou n'avait pas froid tandis qu'il s'observait par la fenêtre. Il se trouvait charmant, sophistiqué, au centre de l'attention quand il racontait une histoire. Ils avaient tous l'air captivé, sauf Alfred. Lou gesticulait, faisait des grimaces et, au bout de cinq minutes, ils riaient tous aux éclats. Lou pouvait deviner en étudiant sa gestuelle qu'il était en train de raconter l'histoire du soir où lui et ses collègues étaient entrés par erreur dans un bar gay à Londres et non pas dans un salon de strip-tease comme ils en avaient eu l'intention. En se voyant, Lou décida sur-le-champ de ne plus jamais raconter cette histoire. Il avait l'air d'un abruti.

Il sentit une présence à ses côtés. Il n'avait pas besoin de se retourner pour savoir de qui il s'agissait.

— Tu me suis ? demanda-t-il, les yeux toujours posés sur la fenêtre.

— Non, je me doutais simplement que tu viendrais là, répondit Gabe en frissonnant. (Il fourra ses mains dans ses poches.) Alors, tu t'en sors comment là-dedans ? Je vois que tu mets l'ambiance, comme toujours.

— Qu'est-ce qui se passe, Gabe ?

— Un homme occupé comme toi ? Ton souhait s'est réalisé. Maintenant tu peux tout faire. Mais prends garde, l'effet se sera dissipé d'ici demain matin

— Lequel de nous deux est le vrai moi ?

— Aucun des deux, à mon avis.

Lou le regarda puis fronça les sourcils.

— Je te remercie pour cette pensée profonde mais c'est pas la peine. Ça ne marche pas avec moi.

Gabe soupira.

— Vous êtes tous les deux vrais. Vous fonctionnez tous les deux comme d'habitude. Vous fusionnerez tous les deux demain matin et tout ira pour le mieux.

— Qui es-tu ?

Gabe leva les yeux au ciel.

— Tu as vu beaucoup trop de films. Moi, c'est Gabe. Le même gars que tu as sorti de la rue.

— Qu'est-ce qu'il y a dans ces comprimés ? demanda-t-il en les sortant de sa poche. Ils sont dangereux ?

— Un peu de perspicacité. Ça n'a jamais tué personne.

— Mais, avec ces trucs, tu pourrais vraiment te faire beaucoup d'argent. Qui est au courant ?

— Ceux qui sont concernés, c'est-à-dire ceux qui les ont faits. Et n'essaye pas d'amasser une fortune avec, tu auras des comptes à rendre.

Lou laissa tomber cette idée pour le moment.

— Gabe, tu ne peux pas te contenter de me dédoubler et penser que je vais accepter sans poser de questions. Il pourrait y avoir d'importantes conséquences sur le plan médical, sans parler du choc psychologique. Et le reste du monde doit absolument être mis au courant, c'est de la folie ! Il faut qu'on s'assoie et qu'on en parle.

— Oui, évidemment, répondit Gabe en l'observant. Et ensuite, quand tu auras propagé la nouvelle, tu seras soit enfermé dans une cellule aux murs blancs et molletonnés, soit promené comme un animal de cirque. Et tous les jours, tu pourras entendre parler de toi dans les journaux où tu prendras autant de place que Dolly, le mouton cloné. Si j'étais toi, je ne dirais rien à personne, et je profiterais de cette situation inouïe. Tu es très pâle tout à coup. Ça va ?

Lou éclata d'un rire hystérique.

— Non ! Je ne vais pas bien du tout. Tout ceci n'est pas normal. Pourquoi est-ce que tu te comportes comme si tout était normal ?

Gabe haussa les épaules.

— J'imagine que je m'y suis habitué.

— Habitué ? siffla Lou entre ses dents. Parfait. Et maintenant, je fais quoi ?

— Eh bien, tu as réglé les problèmes au bureau, et on dirait bien que ton autre moitié a pris la situation en main ici, énuméra Gabe en souriant. Il te reste donc un endroit où aller, un endroit qui t'est cher.

Lou réfléchit pendant un instant. Puis un sourire illumina son visage. Pour la première fois de la soirée, il avait enfin compris ce que voulait dire Gabe.

— OK, allons-y.

— Quoi ? demanda Gabe, surpris. Où allons-nous ?

— Au pub. J'offre la première tournée. Mon Dieu, si tu voyais ta tête ! Pourquoi ? Où voulais-tu que j'aille ?

— Chez toi, Lou.

— Chez moi ? s'étonna Lou, le visage renfrogné. Mais pourquoi je ferais une chose pareille ?

Il se retourna et s'observa assis à table, entamant une énième histoire.

— Ah, celle-là c'est l'histoire du jour où je suis resté coincé à l'aéroport de Boston. Il y avait une femme qui devait prendre le même vol que moi...

Il sourit et pivota, voulant raconter l'histoire à Gabe. Mais celui-ci n'était plus là.

— Comme tu voudras, marmonna Lou.

Il resta encore un moment à se regarder, en état de choc et incertain d'avoir vraiment vécu les événements de la soirée. Il avait besoin d'un verre de toute urgence. Si son autre moitié rentrait à la maison après le dîner, cela voulait dire qu'il pouvait passer la nuit dehors et que personne ne le remarquerait. Sauf la personne avec qui il passerait la nuit. Ô bonheur !

19

Quand Lou rencontre Lou

C'est avec un sentiment de triomphe que Lou arriva chez lui, récompensé par le bruit du gravier sous ses roues et la vue du portail électronique se fermant derrière lui. Ce dîner d'affaires avait remporté un vif succès : il avait maîtrisé la conversation et s'était surpassé en matière de négociation, de persuasion et d'animation. Ils avaient ri à ses blagues, les meilleures de son répertoire. Ils étaient restés pendus à ses lèvres. Ils avaient tous quitté la table heureux et satisfaits. Il avait bu un dernier verre avec Alfred, tout aussi extatique, avant de rentrer à la maison.

Les lampes du rez-de-chaussée étaient éteintes, mais en haut, malgré l'heure tardive, elles étaient toutes allumées et éclairaient suffisamment le jardin pour permettre à un avion d'y atterrir.

Il pénétra à l'intérieur, dans l'obscurité. En général, Ruth laissait la lumière de l'entrée allumée. Il tâtonna sur le mur à la recherche de l'interrupteur. Une odeur nauséabonde flottait dans l'air.

— Bonsoir ? s'écria-t-il.

Sa voix résonna jusqu'au Velux du troisième étage.

La maison était en désordre, rien à voir avec ce qui l'attendait d'habitude quand il rentrait. Le sol était jonché de jouets. Il claqua la langue.

— Bonsoir ? répéta-t-il en montant l'escalier. Ruth ?

Il attendit qu'elle lui fasse signe de se taire mais rien ne vint.

Quand il arriva sur le palier, il vit Ruth sortir de la chambre de Lucy et passer devant lui en courant, une main sur la bouche, les yeux exorbités. Elle se précipita dans la salle de bains et ferma la porte. Ensuite il l'entendit vomir.

Dans sa chambre, Lucy se mit à pleurer, appelant sa mère.

Lou se tenait au milieu du palier, regardant une chambre, puis l'autre, figé, ne sachant pas quoi faire.

— Va la voir, Lou, parvint à dire Ruth avant de pencher de nouveau la tête au-dessus de la cuvette des toilettes.

Il hésita. Les pleurs de Lucy redoublaient de force.

— Lou ! cria Ruth, cette fois avec un sentiment d'urgence.

Il sursauta, surpris par son ton, et se dirigea vers la chambre de Lucy. Il poussa lentement la porte, jeta un coup d'œil. Il pénétrait dans un monde où il ne s'était que rarement aventuré et avait le sentiment d'être un intrus. Dora l'exploratrice l'accueillit. La chambre de sa fille empestait le vomi. Son lit était vide mais les draps et sa couette rose étaient défaits, laissant des traces de son passage. Il se fia aux bruits qui provenaient de la salle de bains et la trouva étalée sur le carrelage, ses chaussons lapins aux pieds, la tête au-dessus de la cuvette en train de vomir. Elle pleurait en gémissant doucement. Elle crachait, sanglotait, sanglotait, crachait, et l'écho de son calvaire résonnait au fond de la cuvette.

Lou resta là, à regarder autour de lui, ne sachant toujours pas quoi faire, son attaché-case à la main. Il sortit un mouchoir de sa poche et le posa sur sa bouche pour repousser les odeurs et les microbes.

À son grand soulagement, Ruth ne tarda pas à revenir. Elle remarqua qu'il observait paresseusement sa fille de cinq ans en train de vomir. Elle se précipita vers elle.

— C'est rien, ma chérie.

Elle s'agenouilla et prit sa fille dans ses bras.

— Lou, j'ai besoin que tu ailles me chercher deux gants de toilette mouillés.

— Mouillés ?

— Passe-les sous l'eau froide et essore-les pour qu'ils ne soient pas trempés, expliqua-t-elle calmement.

— Oui, bien sûr.

Il secouait la tête, peu fier de lui. Il sortit lentement de la chambre, puis se figea de nouveau une fois sur le palier. Il regarda à droite. À gauche. Et revint dans la chambre.

— Les gants de toilette sont dans…

— Le placard, répondit Ruth.

— Évidemment.

Il se dirigea vers le placard, portant toujours son manteau et son attaché-case, et passa en revue les gants de différentes couleurs. Marron, beige, blanc. Il n'arrivait pas à se décider. Il prit des gants marron, retourna dans la salle de bains, les passa sous l'eau et les tendit à Ruth en espérant avoir tout bien fait correctement

— Pas encore, expliqua Ruth.

Elle frictionnait le dos de sa fille, qui profitait d'une pause momentanée.

— OK, euh… Tu veux que je les mette où ?

— À côté de son lit. Et est-ce que tu peux changer les draps ? Elle a eu un léger accident.

Lucy se mit à pleurer de nouveau, ayant à peine la force de se blottir contre la poitrine de sa mère. Le visage de Ruth était pâle, ses cheveux grossièrement attachés en arrière, ses yeux gonflés, rouges, fatigués. Vraisemblablement, la soirée avait été chaotique.

— Les draps sont aussi dans le placard. Et la Deoralite est dans l'armoire à pharmacie, dans la buanderie.

— La quoi ?

— Les sels en cas de déshydratation. Lucy aime bien ceux au cassis. Oh, mon Dieu ! s'écria-t-elle en se redressant.

La main sur la bouche, elle se précipita dans sa propre salle de bains.

Lou, le regard plongé dans son Jack Daniel's glacé, ignorait le barman qui était penché au-dessus du comptoir et lui parlait de manière agressive.

— Vous m'entendez ? grogna le barman.

— Ouais, ouais, c'est ça.

Lou avait la langue pâteuse et butait sur ses mots, comme un enfant de cinq ans trébuchant à cause de ses lacets défaits. Il ne savait même plus où était le problème. Il agita vaguement la main dans l'air. On aurait dit qu'il chassait une mouche.

— Non, pas « c'est ça », mon pote. Tu la laisses tranquille, OK ? Elle ne veut pas te parler, elle ne veut pas entendre ton histoire, ça ne l'intéresse pas. OK ?

— OK, OK, grommela Lou, se souvenant de la blonde mal lunée qui persistait à l'ignorer.

Il était ravi de ne pas lui parler, de toute manière à quoi bon avoir une conversation s'il fallait lui tirer les vers du nez. Et la journaliste avec qui il avait discuté tout à l'heure n'avait pas non plus manifesté beaucoup d'intérêt pour la merveilleuse histoire de sa vie. Il choisit de se concentrer sur son whisky. Un phénomène extraordinaire avait eu lieu ce soir mais personne ne voulait en entendre parler. Le monde était-il devenu fou ? Étaient-ils tous tellement habitués aux nouvelles inventions et aux découvertes scientifiques que l'idée même qu'un homme puisse être cloné ne choquait plus personne ? Non, les jeunes clients de ce bar branché préféraient siroter leurs cocktails. Les jeunes femmes, en minijupe, cheveux teints, exposaient leurs jambes bronzées en plein mois de décembre, leurs sacs haute couture pendus comme des lustres à leurs bras couleur chocolat, chacune aussi à l'aise qu'une noix de coco au pôle Nord. Cela comptait plus pour elle que n'importe quel événement pouvant venir secouer le pays. Un homme avait été cloné. Ce soir, il y avait deux Lou Suffern en ville. On pouvait être à deux endroits en même temps. L'étrangeté de la situation le fit rire. Il secoua la tête. Lui seul connaissait l'étendue des capacités de l'univers, mais tout le monde s'en fichait.

Il sentit les yeux du barman posés sur lui. Il cessa de glousser et porta de nouveau son attention sur les glaçons. Il les voyait se déplacer dans le verre et se tortiller dans tous les sens avant de trouver un coin confortable, tombant toujours plus bas. Le manège des glaçons alourdissait ses paupières. Le barman le laissa enfin vivre sa vie et alla s'occuper des autres clients qui se pressaient autour du bar. Isolé sur son île, Lou percevait le vacarme ambiant, le bruit des gens entre eux : ceux qui draguent, ceux qui se bagarrent. Des tables entières de filles, serrées les unes contre les autres, parcourant la salle du regard jusqu'à se focaliser sur une cible potentielle, des grappes de jeunes hommes debout, le regard vague et lointain, mal à l'aise. Sur les tables s'étendaient des forêts de verres recouverts de sous-bocks. Les chaises vides autour indiquaient que les gens à qui les bières appartenaient étaient dehors, allumant leur cigarette ou leur voisine dans le coin des fumeurs.

Lou observa la pièce, souhaitant croiser le regard de quelqu'un. Au début, il s'était montré exigeant dans son choix de partenaire, espérant trouver une jolie fille avec qui partager son secret pour la deuxième fois, mais il avait rapidement décidé que n'importe qui ferait l'affaire. Il devait bien y avoir une personne ici que ce miracle allait intéresser.

Le seul regard qu'il réussit à croiser fut celui du barman.

— Serrrrrrrs-m'en un autre, articula Lou quand le barman s'approcha de lui. Un Jack on the rocks.

— Je viens de vous en donner un autre, répondit le barman quelque peu amusé cette fois. Et vous n'y avez même pas touché.

— Et 'lors ?

Lou dut fermer un œil pour bien voir l'homme derrière le comptoir.

— Et alors ? À quoi ça sert d'avoir deux fois la même chose en même temps ? demanda le barman.

En entendant ça, Lou éclata de rire, un rire rauque du fait de cette terrible brise de décembre qui s'était précipitée en quête de chaleur sous son manteau dès qu'il l'avait entrouvert, exposant son torse, et qui se déplaçait rapidement, comme un chat apeuré se glisse dans sa chatière dès qu'il entend les premiers feux d'artifice.

— Je crois que la plaisanterie m'échappe, avoua le barman en souriant.

Il n'y avait plus personne au comptoir ; plus d'alcool à servir pour faire passer le temps. Mais pourquoi ne pas se servir de ce temps pour être avec ceux qui aiment un peu trop l'alcool ?

— Ah, tout le monde s'en fiche, s'écria Lou, de nouveau en colère et désignant la foule derrière lui d'un geste lymphatique de la main. Tout ce qui les intéresse, c'est un Sex on the Beach, des prêts sur trente ans et Saint-Tropez. Je les écoute depuis tout à l'heure, ils ne parlent que de ça.

Le barman laissa échapper un rire.

— Ne parlez pas trop fort. Alors, de quoi se fichent-ils ?

Lou prit un air sérieux et fixa le barman avec gravité.

— Du clonage.

Le visage du barman se modifia, une lueur d'intérêt s'éveilla dans son regard. Enfin, on allait lui parler de quelque chose de différent. Ça changeait des lamentations habituelles.

— Le clonage ? Ah bon, ça vous intéresse ?

— Ça m'intéresse ? Ça fait bien plus que m'intéresser, ricana Lou avec condescendance.

Il fit un clin d'œil au barman. Il but une autre gorgée de whisky et se prépara à raconter son histoire.

— Ça va sûrement vous paraître difficile à croire mais moi... (il prit une grande inspiration) j'ai été cloné, commença-t-il. Un type m'a donné des comprimés et je les ai avalés, poursuivit-il, avec un hoquet. Vous ne me croyez certainement pas mais c'est vrai. Je l'ai vu de mes propres yeux.

Voulant désigner son œil, il estima mal la distance et y enfonça son doigt. Peu de temps après, une fois la douleur dissipée et les larmes essuyées, il reprit son histoire.

— Il y a deux moi, asséna-t-il.

Et il leva quatre doigts, puis trois, puis un, et enfin deux.

— Vraiment ? demanda le barman tout en attrapant une pinte qu'il remplit de Guinness. Et où est l'autre vous ? Je parie qu'il est sérieux comme un pape.

Lou émit un nouveau rire rauque.

— Il est à la maison avec ma femme, gloussa-t-il. Et avec mes enfants. Et moi je suis ici, avec elle.

Il leva son pouce et désigna quelqu'un sur sa gauche.

— Qui ?

Lou se tourna sur le côté et faillit tomber de son tabouret en même temps.

— Ah, elle... Où est-elle ?

Il fit face au barman.

— Peut-être qu'elle est aux toilettes. Elle est sublime, on discutait bien tous les deux. Elle est journaliste. Elle va raconter mon histoire. Mais bon, ça n'a pas d'importance. Moi, je suis là, à m'éclater, et lui... (il se mit à rire de nouveau) il est à la maison avec femme et enfants. Et demain, quand je me réveillerai, je prendrai un autre cachet. Attention, pas des drogues. C'est un remède à base de plantes pour ma migraine, ajouta-t-il en désignant sa tête d'un air sérieux. Et moi je vais rester au lit et lui il ira au boulot. Ha ! Quand je pense à toutes les choses que je vais pouvoir faire, comme… (il réfléchit longuement mais rien ne lui vint à l'esprit.) Comme… Oh, je ne sais pas, des tonnes, des tonnes de choses. Tous les endroits où je vais pouvoir aller. C'est un putain de miracle. Vous savez quand c'est la dernière fois que je n'ai pas travaillé ?

— Non, quand ?

Lou se creusa la tête un moment.

— Noël dernier. Pas de coup de fil, pas d'ordinateur. Noël dernier.

Le barman paraissait sceptique.

— Vous n'êtes pas parti en vacances cette année ?

— Une semaine. Avec les enfants, dit-il en fronçant le nez. Putain, y avait du sable partout. Sur mon ordinateur portable, sur mon téléphone. Et ça.

Il fouilla dans sa poche, sortit son BlackBerry et le plaqua sur le comptoir.

— Attention !

— Ce truc. Il me suit partout. Même recouvert de sable, il continue de fonctionner. Ce truc, c'est l'opium du peuple.

Il le toucha du doigt, appuyant par erreur sur des touches, ce qui alluma l'écran. Ruth et les enfants lui sourirent. Pud, avec son grand sourire édenté ridicule ; Lucy avec ses grands yeux marron étincelants sous sa frange ; et Ruth, qui les serre tous les deux dans ses bras. Qui les maintient, comme elle maintient toute cette famille. Il examina un instant la photo, un sourire sur le visage. Puis l'écran s'éteignit, la photo disparut. Il se sentait épié par la machine.

— Dans les B'hamas, continua-t-il. Et bip-bip-bip, ils vont me retrouver. Bip-bip-bip-bip, ils m'ont retrouvé.

Il rit de nouveau.

— Et cette lumière rouge. Je la vois dans mon sommeil, sous la douche, chaque fois que je ferme les yeux. La lumière rouge et le bip-bip. Putain, comme je déteste ce foutu bip-bip.

— Alors prenez un jour de congé, déclara le barman.

— Peux pas. Trop de choses à faire.

— Eh bien, maintenant que vous avez été cloné, vous pouvez prendre tous les jours de congé que vous voulez, plaisanta le barman, tout en vérifiant autour de lui que personne ne l'avait entendu.

— Ouais, soupira Lou, rêveur. Il y a tellement de choses que j'ai envie de faire.

— Quoi, par exemple ? Qu'est-ce que vous aimeriez faire maintenant plus que tout autre chose ?

Lou ferma les yeux. Privé de repères par l'obscurité, il fut pris d'un terrible vertige qui le détrôna violemment de son tabouret.

— Oh là !

Il rouvrit les yeux.

— Je veux rentrer chez moi mais je ne peux pas. *Il* ne veut pas. Je l'ai appelé tout à l'heure, je lui ai dit que j'étais fatigué et que je voulais rentrer à la maison, mais il refuse, grogna-t-il. M. Tout-Puissant a dit non.

— Qui ?

— L'autre moi.

— L'autre vous vous a ordonné de ne pas rentrer ? demanda le barman en se retenant de rire.

— Il est à la maison et on ne peut pas être tous les deux au même endroit. Mais je suis vraiment crevé.

Ses paupières se fermaient. Puis elles s'écarquillèrent brusquement quand Lou fut traversé par une pensée soudaine. Il s'approcha du barman.

— Je l'ai observé depuis la fenêtre, vous savez, murmura-t-il.

— Qui ? L'autre vous ?

— Je vois que vous commencez à comprendre. Je suis rentré à la maison et je l'ai observé. Il était là, gesticulant dans tous les sens avec ses draps et ses serviettes, descendant l'escalier, montant l'escalier, courant d'une pièce à l'autre comme s'il était chargé d'une mission divine.

Il renifla bruyamment.

— Il avait à peine fini de raconter ses blagues stupides au dîner qu'il changeait déjà des draps à la maison. Il croit peut-être qu'il peut faire les deux. (Il leva les yeux au ciel.) C'est pour ça que je suis venu ici.

— Mais peut-être qu'il peut ? suggéra le barman en souriant.

— Peut-être qu'il peut quoi ?

— Peut-être qu'il peut faire les deux, expliqua le barman en lui adressant un clin d'œil. Allez, rentrez chez vous.

Il attrapa le verre vide de Lou puis se dirigea à l'autre extrémité du comptoir où l'attendait un client.

Pendant que le jeune homme passait sa commande, Lou réfléchit longuement à sa situation. Il ne pouvait pas rentrer chez lui, il n'avait nulle part où aller.

*
* *

— Tout va bien, ma chérie, tout va bien, papa est là, dit Lou en repoussant les mèches de cheveux du visage de Lucy.

Vêtu d'un T-shirt et d'un caleçon, il lui caressait le dos alors qu'elle se penchait pour la vingtième fois cette nuit au-dessus des toilettes et vomissait. Il s'assit sur le carrelage froid de la salle de bains et s'adossa contre la baignoire. Le corps de Lucy tressaillit encore une fois et elle vomit de nouveau.

— Papa, souffla-t-elle.

Il percevait à peine sa voix à travers ses larmes.

— Tout va bien, ma chérie, je suis là, répéta-t-il, ensommeillé. C'est bientôt fini.

Ça devait bien l'être. Son minuscule estomac pouvait-il encore contenir quelque chose ?

Toutes les vingt minutes, il s'était levé du lit de Lucy, où il dormait, pour l'accompagner dans la salle de bains, où elle vomissait. La température de son corps grimpait en quelques secondes puis redescendait aussi rapidement, laissant Lucy grelottante de froid. D'habitude, dans ce genre d'occasion, c'était Ruth qui restait réveillée toute la nuit pour veiller les enfants. Mais malheureusement pour Lou, et pour Ruth, celle-ci était en train de vivre le même cauchemar que sa fille dans sa propre salle de bains au bout du couloir. Gastro-entérite. Un joyeux cadeau de fin d'année offert à tous ceux dont les organismes étaient prêts à passer à l'année suivante avant l'heure.

Lou porta Lucy jusqu'à son lit. Ses petites mains s'accrochaient à son cou. Elle dormait déjà, épuisée par ce que la nuit lui avait réservé. Il l'allongea dans son lit, recouvrit son petit corps à présent gelé de couvertures et glissa son ours en peluche préféré dans le creux de son cou, comme Ruth le lui avait montré avant de se précipiter aux toilettes de nouveau. Son portable, posé sur la table de nuit rose princesse, se remit à vibrer. Il était quatre heures du matin et c'était le cinquième coup de fil qu'il recevait de lui-même. Il jeta un œil à l'écran et vit son propre visage s'afficher.

— Qu'est-ce qu'il y a encore ? murmura-t-il dans le téléphone, essayant de contenir sa voix et sa colère au minimum.

— Lou ! C'est moi, Lou ! s'écria la voix éméchée à l'autre bout.

Un rire rauque se fit entendre.

— Arrête de m'appeler, ordonna-t-il, un peu plus fort cette fois.

En arrière-fond, il pouvait entendre de la musique, des voix claironnantes et un amas de mots indistincts. Il percevait le tintement des verres. Des rires et des cris explosaient de temps à autre aux différents coins de la pièce. À croire que les vapeurs d'alcool avaient dérivé depuis l'intérieur du téléphone et envahit le monde paisible et innocent de sa fille. Inconsciemment, il appliqua sa main sur le combiné, pour la protéger de cette intrusion de l'univers des adultes dans son royaume endormi.

— Où es-tu ?

— Quelque part sur Leeson Street, s'écria-t-il. J'ai rencontré une fille, Lou. Un putain de canon ! Tu serais fier de moi. Non, tu *seras* fier de toi !

Suivit de nouveau un rire rauque.

— Quoi ? aboya Lou fortement. Non, ne fais rien ! hurla-t-il.

Les yeux de Lucy hésitèrent puis s'ouvrirent un instant, comme deux petits papillons, de grands yeux marron qui se posèrent sur lui avec frayeur mais qui, en le voyant – lui, son papa –, retrouvèrent leur éclat. Un petit sourire s'afficha sur ses lèvres et elle referma les yeux, épuisée. Elle l'avait regardé avec tellement de confiance, de foi, qu'il en fut bouleversé. Il savait qu'il était son protecteur, celui qui pouvait chasser les monstres de son existence et la faire sourire, et il se sentit tout à coup mieux qu'il ne s'était jamais senti de toute sa vie. Mieux que lors d'un dîner d'affaires couronné de succès ; mieux qu'en voyant la tête d'Alfred lorsqu'il était arrivé au restaurant. Il éprouva alors un sentiment de haine pour l'homme de l'autre côté du téléphone, au point qu'il aurait aimé le rouer de coups. Sa fille vomissait ses entrailles. Elle était tellement faible qu'elle pouvait à peine garder les yeux ouverts ou se tenir debout, et lui, il était là, à boire comme un trou, à courir après les filles, et s'attendait à ce que Ruth s'occupe de tout ça seule. Il détestait l'homme au bout du fil.

— Si seulement tu pouvais la voir ! C'est une bombe, marmonna-t-il.

— N'y pense même pas, menaça-t-il, sa voix grave et hostile. Si tu fais quoi que ce soit, je jure devant Dieu que…

— Que quoi ? Que tu vas me tuer ? se moqua-t-il de sa voix éraillée. Ce serait une victoire à la Pyrrhus, non ? Bon, où est-ce que je suis supposé aller, hein, bordel ! Tu me le dis ? Je ne peux pas rentrer à la maison et je ne peux pas me rendre au travail.

La porte de la chambre s'ouvrit alors, laissant apparaître Ruth, tout aussi éreintée.

— Je te rappelle, dit-il rapidement avant de raccrocher.

— À qui peux-tu bien parler à cette heure de la nuit ? demanda-t-elle calmement.

Elle avait mis sa robe de chambre. Ses bras enserraient son corps comme un bouclier. Ses yeux bouffis lui donnaient un regard trouble, et, avec ses cheveux attachés en arrière, elle paraissait terriblement fragile. Une voix un peu forte, un cri, l'aurait renversée et brisée. Pour la deuxième fois de la nuit, le cœur de Lou fut transporté d'émotions. Il s'avança vers elle, les bras grands ouverts.

— Un type que je connais, rien de bien important, répondit-il en lui caressant les cheveux. Il est ivre. J'aimerais qu'il arrête d'appeler, c'est un loser, ajouta-t-il avec empressement.

Il rabattit le clapet de son téléphone et le jeta dans l'amas d'ours en peluche.

— Comment vas-tu ?

Il prit du recul et l'examina avec attention. Son visage était brûlant et pourtant elle frissonnait.

— Je vais bien, l'assura-t-elle en affichant un sourire bancal.

— Non, ça ne va pas du tout. Retourne te coucher, je vais t'apporter un gant de toilette.

Il l'embrassa tendrement sur le front. Elle ferma les yeux et il sentit qu'elle se laissait aller.

Il faillit se dégager de leur étreinte pour brandir son poing au ciel et hurler de joie. Pour la première fois depuis bien longtemps, elle n'avait pas l'intention de se battre avec lui. Ces six derniers mois, chaque fois qu'il l'avait prise dans ses bras, elle était restée raide et tendue, comme si elle voulait lui montrer qu'elle n'acceptait pas sa manière de faire, qu'elle protestait et refusait

194

de cautionner son comportement. Il se délecta de cet instant, elle, si sereine dans ses bras ; une victoire silencieuse, certes, mais fondamentale pour l'avenir de leur couple.

Dans la pile de nounours, le portable se mit à vibrer de nouveau, tressaillant dans la fourrure de l'ours Paddington. Son visage s'afficha sur l'écran et il fut obligé de détourner le regard, ne supportant pas de se voir. Il comprenait mieux Ruth à présent.

— Encore ton ami, dit Ruth en s'écartant légèrement pour qu'il puisse attraper son téléphone.

— Laissons-le, proposa-t-il, ignorant l'appel et la serrant un peu plus contre lui. Ruth, commença-t-il doucement, tirant le menton de sa femme vers le haut pour qu'elle puisse le voir, je suis désolé.

Un instant, Ruth le regarda avec effarement. Puis elle l'examina, curieuse, méfiante, attendant la suite. Il y avait forcément un piège. Lou Suffern s'était excusé. Ces mots ne faisaient pas partie de son vocabulaire.

Du coin de l'œil, Lou vit son téléphone vibrer encore une fois, sursauter, tomber des bras de Paddington pour atterrir sur la tête de Winnie l'Ourson et faire ensuite le tour des nounours comme une patate chaude. Dès qu'il s'arrêtait de vibrer, il ne tardait pas à recommencer, son visage illuminant l'écran. Il lui souriait, se moquait de lui, lui faisait comprendre qu'il s'était montré faible en s'excusant. Il se battait contre cette facette de sa personnalité – celle du picoleur idiot, puérile, irraisonnable –, et refusait de répondre au téléphone, de lâcher sa femme. Il ravala sa salive.

— Je t'aime, tu sais.

On aurait dit que c'était la première fois qu'elle entendait ces paroles. Ils étaient revenus des années en arrière, lors de ce premier Noël passé ensemble, assis près du sapin dans la maison de ses parents à Galway. Le chat s'était roulé en boule sur son coussin préféré près de la cheminée, le chien, un vieux chien beaucoup trop âgé, dehors dans le jardin, aboyait sur tout ce qui bougeait, ou ne bougeait pas. Lou lui avait dit la même chose alors, devant le sapin de Noël blanc en plastique à propos duquel les parents de Ruth s'étaient disputés un peu auparavant – M. O'Donnell voulait un vrai sapin mais Mme O'Donnell ne voulait pas passer son temps à aspirer les aiguilles de pin. Le sapin tape-à-l'œil s'illuminait lentement de lueurs vertes, rouges et bleues, et puis retombait dans l'obscurité. Ce processus se répétait sans fin, et, malgré sa laideur, cela avait quelque chose d'apaisant, comme une poitrine en mouvement. C'était la première fois qu'ils se retrouvaient seuls depuis le début de la journée, un moment privilégié qu'ils partageaient avant d'être séparés de nouveau, elle dans sa chambre et lui sur le canapé du salon. Il n'avait pas prévu de le lui dire, d'ailleurs il comptait bien ne jamais le lui dire, mais c'était sorti tout seul, aussi naturellement qu'un nouveau-né. Il avait lutté avec les mots pendant quelque temps, les faisant rouler dans sa bouche, voulant les laisser jaillir puis se ravisant, ne se sentant pas assez courageux. Mais tout à coup, les mots avaient été libérés et son monde avait basculé. Vingt ans plus tard, dans la chambre de leur fille, ils eurent l'impression de revivre ce même moment et le visage de Ruth arborait ce même air joyeux et surpris.

— Oh, Lou ! murmura-t-elle.

Elle ferma les yeux et profita de l'instant. Puis, tout à coup, elle ouvrit les yeux, et la terreur qui les traversa glaça Lou. Que s'apprêtait-elle à dire ? Que savait-elle ? Il se mit à paniquer, envahi par la vision de son comportement passé, une menace aussi dangereuse qu'un banc de piranhas fantômes revenant pour le hanter et lui déchiqueter la peau du dos. Il pensa à l'autre *lui*, qui arpentait les rues, ivre, certainement en train de détruire le bonheur retrouvé entre lui et sa femme, en train de saboter la reconstruction qu'ils avaient mis tellement de temps à entreprendre. Dans sa tête, il pouvait voir les deux Lou : l'un qui bâtissait un mur en briques, l'autre qui passait derrière avec un marteau et détruisait tout à mesure que les travaux avançaient. En réalité, c'était ce que Lou faisait depuis toujours. D'une main, il bâtissait sa vie familiale, de l'autre il brisait tout ce pour quoi il se battait.

Ruth se défit rapidement de son étreinte et se précipita dans la salle de bains. Il entendit la lunette des W-C se relever et le contenu de l'estomac de sa femme se déverser dans la cuvette. Ruth détestait qu'on puisse la voir dans cet état et, faisant elle aussi comme toujours plusieurs choses à la fois, elle parvint alors qu'elle vomissait à lever la jambe pour fermer la porte.

Lou soupira et s'effondra au sol dans le tas de nounours. Il ramassa le téléphone qui vibrait pour la cinquième fois.

— Quoi encore ? bredouilla-t-il, s'attendant à entendre sa propre voix avinée à l'autre bout du fil.

Mais grande fut sa surprise.

20

Le garçon à la dinde – 4

— C'est que des conneries, dit le garçon à la dinde quand Raphie s'arrêta pour reprendre son souffle.

Raphie ne répondit pas, il préféra attendre que quelque chose de plus constructif sorte de la bouche du jeune homme.

— Rien qu'un tas de conneries, poursuivit-il.

— OK, ça suffit, déclara Raphie en se levant.

Il attrapa son mug, le gobelet en polystyrène et les emballages des chocolats qu'il avait mâchonnés pendant qu'il racontait son histoire.

— Je te laisse attendre ta mère tranquillement.

Raphie se dirigea vers la porte.

— Vous ne pouvez pas vous arrêter là, gémit le garçon, incrédule. Vous ne pouvez pas me laisser sans me raconter la fin.

— Eh bien, fallait pas te montrer aussi ingrat, répondit Raphie en haussant les épaules. Ou lancer une dinde à travers une fenêtre.

Il sortit de la pièce des interrogatoires.

Jessica était dans la minuscule cuisine du commissariat et se préparait un autre café. Ses yeux étaient rouge vif et ses cernes avaient noirci.

— Déjà la pause café ? demanda-t-il.

Il fit semblant de ne pas voir que son état avait empiré.

— Ça fait des siècles que vous êtes là-dedans ! s'exclama-t-elle.

Elle souffla sur sa boisson et prit une gorgée, gardant la tasse collée à ses lèvres en parlant, les yeux posés sur le panneau d'affichage devant elle.

— Ça va, votre visage ?

Elle hocha la tête une fois, bien décidée à ne pas faire davantage de commentaires sur les éraflures et les coupures qui hachuraient son visage. Elle changea de sujet.

— Vous en êtes où dans l'histoire ?

— À la première fois où Lou s'est dédoublé.

— Qu'a-t-il dit ?

— Je crois que l'expression employée a été « c'est que des conneries », rapidement suivie par « rien qu'un tas de conneries ».

Jessica sourit légèrement, souffla sur son café et avala une autre gorgée.

— Vous êtes arrivé plus loin que je ne pensais. Vous devriez lui montrer les vidéos de cette nuit-là.

— On a déjà récupéré les enregistrements de la vidéo surveillance du pub où il était ? demanda Raphie en allumant la bouilloire. Ça alors ! Qui est-ce qui travaille là-bas aujourd'hui ? Le Père Noël ?

— Non, on n'a pas encore les cassettes. Mais l'enregistrement de la vidéoconférence montre un type qui ressemble énormément à Lou sortir de son bureau. Il y a des gens chez Patterson Développements qui ne savent pas ce que c'est qu'un jour de congé.

Elle leva les yeux au ciel.

— Franchement ! Le jour de Noël...

— C'est peut-être Gabe que l'on voit sur l'enregistrement de la vidéoconférence, proposa Raphie. Ils se ressemblent.

— C'est vrai.

— D'ailleurs, il est où ? Ça fait une heure qu'il devrait être là.

Jessica haussa les épaules.

— Eh bien, il a intérêt à ramener son cul ici vite fait et à avoir son permis de conduire avec lui, comme je le lui ai demandé, s'insurgea Raphie. Ou alors, je...

— Vous allez quoi ?

— J'irai le chercher moi-même.

Elle détacha lentement la tasse de ses lèvres et posa ses yeux intenses et mystérieux sur Raphie.

— Et vous allez l'arrêter pour quelle raison ?

Raphie l'ignora et se versa une autre tasse de café, avec deux sucres. Percevant son humeur, Jessica ne fit aucun commentaire. Il remplit le gobelet en plastique d'eau et se dirigea vers le couloir.

— Où allez-vous ? voulut-elle savoir.

— Je vais terminer mon histoire, grommela-t-il.

LA SUITE DE L'HISTOIRE

21

L'homme de l'année

— C'est l'heure de se réveiller.

Une voix chantante se fraya un chemin dans la brume du sommeil alcoolisé de Lou. Tous les événements de la nuit se rembobinaient dans sa tête, encore et encore, défilant ainsi une bonne centaine de fois : il épongeait le front de Lucy, il donnait sa tétine à Pud, il retenait les cheveux de Lucy alors qu'elle se penchait au-dessus des toilettes, il serrait sa femme dans ses bras et sentait son corps se laisser aller contre le sien, il épongeait de nouveau le front brûlant de Lucy, il redonnait sa tétine à Pud, il disait à Ruth qu'il l'aimait et elle souriait.

Une odeur de café frais lui chatouilla les narines. Il ouvrit enfin les yeux et fit un bond en découvrant où il était. Il alla cogner sa tête déjà douloureuse contre le mur en béton derrière lui.

Il fallut un moment à Lou pour qu'il s'habitue à son environnement. Il avait vécu de meilleurs réveils, dans des mondes plus accueillants. C'était généralement le bruit de la chasse d'eau qui le réveillait et non pas cette délicieuse odeur de café moulu à quelques centimètres de son nez. Il lui fallait souvent attendre longtemps avant que la femme mystérieuse activant la chasse d'eau pointe son nez dans la chambre. À de rares occasions, Lou disparaissait du lit, et du bâtiment, avant même que l'inconnue ait la possibilité de révéler son identité.

En ce matin précis, après son premier dédoublement, Lou Suffern fit l'expérience de tout autre chose encore : un jeune homme, ayant à peu près le même âge que lui, lui tendait une tasse de café, l'air satisfait. En voilà une nouveauté. Heureusement, ce jeune homme, c'était Gabe. À son grand soulagement, Lou put constater qu'ils étaient tous les deux habillés et qu'aucune chasse d'eau ne jouait de rôle ici. Sa tête le lançait et il avait l'impression que des rats morts pourrissaient dans sa bouche. Tel un candidat en pleine campagne présidentielle qui s'adresse à une salle hostile, il observa les alentours.

Il se trouvait par terre. Il était arrivé à cette conclusion en constatant qu'il était bien plus près du sol en béton que du plafond découvert d'où pendaient des fils. Ce sol était dur malgré le sac de couchage sur lequel il était assis. Il avait mal au cou car il avait appuyé sa tête de travers sur le mur. Des étagères en métal s'élevaient jusqu'au plafond au-dessus de lui : dures, grises, froides et déprimantes, elles se dressaient comme les grues qui polluaient l'horizon de Dublin, un envahisseur métallique régentant une ville en plein développement. À sa gauche, une lampe sans abat-jour était responsable de la lumière aveuglante qui semblait davantage braquée sur la tête de Lou, comme un pistolet dans une main ferme, que sur la pièce. Une chose était certaine, évidente même, il avait atterri dans le débarras de Gabe, au sous-sol. Ce dernier se tenait au-dessus de lui, une tasse de café fumant dans la main. L'image lui était familière, le reflet de la semaine dernière, quand Lou s'était arrêté dans la rue et avait offert une tasse de café à Gabe. Mais cette image paraissait déformée et trouble, à présent, comme dans un miroir de fête foraine. Aujourd'hui, Lou était par terre et Gabe au-dessus.

— Merci.

Il prit la tasse des mains de Gabe, enroulant ses doigts gelés autour de la porcelaine. Il frissonna.

— Il fait froid, ici.

Ses premières paroles ressemblèrent à un croassement. En se redressant, il sentit tout le poids du monde s'écraser sur ses épaules. Cette deuxième gueule de bois en deux jours vint lui rappeler que même si certaines choses s'amélioraient avec les années – son nez, par exemple, qu'il avait toujours trouvé trop grand par rapport à son visage quand il était enfant, lui semblait parfaitement proportionné maintenant qu'il avait la trentaine –, les effets de l'excès d'alcool sur son organisme n'en faisaient pas partie.

— Oui, je sais, quelqu'un a promis de m'apporter un chauffage électrique mais j'attends toujours, expliqua Gabe en souriant. Ne t'inquiète pas, j'ai entendu dire que les lèvres violettes étaient à la mode.

— Ah, désolé. Je vais en parler tout de suite à Alison, marmonna Lou.

Il prit une gorgée de café. Pendant ses premiers moments de réveil, il avait essayé de comprendre où il se trouvait. Sitôt ses incertitudes levées, il s'était détendu et avait commencé à boire son breuvage. Mais une seule gorgée de café avait fait émerger un autre problème.

— Qu'est-ce que je fous ici ?

Il se redressa complètement, en état d'alerte. Il s'examina un instant, cherchant des indices. Il portait son costume d'hier, un amas de tissu désormais froissé avec des taches douteuses – bien qu'il ne fût pas difficile d'en déterminer la nature – sur sa chemise, sa cravate et sa veste. En fait, il y avait de la terre partout.

— C'est quoi cette odeur ?

— Je crois que c'est toi, répondit Gabe, souriant toujours. Je t'ai trouvé à l'arrière du bâtiment hier soir, vomissant dans une benne à ordures.

— Mon Dieu, murmura Lou en cachant son visage dans ses mains.

Puis il leva les yeux, troublé.

— Mais hier soir j'étais à la maison. Avec Ruth et Lucy. Elles étaient malades. Et dès qu'elles se sont endormies, Pud s'est réveillé.

Il se frotta le visage, fatigué.

— Ce n'était qu'un rêve ?

— Non, l'assura Gabe joyeusement en versant de l'eau chaude dans son café lyophilisé. Tu étais aussi avec eux. Tu n'as pas arrêté, la nuit dernière. Tu ne te souviens pas ?

Il lui fallut un moment pour que tous les événements de cette nuit remontent à la surface. Mais il fut soudain assailli de souvenirs – la pilule, le dédoublement – et il eut l'impression que tous les jetons se mettaient en place, comme dans un bingo géant.

— Cette fille que j'ai rencontrée...

Il ne finit pas sa phrase, voulant à la fois connaître la réponse et rester dans l'ignorance. Une partie de lui-même était persuadée de son innocence mais l'autre partie avait envie de se traîner dehors et de se rouer de coups pour avoir peut-être mis de nouveau son mariage en péril. Il se mit à transpirer abondamment, rajoutant une nouvelle odeur au mélange.

Gabe le laissa macérer dans son jus pendant quelque temps, soufflant sur son café et prenant de toutes petites gorgées, comme une souris qui grignote un morceau de fromage chaud.

— Tu as rencontré une fille ? demanda-t-il, les yeux ébahis et innocents.

— Je, euh, j'ai rencontré une... Laisse tomber. J'étais seul quand tu m'as retrouvé hier soir ?

Même question, choix de mots différent. Les deux en même temps.

— Oui, en effet, tu étais seul, très seul. Mais sans souffrir de solitude, tu semblais heureux en ta propre compagnie. Tu marmonnais des choses à propos d'une fille, ajouta Gabe pour se moquer de lui. Apparemment, tu l'avais perdue et tu n'arrivais pas à te rappeler où tu l'avais mise. En tout cas, elle n'était pas au fond de la benne à ordures. Mais peut-être que si l'on nettoie toutes les couches de vomi que tu as déposées au fond de la poubelle, on trouvera ta femme en carton-pâte.

— Qu'est-ce que j'ai dit ? Enfin, ne me dis pas exactement, mais sais-tu si j'ai dit des choses sur – tu sais. Merde, si j'ai fait quoi que ce soit, Ruth va me tuer.

Des larmes affluèrent à l'orée de ses paupières.

— Je suis vraiment le plus gros connard de la planète.

Plein de frustration, il donna un coup de pied dans le cageot qui était posé sur le sac de couchage.

Gabe laissa son sourire disparaître, par respect pour cet aspect de la personnalité de Lou.

— Tu ne lui as rien fait.

— Comment tu le sais ?

— Je sais.

Ne sachant sur quel pied danser, Lou l'examina. À cet instant, Gabe semblait être tout pour lui : son parent, son agresseur – qu'il commençait toutefois à apprécier –, son sauveur. Il était en même temps la seule personne qui comprenait sa situation et celle responsable de sa situation. Une relation dangereuse.

— Gabe, il faut vraiment qu'on parle de ces cachets. Je n'en veux plus, déclara-t-il en les sortant de sa poche. La nuit dernière a été comme une révélation pour moi, franchement, et à tellement de niveaux.

Il se frotta les yeux, fatigué, se souvenant du son de sa voix à l'autre bout du téléphone.

— À l'heure actuelle, il y a encore deux moi ?

— Non, tu es redevenu un, expliqua Gabe. Tu veux un gâteau à la figue ?

— Mais Ruth… poursuivit Lou en l'ignorant. Elle va se réveiller et je ne serai pas là. Elle va s'inquiéter. Est-ce que je me suis volatilisé ?

— Elle se réveillera et tu seras parti travailler, comme toujours.

Il digéra cette information et se sentit plus calme.

— Mais ça ne va pas, ça n'a aucun sens. Où as-tu eu ces cachets ? Il faut qu'on en parle.

— Oui, tu as raison, répondit Gabe sérieusement tout en prenant le flacon des mains de Lou et en le mettant dans sa poche. Mais pas maintenant. Ce n'est pas encore le moment.

— Comment ça, ce n'est pas encore le moment ? Qu'est-ce que tu attends ?

— Il est pratiquement 8 h 30 et tu dois te rendre à une réunion avant qu'Alfred n'arrive et te vole la vedette.

En entendant cela, Lou se redressa en un éclair. Il posa sa tasse de café imprudemment sur une étagère, entre une rallonge et un tas de souricières. Il oublia instantanément ses inquiétudes grandissantes à propos des étranges cachets, et il oublia aussi de se demander comment Gabe pouvait être au courant de cette réunion de 8 h 30.

— Tu as raison, il faut que j'y aille. Mais on reparlera de ça plus tard.

— Tu ne peux pas y aller habillé comme ça, remarqua Gabe en riant et en examinant de haut en bas le costume froissé et sale de Lou. Et tu pues le vomi. Et l'urine de chat. Crois-moi, je sais, je suis devenu un expert pour ce genre de choses.

— Ça va aller, affirma Lou qui regarda sa montre tout en enlevant sa veste de costume. Je vais prendre une douche en vitesse dans mon bureau et je mettrai mon costume de rechange.

— Tu ne peux pas, c'est moi qui l'ai. Tu t'en souviens ?

Lou regarda Gabe et se rappela qu'il lui avait donné son costume de rechange le jour où il avait été embauché. Il pouvait parier qu'Alison n'avait pas pensé à le remplacer, elle n'était pas là depuis suffisamment longtemps pour le savoir.

— Merde ! Merde, merde, merde !

Il fit les cent pas dans la petite pièce, rongeant ses ongles tout juste manucurés, en arrachant des bouts et les crachant.

— Ne t'inquiète pas, ma femme de ménage les ramassera, dit Gabe, amusé, observant les morceaux d'ongle tomber sur le sol en ciment.

Lou l'ignora et continua de tourner dans la pièce.

— Les magasins n'ouvrent pas avant neuf heures. Où est-ce que je vais trouver un foutu costume ?

— N'aie crainte, je crois que j'ai ce qu'il te faut dans mon immense dressing, dit Gabe.

Il disparut dans la première allée et réapparut avec le costume neuf, emballé dans du plastique.

— Comme je disais, on ne sait jamais quand on va avoir besoin d'un costume neuf. C'est ta taille, en plus, ça alors ! On dirait presque qu'il a été fait pour toi, ajouta-t-il en lançant un clin d'œil à Lou. Puisse ta dignité extérieure refléter la dignité de ton âme, déclara-t-il en lui donnant le costume.

— Euh, oui, d'accord. Merci, répondit Lou sans trop comprendre.

Rapidement, il le prit des mains tendues de Gabe.

Dans l'ascenseur des employés, Lou profita d'être seul pour s'examiner dans le miroir. Rien à voir avec l'homme qui s'était réveillé allongé par terre il y a une demi-heure. Le costume que Gabe lui avait donné n'était pas un vêtement de marque – ce à quoi Lou n'était pas habitué – mais il lui allait mieux que n'importe quel autre costume. Le bleu de la chemise et de la cravate contrastait avec le bleu marine du pantalon et de la veste et faisait ressortir ses yeux, innocents et angéliques.

La journée s'annonçait bien pour Lou Suffern. Il était de nouveau beau et chic. Ses chaussures avaient été polies à la perfection par Gabe, n'ayant pas à rougir du temps où elles dansaient sur les trottoirs. Il avait retrouvé son allure décontractée : la main gauche glissée dans la poche avec désinvolture, le bras droit qui se balançait nonchalamment le long de son corps en rythme avec son pas et restait à chaque instant disponible pour répondre au téléphone et/ou serrer une main. Il était l'Homme de l'année. Suite à un coup de fil passé à sa femme et à Lucy, il avait appris qu'il avait aussi été désigné Père de l'année par sa fille, et ses chances d'être élu Mari de l'année au cours des deux prochaines décennies augmentaient. Il était heureux, tellement heureux qu'il sifflait et ne s'arrêta pas quand Alison l'informa que sa sœur était au téléphone et l'attendait. Il attrapa le combiné avec joie et hissa ses fesses sur le coin du bureau d'Alison.

— Bonjour, Marcia, dit-il gaiement.

— Tu es de bonne humeur ce matin. Je sais que tu es très occupé, Lou, je ne vais pas t'embêter longtemps. Je voulais simplement te dire que nous avons tous reçu les invitations pour l'anniversaire de papa, elles sont… très jolies… très chic… Ce n'est pas ce que j'aurais choisi mais bon… enfin bref, j'ai parlé à quelques personnes au téléphone et il semble qu'elles n'aient pas encore reçu la leur.

— Ah, elles ont dû se perdre dans le courrier, répondit Lou. On va les renvoyer.

— Mais c'est demain, Lou.

— Quoi ?

Il plissa les yeux et le front pour pouvoir se concentrer sur le calendrier posé sur le mur.

— Oui, son anniversaire est demain, reprit-elle, légèrement paniquée. Ils ne recevront pas les invitations à temps si tu les envoies maintenant. Je voulais simplement vérifier avec toi que ça ne poserait pas de problèmes s'ils venaient tous sans invitation. Après tout, ce n'est qu'une fête de famille.

— Ne t'inquiète pas. Envoie-nous les noms par mail et on mettra une liste des invités à la porte. On a la situation bien en main.

— Je voulais apporter deux trois choses pour…

— Tout est sous contrôle, répéta-t-il, plus fermement cette fois.

Il observa ses collègues qui avançaient dans le couloir et se dirigeaient vers la salle de réunion. Alfred était à la traîne. Il portait un blazer avec de gros boutons dorés, et ressemblait au capitaine d'un bateau de croisière.

— Qu'est-ce qu'il y a de prévu à cette soirée ? demanda Marcia nerveusement.

— Ce qu'il y a de prévu ? reprit-il en riant. Voyons, Marcia, c'est mieux si c'est une surprise pour tout le monde, non ?

— Toi, tu sais ce qui est prévu ?

— Si je sais ce qui est prévu ? Marcia, tu n'as pas confiance en moi ?

— Je crains que tu n'aies répété chacune de mes questions uniquement pour te donner le temps de trouver une réponse, expliqua-t-elle spontanément.

— Évidemment que je suis au courant de tout, tu crois que je laisserais Alison s'en occuper toute seule ? demanda-t-il en riant. Voyons, elle n'a jamais rencontré papa, ajouta-t-il, reprenant à son compte les commentaires qu'il avait entendus circuler entre certains membres de sa famille.

— Il est important que quelqu'un dans la famille soit impliqué, Lou. Cette Alison m'a l'air d'être une fille charmante mais elle ne connaît pas vraiment papa, si ? Je l'ai appelée à plusieurs reprises pour lui proposer mon aide mais elle ne m'a pas semblé très disponible. Je veux que papa passe la meilleure soirée de sa vie.

— Ce sera le cas, Marcia, ce sera le cas, assura Lou qui commençait à avoir des crampes d'estomac. On va tous bien s'amuser, je te promets. Mais tu sais que je ne pourrai pas être là au début parce qu'il y a la fête de Noël au bureau. Il faut que je fasse un peu de présence ici mais j'arriverai dès que possible.

— Oui, je sais, je comprends tout à fait. Tu vois, Lou, je veux simplement que papa soit heureux. Il passe tellement de temps à s'assurer qu'on l'est tous. Je veux qu'il puisse enfin se détendre et s'amuser.

— Ouais, souffla Lou en avalant sa salive pour masquer son anxiété. Moi aussi. OK, il faut que j'y aille, j'ai une réunion qui commence. On se voit demain, d'accord ?

Il tendit le combiné à Alison. Il ne souriait plus.

— Tout est sous contrôle, n'est-ce pas ?

— De quoi ?

— La fête, dit Lou avec fermeté. La fête de mon père.

— Lou, j'essaye de vous en parler depuis le début de la sem…

— Tout est sous contrôle ? Parce que si ce n'est pas le cas, vous me le diriez, non ?

— Absolument, déclara Alison en souriant nerveusement. L'endroit que vous avez choisi est très, euh, comment dire, cool, et ils ont leur propre équipe d'organisation d'événements. Je vous ai déjà parlé de ça, ajouta-t-elle rapidement. À plusieurs reprises, cette semaine. Je vous ai aussi laissé sur votre bureau différentes options en matière de nourriture et de musique pour que vous preniez une décision. Mais comme vous ne m'avez rien dit, j'ai dû prendre la décision moi-mê…

— OK, Alison. Et, pour l'avenir, sachez que quand je vous demande si tout est sous contrôle, je veux simplement une réponse par oui ou par non, indiqua-t-il avec politesse mais fermeté. Je n'ai pas le temps de répondre à vos questions et à vos petits mots. Tout ce que je veux savoir, c'est si vous pouvez faire ce que je vous demande ou pas. Si ce n'est pas le cas, pas de problème, on voit ce qu'on peut faire d'autre. OK ?

Elle hocha la tête énergiquement.

— Parfait, conclut-il en frappant dans ses mains et en descendant du bureau. Maintenant, faut que j'aille à cette réunion.

— Tenez, dit-elle en lui tendant une pile de dossiers. Et bravo pour ces deux contrats que vous avez négociés hier, tout le monde ne parle que de ça.

— Ah bon ?

— Bien sûr, reprit-elle, les yeux ébahis. Certains disent même que vous allez obtenir le poste de Cliff.

C'était exactement ce que Lou avait envie d'entendre mais il préféra rester prudent et ne pas se réjouir trop vite.

— Alison, ne mettons pas la charrue avant les bœufs. Nous espérons tous que Cliff va se rétablir rapidement.

— Oui, évidemment, mais… Quoi qu'il en soit, continua-t-elle en souriant, on se voit à la fête demain soir ?

— Tout à fait, répondit-il en souriant à son tour.

Arrivé devant la salle de réunion, il comprit alors seulement ce qu'elle avait voulu dire.

Quand Lou entra dans la pièce, les douze personnes autour de la table se levèrent pour l'applaudir. Ils affichaient de larges sourires, dévoilant leurs dents éclatantes. Ils avaient encore les yeux fatigués et leurs épaules, soumises à un stress permanent, avaient grandement besoin d'un massage. Tous les gens qu'il connaissait subissaient ça. Pas assez d'heures de sommeil ; une incapacité à lâcher prise côté travail, sans oublier tout ce qui s'y rapprochait de près ou de loin, ordinateur portable, BlackBerry et téléphone ; tous objets que chacun des membres de leur famille avait envie de voir disparaître dans les toilettes. Si tous ses collègues étaient contents pour lui, ils n'en étaient pas moins lessivés par toute cette année de stress. Ils tenaient le coup pour ne pas sombrer, payer leurs traites, présenter leurs exposés, remplir les quotas, faire plaisir au patron, arriver suffisamment tôt en évitant les bouchons, traîner au bureau suffisamment longtemps le soir pour rentrer tranquillement. Toutes les personnes présentes dans cette pièce travaillaient en ce moment sans compter leurs heures, espérant boucler leurs dossiers avant Noël. Et plus elles travaillaient, plus la pile des ennuis personnels augmentait. On verrait ça pendant les vacances de Noël. Le moment idéal pour se consacrer à sa famille et régler les problèmes qu'on a mis de côté pendant toute l'année. Des fêtes de fin d'année de folie...

Les applaudissements les plus enthousiastes provenaient de M. Patterson. Tous se joignirent à lui sauf Alfred, qui mit bien du temps avant de se lever. Alors que les autres étaient déjà tous debout, lui reculait lentement sa chaise. Alors qu'ils applaudissaient, il rajustait sa cravate et boutonnait ses boutons dorés. Il parvint à applaudir une fois avant que les applaudissements ne cessent, une seule frappe qui ressemblait davantage à un ballon qui éclate.

Lou fit le tour de la table, serrant des mains, donnant des tapes dans le dos, faisant la bise. Quand il arriva devant Alfred, son ami s'était déjà rassis mais il tendit une main molle et moite que Lou attrapa.

— Ah, l'homme de l'année ! s'écria M. Patterson, heureux.

Il serra chaleureusement la main de Lou et posa sa main gauche sur le haut de son bras. Il se tint droit et observa Lou avec fierté, comme un grand-père le jour de la communion de son petit-fils, rayonnant d'admiration et de satisfaction.

— Vous et moi allons avoir une conversation plus tard, dit-il à voix basse pendant que les autres continuaient de parler entre eux. Vous savez qu'il va y avoir des changements après Noël, ce n'est plus un secret, ajouta-t-il solennellement pour ne pas trahir Cliff.

— Oui, répondit Lou sagement, ravi d'être celui à qui on faisait une confidence, même si tout le monde était déjà au courant.

— On en reparle, d'accord ? reprit M. Patterson fermement.

Les conversations autour de la table prenaient fin et M. Patterson se rassit. Tout le monde se tut.

Lou avait l'impression de flotter. Il s'assit mais avait énormément de mal à suivre la discussion ce matin.

Du coin de l'œil, il vit qu'Alfred avait certainement saisi la fin des propos de M. Patterson.

— Tu as l'air fatigué, Lou. Tu as fêté ça toute la nuit ? lui demanda un collègue.

— Non, je suis resté auprès de ma fille qui a vomi toute la nuit. Elle a dû attraper quelque chose. Ma femme aussi, je crois. Quelle nuit ! répondit-il.

Il sourit en pensant à Lucy, bien bordée dans son lit, la moitié du visage recouvert de sa frange épaisse.

Alfred rit et sa respiration sifflante résonna dans la pièce.

— Mon fils a eu la même chose la semaine dernière, constata M. Patterson, ignorant la sortie d'Alfred. Ça circule.

— En effet, ça circule, répéta Alfred en regardant Lou.

L'hostilité d'Alfred émanait par vagues, un peu comme les ondes de chaleur qui vibrent au-dessus d'une route en plein désert. Elle s'écoulait depuis son âme, comprimant l'air autour de lui, et Lou se demanda s'il était le seul à l'avoir remarqué. Lou avait de la peine pour lui ; il voyait bien qu'il était perdu et effrayé.

— Il n'y a pas que moi que vous devez féliciter, suggéra Lou à l'assemblée. Alfred aussi a participé au contrat de New York. Et il a fait un excellent boulot.

— Absolument, enchaîna Alfred tout joyeux, s'intéressant de nouveau à ce qui se passait dans la pièce. (Il tripota sa cravate, ce qui inquiéta Lou.) Mais Lou a été sympa, il m'a rejoint à la fin, au moment où j'ai conclu l'affaire.

Toutes les personnes autour de la table se mirent à rire mais pas Lou. Le commentaire d'Alfred l'avait touché en plein cœur. Il eut l'impression d'être de nouveau Aloysius, à l'époque où il avait huit ans et jouait au foot. Il avait été sorti du match quelques minutes seulement avant la fin de la finale parce que son coéquipier, jaloux du fait que Lou marquait plus de buts que lui, l'avait violemment frappé entre les jambes. Lou s'était effondré, à bout de souffle, le visage rouge, pris de vertige et de nausée. Il était resté allongé sur le terrain, ses mains recouvrant son entrejambe, le visage brûlant et trempé de sueur, dégoulinant de frustration. Tous ses coéquipiers s'étaient rassemblés autour de lui et l'avaient regardé avec étonnement, se demandant s'il ne faisait pas semblant. Mais ça n'avait pas tant été le coup de pied dans les parties génitales qui lui avait fait mal, mais l'identité de celui qui avait frappé et les raisons qui se cachaient derrière son geste.

— Oui, nous avons déjà complimenté Alfred, expliqua M. Patterson, sans le regarder. Mais comment avez-vous fait, Lou, pour signer deux contrats en même temps ? Nous savons tous que vous pouvez faire plusieurs choses à la fois quand vous êtes en forme, mais là vous avez fait preuve de grandes qualités d'organisation et, évidemment, de négociation.

— Oui, extraordinaire, renchérit Alfred sur un ton enjoué mais empreint de méchanceté. Presque incroyable. Voire anormal. C'était quoi, Lou, des amphétamines ?

Des rires nerveux se firent entendre. Quelqu'un toussa puis ce fut le silence. M. Patterson détendit l'atmosphère en évoquant l'ordre du jour mais les dégâts étaient faits. La remarque d'Alfred flottait dans l'air. L'admiration que les gens éprouvaient pour Lou fut remplacée par un doute, une graine avait été plantée dans chaque cerveau. Que les gens y croient ou pas n'avait pas d'importance, désormais, chaque fois que Lou réussirait quelque chose, chaque fois qu'à l'avenir on prononcerait son nom, le commentaire d'Alfred remonterait brièvement, voire inconsciemment, à la surface, et cette graine pousserait, jaillirait de sous la terre et pointerait son vilain nez.

Après tous ces efforts, toutes ces absences loin de sa famille, à sortir de la maison en courant pour se rendre au bureau, à embrasser Ruth rapidement sur la joue pour serrer longuement la main d'inconnus, il avait enfin eu son moment de gloire. Deux minutes de poignées de main et d'applaudissements. Suivies d'un doute monumental.

— Tu as l'air heureux, commenta Gabe en posant un paquet sur un bureau voisin.

— Gabe, mon ami, je te dois une fière chandelle, déclara Lou, rayonnant, en sortant de la salle de réunion. (Il faillit même le prendre dans ses bras, mais il baissa la voix et ajouta :) Est-ce que tu peux... me rendre le flacon, s'il te plaît ? J'étais très fatigué ce matin, pratiquement hors service, et je ne sais pas ce qui m'a pris. Évidemment que je crois à tes remèdes à base de plantes.

Gabe ne répondit pas. Il continua de distribuer des paquets et des enveloppes aux bureaux autour de lui pendant que Lou le regardait, plein d'espoir, comme un chien qui attend qu'on aille le promener.

— Je pense juste que je vais en avoir besoin, poursuivit-il en adressant un clin d'œil à Gabe. Tu comprends ?

Gabe parut troublé.

— Cliff ne va pas revenir, murmura-t-il tout en essayant de contenir son enthousiasme. Il est complètement cuit.

— Ah, le pauvre jeune homme qui a fait une dépression nerveuse ? fit Gabe, toujours occupé avec son courrier.

— Oui, souffla Lou, réprimant un cri de joie. Ne le répète à personne.

— Que Cliff ne va pas revenir ?

— Oui, et que... tu sais, dit-il en regardant autour de lui. Enfin, tout le reste. Peut-être un nouveau travail, certainement une promotion. Une belle hausse de salaire, ajouta-t-il en souriant. Il va bientôt m'en parler. (Lou se racla la gorge.) Quel que soit l'avenir qu'il me réserve, je vais avoir besoin de ces fameux remèdes à base de plantes parce que je ne peux pas maintenir ce rythme de travail sans finir soit divorcé soit six pieds sous terre.

— Ah oui. Ça… Eh bien tu ne peux pas en avoir.

Gabe s'éloigna, poussant son chariot dans le couloir. Lou le suivit de près, comme un jack russell essayant de mordre les chevilles du facteur.

— Allez, je te les payerai. Au prix que tu veux. Tu me les vends combien ?

— Je ne veux rien.

— OK, je vois, tu veux certainement les garder pour toi. Mais tu peux au moins me dire où je peux en trouver ?

— Tu ne peux les trouver nulle part. J'ai jeté le flacon. Tu avais raison, il ne faut pas jouer avec ça, c'est dangereux. Sur un plan psychologique. Sans parler des effets secondaires. Si ça se trouve, ces cachets provoquent de gros dégâts à la longue. Je crois qu'ils n'étaient pas faits pour un usage quotidien, Lou. Peut-être que c'était seulement une expérience scientifique qui a réussi à s'échapper du laboratoire ?

— Tu as fait quoi ? s'écria Lou, paniqué, ignorant tout ce que Gabe avait dit. Où l'as-tu jeté ?

— Dans une poubelle.

— Eh bien, va me le chercher. Escalade et récupère-le, ordonna Lou, furieux. Si tu l'as mis là ce matin, il y sera toujours. Allez, Gabe, dépêche-toi ! pressa-t-il en le poussant dans le dos.

— Laisse tomber, Lou. J'ai ouvert la benne et je l'ai balancé dedans. Compte tenu de ce que tu y as toi-même déposé cette nuit, j'éviterai d'y aller.

Lou l'attrapa par le bras et le mena jusqu'à l'ascenseur du personnel.

— Montre-moi.

Une fois dehors, Gabe désigna la poubelle jaune, énorme et sale. Lou s'y précipita. À l'intérieur, il pouvait voir le flacon flotter sur le dessus, si près qu'il pou-

218

vait presque le toucher. À côté, il y avait un tas de cachets qui stagnaient dans un liquide visqueux marron-vert. L'odeur était terrible et il dut se boucher le nez pour ne pas vomir. Lou commençait à perdre espoir. Il enleva cependant sa veste de costume et la lança à Gabe pour qu'il l'attrape. Il remonta ses manches de chemise et se prépara à plonger ses mains dans la fange puante. Il hésita avant de s'aventurer.

— Si je ne peux pas récupérer ces comprimés, je peux en avoir d'autres ?

— Non, répondit Gabe qui se tenait près de la porte et l'observait, les bras croisés pour marquer son ennui. Ils n'en fabriquent plus.

— Quoi ? s'écria Lou en se retournant. Qui les a faits ? Je les payerai pour qu'ils en fabriquent encore.

Ce manège hystérique se poursuivit pendant quelque temps. Lou continua à interroger Gabe pour savoir comment il pouvait obtenir des cachets, jusqu'à ce qu'il se rende compte que la seule façon d'en récupérer était de plonger les mains dans la bouillasse devant lui. Incapable de comprendre l'enjeu, il ne se rendait pas compte que le problème qu'il avait à régler n'était pas au fond de cette poubelle mais dans sa vie.

— Merde, peut-être que je peux les laver.

Il s'avança et se pencha au-dessus. L'odeur lui donna des haut-le-cœur.

— Putain, mais c'est quoi ?

Il toussa, pris de nausée, et dut reculer.

— Bordel ! souffla-t-il en donnant un coup de pied dans la benne.

La douleur lui fit regretter son geste.

— Oh, regarde, bredouilla Gabe d'un ton morne. Je crois que j'en ai fait tomber un par terre.

— Quoi ? Où ça ?

Il oublia instantanément la douleur dans son orteil et fit volte-face comme un enfant qui court vers la dernière chaise au jeu des chaises musicales. Il examina le sol. Entre les pavés, il aperçut quelque chose de blanc. Il se pencha davantage et vit que c'était un comprimé.

— Ah ! ah ! J'en ai trouvé un !

— Oui, je les ai jetés de loin parce que l'odeur était trop insupportable, expliqua Gabe. Certains ont dû tomber à côté.

— Certains ? Combien ?

Lou se mit à quatre pattes, fouillant frénétiquement.

— Lou, tu devrais retourner à l'intérieur. Tu as eu une bonne journée. Pourquoi est-ce que tu ne te contentes pas de ça ? Fort de ce que tu as appris, tu passes à autre chose.

— Oui, c'est vrai, j'ai appris certaines choses, affirma-t-il, le nez sur les pavés. J'ai appris que, avec ces trucs, je suis un héros. Ah ! ah ! En voilà une autre.

Il estima que ces deux-là étaient les seuls qu'il pouvait sauver. Satisfait, il les emballa dans un mouchoir et les fourra dans sa poche. Il se redressa et épousseta ses genoux.

— Deux, ça suffira pour le moment, dit-il en s'essuyant le front avec son mouchoir. J'en aperçois deux encore sous la benne mais je vais les laisser là en attendant.

Une fois debout, les genoux noirs et sales, les cheveux en pagaille, il pivota sur lui-même et se rendit compte qu'ils n'étaient pas seuls. Alfred se tenait à côté de Gabe, les bras croisés, un air suffisant sur le visage.

— Tu as fait tomber quelque chose, Lou ? Eh bien, qu'avons-nous là ? En effet, tu es l'homme de l'année.

22

Joyeuses fêtes

— Tu y seras, n'est-ce pas, Lou ? demanda Ruth, bien décidée à dissimuler la panique dans sa voix.

Elle se déplaça dans la chambre et le bruit de ses pieds nus sur le parquet ressemblait à celui d'un petit enfant qui frappe la surface de l'eau. Ses longs cheveux châtains étaient emprisonnés dans des bigoudis. Son corps était enroulé dans une serviette de bain, et des perles d'eau scintillaient sur ses épaules.

Dans son lit, Lou observait le va-et-vient de sa femme comme un spectateur à un match de tennis. Ils se rendaient en centre-ville dans des voitures différentes à des horaires différents ; lui devait aller à la fête du bureau avant de rejoindre sa famille plus tard pour la fête d'anniversaire de son père. Il venait à peine de rentrer à la maison, s'était douché et habillé en vingt minutes, mais au lieu de faire les cent pas en attendant impatiemment sa femme, il avait décidé de s'allonger sur le lit et de la contempler. Il s'était tout juste rendu compte ce soir que regarder Ruth était bien plus intéressant qu'arpenter le hall d'entrée et se mettre en colère. Lucy l'avait rejoint sur le lit quelques instants auparavant et se tenait blottie dans sa couverture. Elle sortait du bain. Elle était en pyjama et sentait tellement bon la fraise qu'il avait envie de la croquer.

— Bien sûr que je serai là, dit-il en souriant.

— C'est simplement que tu aurais dû partir il y a au moins une demi-heure et tu es donc déjà en retard.

Elle passa rapidement devant lui et disparut dans le dressing. La fin de sa phrase s'évanouit en même temps qu'elle. Des bruits étouffés dérivèrent jusqu'à lui, mais les mots restèrent accrochés aux cintres dans la penderie ou pliés sur les étagères. Il s'allongea sur le lit, mit ses mains derrière sa tête et rit.

— Elle parle vite, murmura Lucy.

— Oui, ça lui arrive, affirma Lou en souriant.

Il tendit la main et repoussa une mèche de cheveux derrière l'oreille de sa fille.

Ruth revint dans la pièce, en culotte.

— Tu es magnifique, déclara-t-il.

— Papa ! gloussa Lucy aux éclats. Elle est en culotte !

— Oui, eh bien, elle est magnifique en culotte.

Il laissa ses yeux glisser sur Ruth pendant que Lucy se roulait sur le lit en riant.

Ruth se retourna et l'étudia rapidement. Lou vit qu'elle ravalait sa salive, le visage étonné. Elle n'avait pas l'habitude d'être au centre d'une telle attention et se demandait s'il n'agissait pas par culpabilité. Elle avait aussi peur de retrouver espoir, peur de s'imaginer le meilleur et d'être encore une foïs déçue. Elle disparut dans la salle de bains un instant et, revenue dans la chambre, se mit à sautiller en culotte.

Lucy et Lou éclatèrent de rire en la voyant.

— Qu'est-ce que tu fais ? demanda Lou.

— Je fais sécher mon lait hydratant, expliqua-t-elle.

Elle courait sur place, le sourire aux lèvres.

Lucy se leva pour se joindre à elle, pouffant et dansant, avant de décider que sa mère était sèche et qu'elle pouvait retourner auprès de son père sur le lit.

— Pourquoi es-tu encore ici ? demanda Ruth tendrement. Tu ne devrais pas faire attendre M. Patterson.

— Je m'amuse bien plus ici.

— Lou, reprit-elle en riant, bien que j'apprécie le fait que tu sois immobile pour la première fois en dix ans, je pense qu'il faut vraiment que tu y ailles. Je sais que tu as dit que tu serais là ce soir mais...

— Je serai là ce soir, répondit-il, vexé.

— OK, mais, s'il te plaît, n'arrive pas trop tard, poursuivit-elle en parcourant la pièce. La plupart des gens qui viennent à la fête d'anniversaire de ton père ont plus de soixante-dix ans. À l'heure où toi tu auras l'impression que la nuit ne fait que commencer, ils seront peut-être déjà tous partis ou endormis.

Elle retourna dans la penderie.

— Je serai là, répéta-t-il, surtout pour lui-même.

Il l'entendit farfouiller dans des tiroirs, ouvrir des placards. Elle se cogna, jura, fit tomber quelque chose. Quand elle réapparut dans la pièce, elle portait une robe de cocktail noire.

D'habitude, il lui aurait dit qu'elle était belle par automatisme, sans prendre la peine de la regarder. Il pensait que c'était son devoir, que c'était ce qu'elle avait envie d'entendre, qu'ainsi ils pourraient sortir de la maison plus vite, ou que cela l'empêcherait d'avoir la bougeotte entre la porte et la voiture. Mais ce soir, il se rendit compte qu'il était sans voix. Elle était magnifique. C'était comme si toute sa vie on lui avait dit que le ciel était bleu mais que pour la première fois il levait la tête et le voyait de ses propres yeux. Pourquoi ne le regardait-il pas tous les jours ? Il s'allongea sur le ventre et posa sa tête dans le creux de sa main. Lucy l'imita. Ils observèrent tous les deux la merveille qu'était Ruth. Et dire que depuis dix ans, au lieu de profiter de cette vue sublime, il faisait les cent pas en bas en pestant...

— Et souviens-toi, annonça-t-elle en remontant la fermeture Éclair de sa robe et en passant devant eux, pour son anniversaire tu as offert à ton père une croisière.

— Je croyais qu'on lui offrait un abonnement au club de golf.

— Lou, il déteste le golf.

— Ah bon ?

— Papy déteste le golf, renchérit Lucy.

— Il a toujours voulu aller à Santa Lucia. Tu te souviens de l'histoire d'Ann et de Douglas ? Ils ont gagné un voyage grâce à un jeu concours sur une boîte de céréales.

— Non, répondit Lou en fronçant les sourcils.

— Le concours sur la boîte de céréales…

Revenant vers la penderie, elle s'arrêta en chemin et le regarda avec étonnement.

— Oui, eh bien quoi ? demanda-t-il

— Il a raconté cette histoire des dizaines de fois, Lou. Que Douglas s'est inscrit au jeu concours qui se trouvait au dos d'une boîte de céréales et qu'ils ont gagné un voyage à Santa Lucia… Ça ne te dit rien ?

Elle chercha une lueur dans son regard, un signe qui lui indiquerait qu'il savait de quoi elle parlait.

Lou secoua la tête.

— Ça alors, comment peux-tu ne pas être au courant ?

Elle poursuivit son chemin jusqu'au dressing.

— C'est son histoire préférée. Je pense qu'il sera très ému.

— Papa ne sera pas *très* ému, déclara-t-il en souriant. Il n'est *jamais* ému.

Ruth entra dans la penderie et ressortit avec une chaussure au pied et l'autre sous son bras. Clopin-clopant, elle parvint jusqu'à la table de nuit.

Lucy gloussa.

Ruth mit ses bijoux, ses boucles d'oreilles, son bracelet. Elle prit ensuite la chaussure qui était sous son bras et la passa à son pied.

Lou sourit de nouveau et la vit disparaître dans la salle de bains.

— Oh, reprit-elle une fois à l'intérieur et en élevant la voix. Quand tu verras Mary Walsh, ne lui parle pas de Patrick.

Elle se pencha pour regarder Lou. La moitié de sa tête était encore recouverte de bigoudis. Sur l'autre moitié, ses cheveux étaient relâchés et bouclés. Elle semblait triste.

— Il l'a quittée.

— OK, répondit-il en essayant de rester aussi sérieux que possible.

Quand elle eut disparu, Lou se tourna vers Lucy.

— Patrick a quitté Mary Walsh, annonça-t-il. Tu le savais ?

Lucy secoua la tête énergiquement.

— C'est toi qui lui as dit de partir ?

Lucy secoua de nouveau la tête, hilare.

— Qui aurait pu croire qu'une chose pareille arriverait ?

Lucy haussa les épaules.

— Peut-être Mary ?

— Peut-être, conclut Lou en riant.

Ah, et s'il te plaît, ne demande pas à Laura si elle a maigri. Tu le fais à chaque fois et elle déteste.

— Je pensais que ça lui faisait plaisir, expliqua-t-il en plissant le front.

Ruth se mit à rire.

— Chéri, ça fait dix ans qu'elle ne cesse de grossir. Elle a l'impression que tu te moques d'elle.

— Laura est une grosse dinde, murmura-t-il à Lucy qui s'écroula de rire sur le lit.

Il soupira en apercevant l'heure. Il se sentait étrangement inquiet.

— OK, il faut vraiment que j'y aille. À demain, dit-il à Lucy en l'embrassant sur le haut de la tête.

— Je t'aime beaucoup plus maintenant, papa, déclara-t-elle joyeusement.

Lou se figea alors qu'il se relevait du lit.

— Qu'est-ce que tu as dit ?

— J'ai dit que je t'aimais beaucoup plus maintenant, répéta-t-elle en souriant, révélant un trou à la place d'une de ses dents en bas. Moi, maman et Pud, on va faire du patin à glace demain. Tu veux venir ?

Perturbé et surpris par sa remarque et par la façon dont cela l'affectait, il répondit simplement :

— Oui, d'accord.

Ruth revint dans la chambre, apportant une vague de parfum avec elle. Ses cheveux dégringolaient le long de ses épaules, son maquillage était parfait. Il ne pouvait la quitter des yeux.

— Maman, maman ! hurla Lucy en sautant sur le lit. Papa va venir faire du patin à glace avec nous demain !

— Lucy, descends de là, tu n'as pas le droit de sauter sur le lit. Allez, ma chérie, descends. Merci. Tu te rappelles quand je t'ai dit que papa était un homme très occupé et qu'il n'avait pas le temps de...

— Je vais venir, interrompit Lou.

— Oh, souffla-t-elle, stupéfaite.

— Ça ne te dérange pas ?

— Non, bien sûr, simplement... Non, absolument pas. C'est super.

Elle hocha la tête et partit dans l'autre direction, manifestement troublée. La porte de la salle de bains se referma doucement derrière elle.

Il la laissa seule cinq minutes mais ne put pas attendre davantage.

— Ruth, commença-t-il en grattant doucement la porte de la salle de bains. Ça va ?

— Oui, tout va bien.

Elle se racla la gorge et reprit, d'un ton beaucoup plus joyeux qu'elle ne l'aurait souhaité.

— Je... Je me mouche, c'est tout.

Et en effet, il l'entendit se moucher.

— D'accord. Bon, on se voit tout à l'heure, dit-il.

Il aurait aimé être près d'elle et la serrer dans ses bras mais se dit que si elle avait voulu qu'il entre, elle lui aurait ouvert la porte.

— OK, dit-elle, moins enthousiaste. On se voit à la fête.

La porte resta fermée, alors il partit.

226

Les bureaux de Patterson Développements grouillaient de collègues plus ou moins éméchés. Il n'était que 19 h 30 mais certains étaient déjà cuits. Contrairement à Lou, qui était rentré chez lui, les autres avaient attendu dans un pub de pouvoir se rendre à la fête. Il y avait des femmes qu'il reconnaissait à peine dans des robes laissant entrevoir des corps dont il n'avait jamais soupçonné l'existence sous leurs tailleurs stricts ; et il y avait des femmes dont les corps ne semblaient convenir qu'à ces tailleurs stricts. La solennité de la journée s'était évanouie : une atmosphère adolescente flottait, pleine du désir de se faire valoir et de montrer aux autres qui on était vraiment. Aujourd'hui, on brisait les règles, on disait ce que l'on pensait – ce qui rendait les lieux hostiles et dangereux. Du gui avait été accroché au-dessus de chaque porte. Lou avait d'ailleurs été embrassé deux fois par des opportunistes bien planqués à la sortie de l'ascenseur.

On avait tombé la veste et mis des cravates farfelues, des chapeaux de Père Noël et des bois de renne en peluche. Des décorations de Noël pendaient aux oreilles des femmes – et des hommes. Après avoir travaillé si dur, ils avaient bien l'intention de s'amuser tout autant.

— Où est M. Patterson ? demanda Lou à Alison.

Elle était assise sur les genoux du Père Noël. C'était le cinquième que Lou voyait de la soirée. Les yeux d'Alison étaient vitreux et elle semblait incapable de se concentrer sur quoi que ce soit. Elle portait une robe rouge moulante qui révélait chaque courbe de son corps. Il se força à détourner le regard.

— Et qu'est-ce que tu veux pour Noël, jeune homme ? claironna la voix sous le costume.

— Oh, salut, James, dit Lou poliment.

— Il veut une promotion ! hurla quelqu'un dans la foule.

Certains répondirent en ricanant.

— Pas seulement une promotion, il veut le poste de Cliff ! cria un autre, avec des bois de renne.

L'assemblée rit de plus belle.

Pour cacher sa honte et son énervement, Lou se força à rire avec les autres. Quand les discussions se concentrèrent sur autre chose, il en profita pour s'éclipser. Il se réfugia dans son bureau, qui était calme et silencieux. Pas le moindre brin de gui, pas la moindre guirlande en vue. Il s'assit, la tête dans ses mains, et attendit que M. Patterson l'appelle. Il entendait la foule chanter en hurlant *Jingle Bells*. Tout à coup, la porte s'ouvrit et la musique se fit plus forte. Puis la musique se radoucit dès que la porte se referma. Il savait qui était entré sans même avoir eu à redresser la tête.

Alison s'avançait vers lui, un verre de vin rouge dans une main, un verre de whisky dans l'autre. Dans cette robe rouge moulante, ses hanches se balançaient d'un côté à l'autre et lui faisaient penser à ce truc qui pend au fond de la gorge. Ses chevilles, perchées sur de hauts talons, vacillaient. Elle renversa un peu de vin rouge sur son pouce.

— Attention, conseilla Lou.

Il ne la perdait pas des yeux mais restait immobile, à la fois sûr de lui et hésitant.

— Tout va bien.

Elle posa son verre sur la table. Elle se suça langoureusement le pouce et lécha les gouttes de vin sur sa peau, tout en regardant Lou de manière séduisante.

— Je vous ai apporté un whisky.

Elle le lui tendit et posa une fesse sur le bureau.

— À votre santé.

Ils firent tinter leurs verres. Sans détacher ses yeux des siens, elle but.

Lou se racla la gorge. Il avait l'impression d'étouffer et il recula sa chaise. Alison prit cela pour une invitation et elle fit glisser ses fesses le long du bureau pour se retrouver face à lui. Sa poitrine lui effleurait le nez. Il détacha son regard et le posa sur la porte. Il se trouvait dans une situation dangereuse. Ce serait très mal interprété. Il se sentait vraiment très bien.

— Nous n'avons jamais pu terminer ce que nous avions commencé la dernière fois, murmura-t-elle en souriant. D'habitude, on débarrasse son bureau avant de partir en vacances. Je pensais vous donner un coup de main, ajouta-t-elle, la voix grave et sensuelle.

Elle poussa quelques dossiers posés là – qui glissèrent et se renversèrent par terre.

— Mince, souffla-t-elle, souriant toujours.

Elle était assise sur le bureau devant lui. Sa robe rouge remontait le long de ses cuisses, dévoilant ses longues jambes bronzées et musclées.

Des gouttes de sueur perlèrent sur le front de Lou. Il réfléchit aux options possibles. Sortir et partir à la recherche de M. Patterson ou rester ici avec Alison. Il avait toujours dans sa poche les deux cachets qu'il avait trouvés près de la benne à ordures. Il pouvait en avaler un et faire les deux. Lister ses priorités : rester avec Alison et aller à la fête d'anniversaire de son père. Non, voir M. Patterson, aller à la fête d'anniversaire de son père. Les deux en même temps.

Décroisant les jambes, Alison se servit de son pied pour ramener le fauteuil vers elle. Lou roula jusqu'au bureau et fut accueilli par de la dentelle rouge nichée entre les cuisses de son assistante. Elle s'installa sur le bord de la table et remonta sa robe un peu plus haut, si haut qu'il ne pouvait plus regarder ailleurs. Il pouvait prendre un comprimé : être avec Alison et être avec Ruth.

Ruth.

Alison se pencha en avant et le tira à elle. Elle avait plaqué ses mains sur son visage et il sentait ses faux ongles sur ses joues. Il pensa à ce tapotement sur les touches du clavier qui le rendait fou tous les jours. Ils étaient là, les ongles, sur son visage, sur son torse, courant le long de son corps. Ses doigts fins glissaient sur le tissu de son costume, le costume qui était censé être un reflet de sa moralité.

— Je suis marié, bredouilla-t-il tandis que la main d'Alison se posait sur son entrejambe.

Il y avait de la panique dans sa voix, ce qui lui donnait un air enfantin. Faible et si facile à convaincre.

Alison leva les yeux au ciel en arrière et ricana.

— Je sais, ronronna-t-elle, ses mains continuant à explorer le corps de Lou.

— Je ne plaisante pas, dit-il résolument.

Elle s'arrêta tout à coup et l'observa. Il la regarda à son tour, gravement, et ils ne se lâchèrent pas des yeux. Malgré ses efforts pour les masquer, les prémices d'un sourire se dessinèrent sur les lèvres d'Alison. Puis, ne pouvant plus se retenir, elle explosa de rire. Elle jeta sa tête en arrière et les pointes de ses longs cheveux blonds vinrent chatouiller la surface du bureau.

— Oh, Lou ! soupira-t-elle, essuyant les larmes apparues aux coins de ses paupières.

— Ce n'est pas une blague, assura-t-il avec plus de fermeté, dignité, confiance en lui.

Enfin, il se comportait en homme.

Comprenant qu'il ne plaisantait pas, Alison cessa de sourire.

— Ce n'est pas une blague ? lança-t-elle sèchement. (Elle releva les sourcils et le fixa intensément.) Vous avez peut-être réussi à la berner, elle, mais on n'est pas dupes, nous.

— Nous ?

Elle agita la main, méprisante.

— Nous. Tout le monde. Peu importe.

Il éloigna son fauteuil du bureau.

— Ah, d'accord, vous voulez des précisions ? Je vais vous en donner. Gemma, à la compta, Rebecca, à la cantine, Louise, à la formation, Tracey, votre secrétaire avant moi, et je n'ai jamais su comment s'appelait la nounou. Je continue ?

Elle sourit et prit une gorgée de vin, sans détacher son regard de Lou. Ses yeux s'embuèrent légèrement, ses cornées rougirent, comme si elles se remplissaient de vin.

— Vous vous rappelez ?

— C'était... commença-t-il, avalant sa salive. C'était il y a longtemps. Depuis, j'ai changé.

— La nounou, c'était il y a six mois, répondit-elle en riant. Bon Dieu, Lou, vous pensez vraiment qu'un homme peut changer en six mois ?

Lou fut pris de vertiges. Il avait la nausée. Il passa une main moite dans ses cheveux, envahi par la panique. Qu'avait-il fait ?

— Pensez-y, reprit-elle, enthousiaste. Quand vous deviendrez numéro 2 ici, vous pourrez avoir qui vous voulez. Mais souvenez-vous que j'étais la première.

Elle se mit à rire et posa son verre de vin. Elle tendit de nouveau le pied pour ramener le fauteuil vers elle.

— Mais si vous m'amenez avec vous, je ferai en sorte de satisfaire tous vos besoins.

Elle prit le verre de whisky qu'il avait dans les mains et le plaça sur le bureau. Puis elle attrapa ses mains et le releva. Engourdi, mou comme une poupée, il se laissa faire. Elle caressa son torse, saisit les revers de sa veste et le tira à elle. Alors que leurs lèvres s'apprêtaient à se rencontrer, il s'arrêta, dévia et finit sa course près de son oreille. Tout doucement, il murmura :

— Mon mariage n'est pas une blague, Alison. Mais vous, oui. Et ma femme est le genre de femme que vous ne serez jamais, même pas en rêve.

Sur ce, il recula et s'éloigna de son bureau.

Alison resta assise, figée, la bouche grande ouverte. Seules ses mains bougeaient tandis qu'elle essayait d'attraper le bord de sa robe.

— Ouais, dit-il en la regardant se rhabiller. Vous avez raison de recouvrir tout ça. Vous pouvez rester là quelques instants pour recouvrer vos esprits mais je vous prierai de remettre les dossiers sur la table en partant, ajouta-t-il calmement.

Fourrant ses mains dans ses poches pour masquer les tremblements de son corps, il sortit de son bureau et atterrit au milieu d'un karaoké. Alex, à la compta, était en train de chanter la version de Mariah Carey de *All I Want for Christmas*. Il avait trop bu et se donnait en spectacle. Autour de Lou, des serpentins éclatèrent, et des hommes et des femmes – tous ivres et barbus – le couvrirent de baiser alors qu'il s'éloignait dans le couloir.

— Il faut que j'y aille, annonça-t-il à personne en particulier, tout en essayant d'atteindre l'ascenseur.

Il se fraya un chemin à travers la foule. Certaines personnes cherchaient à l'attraper pour danser avec lui, d'autres se mettaient sur son passage et renversaient leur verre.

— Il faut que j'y aille, répéta-t-il, de manière plus agressive.

Il avait mal au crâne, envie de vomir, et l'impression de s'être réveillé dans le corps d'un autre homme – lequel avait pris les commandes de sa vie et tout détruit.

— C'est le soixante-dixième anniversaire de mon père, il faut que j'y aille, poursuivit-il, se dirigeant toujours vers l'ascenseur.

Enfin, il y parvint, appuya sur le bouton d'appel et ne se retourna pas. Il baissa la tête et attendit.

— Lou !

Il entendit quelqu'un l'appeler. Il garda la tête baissée, voulant ignorer la voix.

— Lou ! Il faut que je vous parle ! Un instant.

Il l'ignora encore. Il regardait intensément les voyants lumineux des étages s'allumer à mesure que l'ascenseur arrivait. Ses jambes tremblaient d'anxiété. Il espérait disparaître dans la cabine avant qu'il soit trop tard.

Il sentit une main se poser sur son épaule.

— Lou, je vous ai appelé ! s'écria une voix amicale.

Il se retourna.

— Ah ! Monsieur Patterson, bonsoir. Désolé.

Lou se rendait bien compte de la tension dans sa voix. Il fallait qu'il sorte d'ici, il l'avait promis à Ruth. Il appuya de nouveau sur le bouton d'appel.

— Je suis un peu pressé, je dois aller à une fête d'anniversaire, pour mon pè...

— Ça ne sera pas long, je vous promets. Quelques mots.

La main de M. Patterson se posa sur son bras.

— D'accord.

Lou se retourna et se mordilla la lèvre.

— En fait, j'avais espéré qu'on pourrait discuter dans mon bureau, si ça ne vous dérange pas, dit M. Patterson en souriant. Tout va bien ? Vous m'avez l'air un peu secoué.

— Je vais bien, c'est simplement que... je suis pressé.

Il laissa son patron lui prendre le bras.

— Évidemment, enchaîna M. Patterson en riant. Vous êtes toujours pressé.

Il entraîna Lou dans son bureau. Ils s'assirent l'un en face de l'autre sur de vieux et confortables fauteuils en cuir installés dans un coin du bureau de M. Patterson. Des gouttes de sueur perlaient sur le front de Lou ; il avait conscience de son odeur corporelle et il espérait que M. Patterson ne remarquerait rien. Il se pencha en avant pour attraper un verre d'eau devant lui ; il le porta à ses lèvres d'une main tremblante. M. Patterson ne le lâchait pas des yeux.

— Vous voulez quelque chose de plus fort, Lou ?

— Non merci, monsieur Patterson.

— Lawrence, s'il vous plaît, reprit M. Patterson en secouant la tête. Franchement, Lou, quand vous m'appelez « monsieur », j'ai l'impression d'être un instituteur.

— Désolé, monsieur Patter...

— Eh bien moi, je vais me servir un verre.

M. Patterson se leva de son fauteuil et se dirigea vers son placard à alcools. Il prit une carafe et se versa un cognac.

— Vous êtes sûr que vous ne voulez rien ? proposa-t-il de nouveau.

Il fit tourner son verre, cherchant à le narguer.

— D'accord, je veux bien. Merci, accepta Lou en souriant.

Il se détendit un peu. Son angoisse à l'idée d'arriver en retard à la fête de l'autre côté de la rue se résorbait doucement.

— Parfait, conclut M. Patterson, souriant lui aussi. Alors, Lou, parlons de votre avenir. Combien de temps avez-vous devant vous ?

Lou prit une première gorgée de ce cognac hors de prix et toute la réalité de sa situation lui sauta aux yeux. Il cacha sa montre sous sa manche pour ne pas être distrait par l'heure. Il se prépara à accueillir sa grande promotion. Bientôt ses chaussures polies marcheraient dans les pas de Cliff – non pas vers l'hôpital où il était interné en ce moment, mais vers son bureau de luxe, avec une vue panoramique sur la ville de Dublin. Il prit une grande inspiration et ignora le bruit des aiguilles de l'horloge sur le mur. Il mit la fête d'anniversaire de son père de côté. Ça en vaudrait bien la peine. Ils comprendraient. De toute manière, ils devaient tellement s'amuser qu'ils ne remarqueraient même pas son absence.

— J'ai tout le temps nécessaire, répondit Lou en souriant nerveusement, repoussant au loin la voix qui hurlait et cherchait à se faire entendre dans sa tête.

23

Surprise !

Quand Lou arriva – en retard – à la fête de son père, il transpirait abondamment. On aurait dit qu'il avait de la fièvre malgré le froid de décembre, un froid capable de glacer n'importe qui jusqu'aux os. Il avait la nausée et le souffle court, les deux en même temps. Soulagé et en même temps fébrile, il était épuisé.

Il avait décidé que la fête de son père aurait lieu dans le célèbre building que Gabe avait tant admiré le jour où ils s'étaient rencontrés. Construit en forme de voile, il était tout illuminé de bleu. Lou espérait impressionner son père et sa famille venue de tout le pays avec ce bâtiment qui avait reçu de nombreux prix. Devant l'immeuble, un grand mât de drakkar viking scintillait de décorations de Noël.

Dehors, près de la porte, Marcia se disputait avec le videur, un costaud vêtu de noir. Emmitouflées dans leurs manteaux, chapeaux et écharpes, une vingtaine de personnes attendaient là, frappant le sol avec leurs pieds en espérant se réchauffer.

— Salut, Marcia, s'écria Lou avec joie, cherchant à interrompre la dispute.

Il mourait d'envie de lui parler de sa promotion mais il dut freiner son enthousiasme. Il fallait qu'il le dise à Ruth en premier.

Marcia se tourna pour lui faire face. Ses yeux étaient rouges, bouffis, et son mascara avait coulé.

— Lou ! cracha-t-elle.

Sa colère ne disparut pas quand elle le vit, au contraire, elle s'intensifia. Tout ça, c'était sa faute.

Son estomac fit un saut périlleux, ce qui était assez rare. D'habitude, il se souciait peu de ce que sa sœur pensait de lui, mais ce soir ça lui semblait important.

— Qu'est-ce qui ne va pas ?

Elle laissa la foule derrière elle et se précipita vers lui.

— Ça fait une heure que j'essaye de t'appeler.

— J'étais à la fête du bureau, je t'avais prévenue. Il y a un problème ?

— C'est toi le problème ! lança-t-elle en tremblant, à la fois furieuse et profondément triste. (Elle prit une grande inspiration et expira lentement.) C'est l'anniversaire de papa et je n'ai pas l'intention de lui gâcher sa fête davantage en me fâchant avec toi. Donc tout ce que je te demande, c'est de dire à cette brute de laisser entrer notre famille, s'il te plaît. Notre famille, poursuivit-elle, sa voix montant douloureusement dans les aigus, qui est venue des quatre coins du pays pour être avec papa en ce jour particulier, gémit-elle. Mais au lieu d'être entouré de sa famille, il est là à l'intérieur, pratiquement seul, alors que les autres sont ici et se font refouler. Il y a déjà cinq personnes qui sont rentrées chez elles.

— Quoi ? Quoi ? s'écria Lou, le ventre noué.

Il courut vers les videurs.

— Bonjour, messieurs, Lou Suffern.

Il tendit la main aux deux videurs, qui la lui serrèrent avec autant de vitalité qu'un hareng mort.

— C'est moi qui organise cette fête ce soir. (Derrière lui, Marcia marmonnait et soupirait.) C'est quoi le souci ?

Il se tourna vers la foule et reconnut immédiatement tout le monde. Que des amis proches de la famille à qui il avait déjà rendu visite, tous âgés de plus de soixante ans, certains ayant même l'âge de son père, d'autres encore plus vieux – tous debout sur un trottoir par cette nuit glaciale de décembre. Certains couples âgés s'accrochaient l'un à l'autre, tremblotant dans le froid, certains étaient appuyés sur leurs béquilles. Il y avait même un homme en fauteuil roulant. Ils tenaient dans leurs mains des sacs scintillants, des cartes de vœux, des bouteilles de champagne et de vin, des cadeaux qu'ils avaient soigneusement empaquetés en vue de cette belle soirée. Et maintenant ils étaient à la rue, et on leur interdisait l'accès à la fête de leur ami de toujours.

— Pas d'invitation, pas d'entrée, expliqua un des videurs.

Un couple héla un taxi et s'achemina lentement vers l'endroit où il s'était arrêté. Marcia leur courut après, les suppliant de rester encore un peu.

Lou eut un rire énervé.

— Messieurs, vous pensez que ces gens essayent de s'incruster ? Voyons, regardez-les, poursuivit-il en baissant la voix. Mon père fête son anniversaire et ces gens sont ses amis. Il a dû y avoir un problème avec les invitations. J'avais demandé à ma secrétaire de déposer une liste des invités.

— Ces gens ne sont pas sur la liste. Les règles d'entrée et de sortie de ce bâtiment sont très strictes.

— Vos règles, vous pouvez vous les mettre où je pense, rugit-il en serrant la mâchoire pour que ceux derrière lui ne l'entende pas. C'est l'anniversaire de mon père et ces gens sont ses invités, continua-t-il fermement, furieux à présent. Et en tant que personne qui paye pour cette fête et qui a participé à l'élaboration de ce bâtiment, je vous demande de laisser rentrer ces gens.

Peu de temps après, le groupe pénétrait à l'intérieur et attendait dans le grand hall d'entrée que les ascenseurs arrivent et les emportent au dernier étage – en profitant aussi pour se réchauffer.

— Tu peux te détendre, Marcia, tout est arrangé.

Lou chercha à rectifier le tir auprès de sa sœur quand ils furent tous les deux dans l'ascenseur. Ils venaient de passer dix minutes à essayer de faire monter tout le monde à l'endroit où se tenait la fête. Pendant tout ce temps Marcia ne lui avait pas adressé la parole.

— Marcia, allez ! plaisanta-t-il. Détends-toi.

— Lou… commença-t-elle, le regard qu'elle lui lança suffisant à lui ôter tout sourire du visage. (Un nœud se forma dans la gorge de son frère.) Je sais que tu penses que je dramatise, que je veux tout contrôler, que je suis énervante, et tout un tas d'autres choses que je n'ai aucune envie de savoir. Mais là, je ne dramatise pas. J'ai mal. Pas moi personnellement, mais je souffre pour papa et maman.

Ses yeux s'embuèrent de nouveau et sa voix, d'habitude si douce et compréhensive, changea de ton.

— De toutes les choses égoïstes que tu as pu faire dans ta vie, je pense que celle-là remporte la palme. Je suis restée en retrait et je n'ai rien dit pendant que tu faisais semblant de te soucier de maman et papa, pendant que tu trompais ta femme, pendant que tu te moquais de ton frère et le prenais pour un idiot, ignorais tes enfants, et pendant que tu te fichais de moi dès que tu en avais l'occasion. J'ai été, nous avons tous été, d'une patience angélique avec toi, Lou, mais ça suffit. Tu ne nous mérites pas. Aucun de nous. Ce soir, en ce qui me concerne, tu as dépassé les bornes. Tu as blessé papa et maman. Tu n'es plus mon frère.

— Oh là, oh là, Marcia, allez ! intervint Lou qui avait l'impression d'avoir été roué de coups.

On ne lui avait jamais parlé ainsi auparavant et il était blessé, terriblement blessé. Il déglutit.

— Je suis d'accord, tous ces gens n'auraient jamais dû rester coincés dehors, mais c'est réglé tout ça. Pourquoi tant de haine ?

Marcia laissa échapper un rire méchant.

— Ce que tu as vu dehors n'est que le début. Surprise, dit-elle tristement quand les portes de l'ascenseur s'ouvrirent et qu'il pénétra dans la pièce.

Parcourant la salle du regard, Lou sentit son cœur s'effondrer, tomber au fond de son estomac pour y être rongé par les sucs acides. Tout autour de la pièce, il y avait des tables de blackjack, de roulette, des hôtesses de bar à peine habillées qui défilaient en se déhanchant avec des cocktails sur des plateaux. L'organisation était impressionnante, d'ailleurs Lou se souvenait d'être allé à une fête du même genre quand le bâtiment avait été inauguré, mais ça ne convenait évidemment pas à un soixante-dixième anniversaire. Ça convenait encore moins à son père, qui détestait les fêtes et les célébrations, qui détestait forcer des parents et amis à se rassembler juste pour lui, et qui ne s'amusait jamais autant que seul avec une canne à pêche. Un homme modeste, que l'idée d'être au centre de l'attention embarrassait, mais qui s'était laissé convaincre par sa famille de célébrer enfin et pour la première fois son anniversaire, d'en faire un grand évènement où ses amis et sa famille, venus de tout le pays seraient présents. Il n'avait pas voulu de cette fête mais il avait fini par se laisser séduire par cette perspective. Et maintenant il était là, dans son plus beau costume, debout au milieu d'un casino, où le personnel portait des jupes courtes et des nœuds papillon rouges, où le DJ passait de la musique de boîte de nuit et où il fallait débourser au minimum vingt-cinq euros pour jouer. Au centre de l'une des tables, un homme presque nu était recouvert de gâteaux et de fruits.

Dans un côté de la pièce, mal à l'aise, se tenait la famille de Lou. Sa mère, dont les cheveux avaient enfin séché, portait un nouveau tailleur lilas et un foulard autour du cou. Elle avait passé son sac sur son épaule et le serrait fermement dans ses deux mains tout en observant les alentours avec incertitude. Son père était entouré du seul frère et de la seule sœur qui lui restaient – un prêtre et une nonne – et paraissait totalement perdu dans cet environnement. Dès qu'un membre de la famille apercevait Lou, il détournait le regard, voulant le tenir le plus éloigné possible. La seule personne qui lui sourit faiblement fut son père, qui hocha la tête et le salua.

Lou partit à la recherche de Ruth. Elle se tenait au fond de la pièce, discutant poliment avec les invités, qui paraissaient tout aussi gênés. Elle le vit et le regarda avec froideur. Dans la pièce régnait une tension maladroite, et c'était de la faute de Lou. Il avait honte, il avait même plus que honte. Il aurait voulu arranger les choses ; il aurait voulu trouver un moyen de se faire pardonner.

— Excusez-moi, commença Lou en s'approchant de l'homme en costume debout à côté de lui qui observait la foule. C'est vous, le responsable ?

— Oui, Jacob Morrison, manager.

Il tendit sa main.

— Vous êtes Lou Suffern. On s'est rencontrés lors de l'inauguration il y a quelques mois. D'après mes souvenirs, vous êtes rentré tard, ajouta-t-il en faisant un clin d'œil à Lou.

— Oui, je me souviens, répondit Lou, sans pour autant s'en souvenir. Je me demandais si vous pouviez m'aider à changer deux trois choses dans cette salle.

— Ah, souffla Jacob, étonné. Je suis sûr que l'on peut faire les aménagements nécessaires. À quoi pensiez-vous ?

— Des chaises, lança Lou en essayant de ne pas paraître brutal. C'est le soixante-dixième anniversaire de mon père, croyez-vous qu'on pourrait trouver des chaises pour lui et ses invités ?

— Ah, grimaça Jacob. J'ai bien peur que nous n'ayons pas de chaises. On ne vous a pas compté les…

— Je paierai ce qu'il faut, évidemment, assura Lou en exposant ses dents immaculées. Du moment qu'on

240

peut faire s'asseoir tous les fainéants qui ne sont pas déjà en fauteuil roulant.

— Oui, bien sûr.

Jacob s'apprêtait à partir quand Lou le retint.

— Et la musique, reprit Lou. Vous n'auriez pas quelque chose de plus traditionnel ?

— Traditionnel ?

— Oui, de la musique traditionnelle irlandaise. Pour mon père qui fête ses soixante-dix ans, siffla Lou, la mâchoire serrée. Au lieu de ce free jazz funky techno dance qui n'est pas vraiment du goût de mon septuagénaire de père.

— Je vais voir ce que je peux faire.

Les relations entre eux s'assombrissaient.

— Et pour la nourriture ? Est-ce qu'Alison a prévu de la nourriture ? Autre que l'homme presque nu et recouvert de crème à côté duquel se tient ma mère.

— Oui, bien sûr. On a des tourtes, des lasagnes, ce genre de chose.

Lou se réjouit intérieurement.

— Vous savez, nous avons déjà passé tout ça en revue avec Alison, expliqua Jacob.

— Ah bon ?

— Oui, monsieur. D'ordinaire, on ne fait pas de fête de soixante-dixième anniversaire, ajouta-t-il avec un sourire aux lèvres. Ici, nous avons un agencement standard poursuivit-il, soudain plus sérieux, en particulier pendant la période de Noël, et c'est ce que vous avez devant vous, dit-il en désignant la pièce avec fierté. Le thème du casino a beaucoup de succès pour les fêtes d'entreprise.

— Je vois. Eh bien, ça aurait été bien d'en être informé, déclara Lou poliment.

— En tout cas, vous avez signé pour ça, l'assura Jacob. On vous a envoyé les papiers récapitulant l'organisation de la soirée. On a insisté pour qu'Alison vous fasse signer ces documents.

— Bien sûr, conclut Lou en observant la pièce.

Tout de sa faute. Évidemment.

— Bien sûr, ça a dû me sortir de la tête. Merci.

*
* *

Lou se dirigea vers les membres de sa famille, mais en le voyant approcher, ils s'éloignèrent tous et cherchèrent à l'éviter, tel un pestiféré. Son père, bien entendu, ne bougea pas mais accueillit son cadet avec un sourire.

— Joyeux anniversaire, papa, murmura Lou en tendant la main à son père.

— Merci, répondit son père, le sourire toujours aux lèvres.

Il serra la main de son fils. Malgré tout ça, malgré tout ce que Lou avait fait, son père continuait à sourire.

— Et si j'allais te chercher une Guinness ? proposa Lou en observant le bar.

— Ah, ils n'en ont pas.

— Quoi ?

— Bière, champagne, et des cocktails étranges de couleur verte, expliqua son père en prenant une gorgée de son verre. Je suis à l'eau. Ta mère est contente, cela dit, elle aime le champagne, même si ce n'est pas dans ce genre d'endroit qu'elle a été élevée, plaisanta son père, essayant de rendre cette situation un peu plus agréable.

En entendant qu'on parlait d'elle, la mère de Lou se retourna. Elle lança à son fils un regard qui le réduisit en miettes.

— Oh, t'inquiète, reprit son père doucement. Je ne peux pas boire ce soir de toute manière. Je vais faire de la voile à Howth avec Quentin demain, déclara-t-il fièrement. Il participe à la régate du Brass Monkey, et il lui manque un équipier, alors c'est moi qui m'y colle.

Il se désigna avec le pouce.

242

— Tu ne vas pas participer à cette course, Fred, intervint la mère de Lou en levant les yeux au ciel. Tu peux à peine tenir debout un jour de vent, alors, sur un bateau… On est en décembre et la mer est agitée.

— J'ai soixante-dix ans, je peux faire ce que je veux.

— Tu as soixante-dix ans, et tu vas arrêter de faire ce que tu veux sinon tu n'arriveras pas à soixante et onze, répliqua-t-elle sèchement.

La famille éclata alors de rire, y compris Lou.

— Il va falloir que tu trouves quelqu'un d'autre, chéri, poursuivit-elle à l'intention de Quentin, dont la mine était déconfite.

— Moi, je veux bien, proposa Alexandra.

Elle enroula ses bras autour de la taille de son mari et Lou, crevant de jalousie, fut obligé de détourner le regard.

— Tu n'as jamais fait de régate, répondit Quentin en souriant. C'est hors de question.

— À quelle heure est la course ? demanda Lou.

Personne ne répondit.

— Évidemment que je peux le faire, continua Alexandra, souriant elle aussi. C'est comme d'habitude, non ? J'apporte mon bikini et je laisse au reste de l'équipage le soin d'apporter les fraises et le champagne.

Tout le monde rit de nouveau.

— À quelle heure est la course ? demanda Lou une deuxième fois.

— Eh bien, si elle fait la course en bikini, alors c'est sûr que je la laisse monter à bord, plaisanta Quentin.

Encore des rires.

Et comme s'il venait tout à coup d'entendre la question de son frère, mais sans le regarder, Quentin répondit :

— La course commence à onze heures. Peut-être que je devrais appeler Stephen, dit-il en sortant son téléphone de sa poche.

— Moi, je veux bien le faire, proposa Lou.

Ils le regardèrent avec stupéfaction.

— Moi, je veux bien le faire, répéta-t-il en souriant.

— Peut-être que tu devrais d'abord appeler Stephen, mon chéri, conseilla Alexandra gentiment.

— Oui, approuva Quentin. Bonne idée. Je vais trouver un endroit au calme.

Il effleura Lou et quitta la pièce.

Lou sentit comme une morsure en voyant sa famille se détourner une nouvelle fois de lui pour parler d'endroits où il n'était jamais allé, de gens qu'il n'avait jamais rencontrés. Il resta là sans savoir quoi faire pendant qu'ils riaient à des blagues qu'il ne comprenait pas, des blagues qui ne faisaient rire qu'eux. On aurait dit qu'ils parlaient un langage secret, complètement inaccessible à Lou. Au bout d'un certain temps, il cessa de poser des questions auxquelles personne ne répondait et, plus tard, quand il se rendit compte que tout le monde s'en fichait, il cessa aussi d'écouter. Il était trop éloigné de sa famille pour avoir envie d'essayer, en un seul soir, de se trouver une place dans un endroit où il n'en avait manifestement plus.

24

Rattrapé par son âme

Le père de Lou était à côté de lui, observant la salle comme un gamin perdu, anxieux et embarrassé à l'idée que tous ces gens soient venus uniquement pour lui et espérant en secret qu'un autre allait annoncer que c'était aussi son anniversaire pour détourner l'attention.

— Où est Ruth ? demanda son père.

— Euh…

Lou parcourut l'assemblée du regard pour la contième fois, incapable de la trouver.

— Elle discute avec des invités.

— Très bien. On a une belle vue d'ici, poursuivit-il en désignant la fenêtre. La ville a bien changé depuis mon époque.

— Ouais, j'ai pensé que ça te plairait, dit Lou, heureux d'avoir au moins réussi ça.

— Alors, c'est lequel ton bureau ?

Il regarda au-delà de la Liffey vers les bureaux, tous encore éclairés à cette heure.

— C'est celui-là, directement en face de toi, expliqua Lou en tendant l'index. Au treizième niveau, quatorzième étage.

Le père de Lou lui jeta un regard incertain, pensant manifestement que c'était étrange, et pour la première fois Lou eut la même impression, comprit que les autres pouvaient trouver ça déconcertant. Cela le bouleversa. Il avait toujours été si sûr de lui.

— C'est là où toutes les lumières sont encore allumées, reprit Lou plus simplement. C'est la fête de Noël.

— Ah, c'est donc là, approuva son père. C'est là que tout se passe.

— Oui, affirma Lou, avec fierté. J'ai eu une promotion ce soir, papa, poursuivit-il en souriant. Je n'ai rien dit à personne encore parce que c'est ta soirée, évidemment, ajouta-t-il, inquiet tout à coup.

— Une promotion ? répéta son père, en soulevant ses épais sourcils.

— Oui.

— Plus de travail.

— Un plus grand bureau, avec une meilleure luminosité, plaisanta Lou.

Voyant que son père ne riait pas, il redevint sérieux.

— Oui, plus de travail, plus d'heures, convint-il.

— Je vois.

Puis son père resta silencieux. Lou sentit la colère monter en lui. Des félicitations n'auraient pas été de trop.

— Tu es heureux là-bas ? demanda son père avec décontraction, regardant toujours par la fenêtre la fête qui battait son plein derrière les reflets. Pas la peine de travailler comme un forcené si tu n'es pas heureux. Au bout du compte, c'est tout ce qui importe, non ?

Lou réfléchit à la remarque de son père. Il était à la fois déçu par son absence de louanges et intrigué par ses réflexions.

— Mais tu m'as toujours dit de travailler dur, lança-t-il, submergé tout à coup par une colère qui le surprit lui-même. Tu nous as toujours appris à ne pas nous reposer sur nos lauriers. Je crois que c'est l'expression que tu utilisais.

Il sourit mais c'était un sourire figé et il se sentait tendu.

— C'est sûr, je ne voulais pas que vous soyez paresseux, répondit son père qui se tourna soudain vers Lou. Mais dans tous les aspects de votre vie, pas seulement au travail. N'importe quel funambule peut marcher sur un fil et tenir une canne en même temps. Mais rester en équilibre si haut, ce n'est pas possible sans entraînement, dit-il simplement.

Une employée vint briser la tension, une chaise à la main.

— Excusez-moi, pour qui est cette chaise ? demanda-t-elle en observant la famille. Mon patron m'a dit que quelqu'un ici avait besoin d'une chaise.

— Euh, oui, c'est moi, répondit Lou en riant méchamment. Mais j'ai demandé *des* chaises. Au pluriel. Pour tous les invités.

— Ah bon. Mais nous n'avons pas d'autres chaises, s'excusa-t-elle. Alors, c'est pour qui ?

— Ta mère, se dépêcha de proposer le père de Lou, ne voulant pas créer de problèmes. Laisse ta mère s'asseoir.

— Non, ça va, Fred, objecta sa mère. C'est ton anniversaire, profite de *la* chaise.

Lou ferma les yeux et respira profondément. Il avait dépensé douze mille euros pour que sa famille se dispute à propos d'une chaise.

— À part ça, le DJ m'a dit que la seule musique traditionnelle qu'il avait était l'hymne national. Vous voulez l'entendre ?

— Quoi ? explosa Lou.

— C'est ce qu'il passe à la fin de la soirée, mais il n'a pas d'autre chanson irlandaise. Vous voulez que je lui dise de la mettre maintenant ?

— Non ! hurla-t-il. C'est ridicule.

— Est-ce que vous pouvez lui donner ça ? demanda Marcia poliment, en se penchant vers une boîte en carton qu'elle avait posée sous la table.

La boîte débordait de chapeaux colorés, de banderoles, de guirlandes. Il aperçut même un gâteau. Elle tendit à la jeune femme un tas de CD. Les chansons préférées de leur père. Elle regarda Lou brièvement.

— Au cas où tu te planterais, expliqua-t-elle.

Puis elle détourna le regard.

Une remarque brève, rapidement assénée, mais le coup lui fit plus mal que tout ce qu'elle avait pu lui dire auparavant ce soir. Il pensait être organisé, il croyait savoir planifier une fête. Après tout, il avait les contacts, il pouvait demander des faveurs et préparer la fête de l'année. Mais tandis qu'il avait passé son temps à penser à tout ça, sa famille, elle, anticipant son échec, avait passé son temps à élaborer un plan B. Et avait tout mis dans une boîte en carton.

Tout à coup, des cris de joie s'élevèrent dans la salle. Quentin sortait de l'ascenseur, accompagné de Gabe – qui l'avait invité ? Chacun portait une pile de chaises.

— Il y en a d'autres qui arrivent, annonça Quentin à la foule.

Soudain, l'ambiance se réchauffa un peu tandis que les visages familiers qui avaient vieilli depuis l'enfance de Lou se regardaient les uns les autres avec un mélange de soulagement, de peine et d'innocente joie.

— Lou ! s'écria Gabe, son visage s'éclairant en le voyant. Je suis content que tu sois là.

Il distribua des chaises aux personnes âgées autour de lui et s'approcha de Lou, la main tendue. Lou se sentit perdu un instant, se demandant qui était à la fête aujourd'hui. Gabe vint lui murmurer quelque chose à l'oreille.

— Tu t'es dédoublé ?

— Quoi ? Non, assura Lou, agacé, voulant se débarrasser de lui.

— Ah, dit Gabe avec surprise. La dernière fois que je t'ai vu, tu étais en réunion avec Alison dans ton bureau. Je ne m'étais pas rendu compte que tu étais parti.

— Oui, évidemment que je suis parti. Pourquoi dois-tu toujours t'imaginer le pire avec moi ? Je n'allais tout de même pas avaler une pilule pour venir à la fête de mon père, s'offusqua-t-il.

Gabe se contenta de sourire.

248

— C'est drôle, la vie, non ? Tu ne trouves pas ? demanda-t-il en donnant un léger coup de coude à Lou.

— Qu'est-ce que tu veux dire par là ?

— Oh, tu sais. Un jour, tu peux être tout en haut, et le lendemain, tout en bas.

Percevant le regarde agressif de Lou, il poursuivit :

— Je voulais simplement dire que, quand on s'est rencontrés la semaine dernière, j'étais tout en bas, regardant le ciel et rêvant d'être tout en haut. Et maintenant, regarde. Me voilà dans le duplex de luxe. C'est marrant ce retournement de situation. Ce soir, M. Patterson m'a proposé un nouveau travail…

— Il a fait quoi ?

— Ouais, il m'a offert un nouveau poste, répéta Gabe tout sourire, en faisant un clin d'œil à Lou. Une promotion.

Avant que Lou ne puisse répondre, une hôtesse vint vers eux avec un plateau.

— Vous voulez manger quelque chose ?

— Oh, non, merci. Je vais attendre la tourte, répondit la mère de Lou en souriant.

— C'est ça la tourte, expliqua-t-elle en désignant un minuscule bout de pomme de terre posé dans une minuscule verrine.

Un moment de silence. Le cœur de Lou se mit à battre frénétiquement et il eut peur qu'il ne jaillisse de sa poitrine.

— Y a-t-il autre chose à manger ? demanda Marcia.

— Autre que le gâteau ? Non, dit-elle en secouant la tête. C'est pour toute la soirée. Des plateaux de hors-d'œuvre.

Elle sourit de nouveau, comme si elle faisait exprès de ne pas percevoir les nuages d'hostilité qui s'amoncelaient autour d'elle.

— Ah, lança le père de Lou, essayant de paraître enthousiaste. Vous pouvez laisser le plateau ici, alors.

— Tout le plateau ?

Hésitante, elle chercha son manager du regard, espérant obtenir de l'aide.

— Oui, ma famille a faim, déclara Fred.

Il prit le plateau de ses mains et le posa sur une table haute. Ceux qui voulaient manger devait se lever de leur chaise.

— Oh, OK.

Elle observa un instant son plateau puis recula lentement, les mains vides.

— Vous avez parlé d'un gâteau, intervint Marcia de sa voix aiguë et perçante, perturbée par cette soirée qui partait dans tous les sens et qui était un échec de bout en bout.

— Oui.

— Je peux le voir, s'il vous plaît ? demanda-t-elle en jetant un regard terrifiant à Lou. Il est à quoi ? Qu'est-ce qu'il y a dessus ? Il y a des raisins secs ? Papa déteste les raisins secs, pouvait-on l'entendre dire alors qu'elle se dirigeait vers la cuisine avec la serveuse, portant son carton qui devait servir à limiter les dégâts.

— Alors, qui t'a invité, Gabe ?

Lou se sentait hargneux mais n'avait pas envie de parler de cette histoire de promotion de peur d'envoyer Gabe valser de l'autre côté de la pièce.

— C'est Ruth, répondit Gabe tout en attrapant une minitourte.

— Ah oui, elle t'a invité ? Ça m'étonnerait, ricana Lou.

— Et pourquoi est-ce que ça t'étonnerait ? demanda Gabe en haussant les épaules. Elle m'a invité le soir où j'ai dîné et dormi chez vous.

— Pourquoi tu dis ça comme ça ? Ne dis pas ça comme ça, gémit Lou, comme un gosse. (Il voulait que les choses soient claires.) Tu n'as jamais été invité à dîner chez moi. Tu m'as déposé chez moi et tu as mangé les restes.

— D'accord, concéda Gabe en le regardant curieusement.

— Et où est Ruth, au fait ? Je ne l'ai pas vue de toute la soirée.

— Oh, on a discuté tous les deux sur le balcon pendant un bon moment. Je l'aime beaucoup, déclara Gabe.

Un bout de purée dégoulina le long de son menton et atterrit sur sa cravate. La cravate de Lou.

En voyant ça, Lou serra la mâchoire.

— Tu l'aimes bien ? Tu aimes bien ma femme ? Ah, tu vas trouver ça drôle, Gabe, mais moi aussi j'aime bien ma femme. Putain, toi et moi, on a tellement de choses en commun, non ?

— Lou, intervint Gabe en souriant nerveusement, tu devrais parler moins fort.

Lou regarda autour de lui et sourit à tous ces gens qui les observaient avec surprise. Il passa allégrement son bras autour des épaules de Gabe pour leur montrer que tout allait bien. Une fois le calme revenu, Lou se tourna vers Gabe. Il ne souriait plus.

— Tu veux ma vie, Gabe, c'est ça ?

Gabe parut stupéfait mais il n'eut pas l'occasion de répondre parce qu'à ce moment-là l'ascenseur s'ouvrit. Alfred, Alison et toute une foule de gens du bureau furent déversés sur la moquette. Les chansons préférées du père de Lou hurlaient depuis les baffles mais cela n'empêcha pas les nouveaux venus de se faire entendre, bien haut et bien fort. Ils portaient toujours leurs habits de Père Noël et soufflaient dans leur corne de brume dès que quelqu'un osait les dévisager.

Lou quitta précipitamment sa famille et parcourut quatre par quatre les marches menant à l'ascenseur, bloquant l'avancée d'Alfred.

— Qu'est-ce que vous faites ici ?

— On vient faire la fêêêêêêêêête, mon pote ! beugla Alfred tout en agitant un serpentin qu'il souffla en direction de Lou.

— Alfred, tu n'as pas été invité, affirma Lou à voix haute.

— C'est Alison qui m'a invité, répondit Alfred en riant. Et je crois que tu sais mieux que quiconque à quel point il est difficile de refuser une invitation d'Alison. Mais je me contente de tes restes, ricana-t-il, ivre et vacillant.

Tout à coup, il regarda par-dessus l'épaule de Lou et son visage se transforma.

— Ruth ! Comment vas-tu ?

Lou crut avoir une crise cardiaque quand il se retourna et vit que Ruth était derrière eux.

— Alfred.

Ruth croisa les bras et fixa son mari des yeux.

Un silence épais s'installa.

— Hmm, voilà une situation délicate, bredouilla Alfred avec hésitation. Je crois que je vais aller faire la fête avec les autres. Je vous laisse vous étriper en paix.

Alfred disparut, et Lou resta seul avec Ruth. La souffrance qui se lisait sur son visage était plus vive qu'un poignard planté dans le cœur de Lou. Il préférait quand elle était en colère.

— Ruth, dit-il, je t'ai cherchée pendant toute la soirée.

— Je vois qu'Alison, l'organisatrice de cette fête, s'est aussi jointe à nous, commença-t-elle.

Sa voix tremblait mais elle s'efforçait de ne pas craquer.

Lou tourna la tête et vit Alison, longues jambes et petite robe, qui dansait langoureusement au milieu de la piste de danse avec un Père Noël.

Ruth regarda son mari d'un air perplexe.

— Il ne s'est rien passé, s'empressa-t-il de dire, refusant de se battre, ne voulant plus être cet homme-là. Je te le jure, il ne s'est rien passé. Elle a essayé ce soir, mais je n'ai pas cédé.

— Oh, je veux bien croire qu'elle a essayé, lança Ruth avec un rire amer.

— Je te jure qu'il ne s'est rien passé.

— Rien du tout ? Jamais ?

Elle examina son visage intensément. Elle avait honte, elle était en colère, elle se détestait d'avoir à poser la question.

Il ravala sa salive. Il ne voulait pas la perdre mais il ne voulait pas lui mentir.

— On s'est embrassés. Une fois. C'est tout, bredouilla-t-il, pris de panique. Mais j'ai changé, Ruth, j'ai...

Elle fit demi-tour, bien décidé à ne pas entendre la suite et à cacher les larmes qui roulaient le long de ses joues. Elle ouvrit la porte menant au balcon et Lou fut saisi par le froid. La terrasse était vide ; les fumeurs étaient à l'intérieur et tentaient de manger suffisamment de minitourtes pour ne pas avoir envie de cigarettes.

— Ruth...

Il voulut lui attraper le bras et la ramener à l'intérieur.

— Lou, laisse-moi, bon sang ! ordonna-t-elle, furieuse. Je n'ai absolument pas envie de te parler.

Il la suivit sur le balcon. Ils s'éloignèrent de la fenêtre pour que personne ne puisse les voir. Ruth se pencha sur le rebord et observa la ville. Lou s'approcha d'elle par-derrière et lui enserra la taille. Quand il la toucha, il sentit son corps entier se raidir mais il était bien déterminé à ne pas la lâcher.

— Aide-moi à réparer tout ça, murmura-t-il, au bord des larmes. S'il te plaît, Ruth, aide-moi à réparer tout ça.

Elle soupira mais sa colère était toujours à vif.

— Lou, à quoi tu pensais, bordel ? Combien de fois on t'a répété à quel point cette soirée était importante ?

— Je sais, je sais, bredouilla-t-il, réfléchissant à toute vitesse. Mais je voulais vous prouver à tous que je pouvais...

— Comment oses-tu me mentir encore ? interrompit-elle. Tu n'as pas intérêt à me mentir cette fois, Lou. Pas quand tu viens me demander de l'aide. Tu n'essayais pas de prouver quoi que ce soit. Tu en avais marre que Marcia t'appelle tout le temps, tu en avais marre de voir qu'elle essayait de tout bien organiser pour ton père, tu étais bien trop occupé…

— S'il te plaît, je n'ai pas besoin d'entendre ça en ce moment, grimaça-t-il, et chaque mot paraissait lui donner la migraine.

— Si, c'est tout à fait ce que tu as besoin d'entendre. Tu étais bien trop occupé par ton travail pour te soucier de ton père, ou des propositions de Marcia. Tu as demandé à une étrangère qui ne sait rien des soixante-dix ans que ton père a passé sur terre d'organiser tout ça pour toi. Elle ? s'écria-t-elle en désignant Alison.

Elle dansait le limbo sous le stand de fondue au chocolat, exposant aux yeux de tous sa culotte en dentelle rouge.

— Une sale traînée que tu as sûrement baisée tout en lui dictant la liste des invités, cracha-t-elle.

Lou pensa un instant informer Ruth qu'Alison avait fait d'excellentes études de business et qu'elle était une employée très compétente, si on faisait exception de l'organisation de cette fête. Mais il se ravisa. Défendre son honneur semblait déplacé pour le moment ; le comportement d'Alison au bureau tout à l'heure et maintenant ici ne la montrait certainement pas sous son meilleur jour.

— Il ne s'est rien passé, je te jure. Je sais que j'ai tout gâché. Je suis désolé.

Prononcer ces mots devenait une habitude désormais.

— Et tout ça pour quoi ? Pour une promotion. Une hausse de salaire dont tu n'as pas besoin. Plus d'heures de travail qu'il n'est humainement possible de caser dans une journée. Quand t'arrêteras-tu ? Quand est-ce que ce sera suffisant ? Jusqu'où veux-tu aller, Lou ? Tu sais quoi, la semaine dernière, tu as dit que seul un employeur pouvait te virer mais pas une famille. Mais je crois que tu vas bientôt te rendre compte que ça aussi c'est possible.

— Ruth, commença-t-il en fermant les yeux. (Il était prêt à sauter par-dessus le balcon, là, tout de suite, si jamais elle lui annonçait qu'elle le quittait.) Je t'en prie, ne me quitte pas.

— Je ne parle pas de moi, Lou, répondit-elle. Je parle d'eux.

Il se tourna et vit sa famille se joindre à la chenille qui s'était formée dans la salle. Tous les deux ou trois pas, ils levaient la jambe en l'air.

— Je vais faire la course avec Quentin demain. La course de voile.

Il chercha dans son regard un signe de félicitation.

— Je croyais que c'était Gabe qui naviguait avec Quentin ? demanda Ruth, troublée. J'étais là quand Gabe le lui a proposé. Quentin a accepté.

Le sang de Lou ne fit qu'un tour. Il était fou de rage.

— Non, c'est moi qui vais l'accompagner.

En tout cas, il allait tout faire pour.

— Ah bon ? Et quand est-ce que tu vas faire cette course ? Je croyais que tu venais faire du patin à glace avec moi et les enfants demain !

Furieuse, elle le planta là tout seul sur le balcon. Lou n'en revenait pas. Il avait oublié la promesse qu'il avait faite à Lucy et se maudissait.

Quand Ruth ouvrit la porte de la terrasse, un flot de musique s'échappa au-dehors pendant que le froid en profitait pour s'engouffrer dedans. Puis la porte se referma, mais il sentit une présence derrière lui. Elle n'était pas rentrée. Elle ne l'avait pas abandonné.

— Je suis désolé, pour tout ce que j'ai fait. Je veux réparer tout ça, admit-il, épuisé. Je suis fatigué maintenant. Je veux tout réparer. Je veux que tout le monde sache que je suis désolé. Je ferais n'importe quoi pour qu'ils le sachent et qu'ils me croient. S'il te plaît, aide-moi à réparer tout ça.

Si Lou s'était retourné, il aurait pu constater que sa femme l'avait en effet laissé seul ; qu'elle s'était réfugiée dans un endroit calme pour pleurer toutes les larmes de son corps, déçue une nouvelle fois par cet homme qui avait réussi à la convaincre dans leur chambre – il y a quelques heures de ça – qu'il avait changé. Non, quand Ruth était rentrée, c'est Gabe qui était sorti, et c'est lui qui avait entendu la confession de Lou.

Gabe savait que Lou Suffern était épuisé. Il avait passé tellement d'années à défier le temps, à se déplacer à toute vitesse à travers les minutes, les heures, les jours qu'il en avait oublié de vivre. Les regards, les gestes, les émotions des autres avaient depuis longtemps cessé d'être importants ou même seulement visibles pour lui. Une fois sur le bon chemin, celui de sa réussite, il avait oublié les raisons qui l'avaient motivé au départ. Il s'était déplacé si vite qu'il n'avait jamais pris la peine de reprendre son souffle ; son cœur pouvait à peine tenir le rythme.

Lou respira l'air froid de décembre et offrit son visage au ciel pour sentir – et apprécier – les gouttelettes de pluie gelée qui tombaient sur sa peau. Et il sut que son âme revenait prendre possession de son corps.

Il le sentait.

25

La meilleure journée

À neuf heures ce samedi matin, le lendemain du soixante-dixième anniversaire de son père, Lou Suffern s'assit dans son jardin, ferma les yeux et exposa son visage au soleil matinal. Il avait escaladé la barrière de leur jardin aménagé – où le chemin était délimité par des allées, des cailloux, des massifs de fleurs et des pots géants – pour se rendre dans le champ à la végétation sauvage qui se trouvait au-delà et duquel nul humain n'osait approcher. Des explosions d'ajoncs jaunes recouvraient le terrain. On aurait dit que quelqu'un à Dalkey avait pris son fusil de paint-ball et tiré au hasard vers le nord. La maison de Lou et de Ruth se tenait au sommet, le jardin à l'arrière était orienté au nord et on avait une vue superbe sur le village de Howth en dessous, le port et Ireland's Eye tout au fond. Très souvent, on pouvait même apercevoir Snowdown et le Snowdown National Park, au pays de Galles, à cent trente-huit kilomètres de là ; mais en cette belle journée, la seule chose que Lou contemplait était l'éternité.

Il s'assit sur un rocher et respira l'air frais. Son nez engourdi coulait, ses joues étaient gelées, et ses oreilles, battues par le vent, lui faisaient mal. Ses doigts étaient violacés, comme s'ils avaient été étranglés à la base ; le temps n'était pas idéal pour une bonne conservation de ses organes vitaux, mais il l'était pour faire de la voile. Contrairement à ce qui se passait dans les jardins parfaitement entretenus de Lou et de ses voisins, ici les ajoncs rugueux avaient eu la possibilité de pousser en toute liberté, comme un deuxième enfant à qui l'on donne davantage d'espace et de liberté. Ils avaient envahi les flancs des montagnes et fermement assis leur autorité sur le cap. Le paysage était vallonné et inégal, il s'élevait et descendait sans prévenir ni demander pardon, et laissait les randonneurs se débrouiller seuls. On aurait pu le comparer à l'élève au fond de la classe, calme mais provocateur, qui observe avec recul les pièges qu'il a semés. Bien que Howth soit partiellement construit sur ces montagnes sauvages et malgré l'effervescence provoquée par les activités de pêche, le village en soi avait toujours dégagé une impression de sérénité, tel un grand-père calme et patient. Des phares guidaient les habitants de la mer jusqu'au rivage, et des falaises se dressaient à la façon d'une rangée de féroces guerriers spartiates, le torse bombé, les muscles saillants, veillant sur les éléments. Un ponton servait d'intermédiaire entre la terre et la mer et transportait consciencieusement les passagers aussi loin que possible ; la tour Martello faisait songer à un vieux soldat solitaire refusant de quitter son poste bien après la fin des combats. Malgré les bourrasques permanentes qui attaquaient ce promontoire, le village ne bronchait pas, déterminé.

Lou n'était pas venu seul pour méditer. À côté de lui était assis son autre moi. Ils n'étaient pas habillés de la même façon : l'un partait faire de la voile avec son frère, l'autre du patin à glace avec sa famille. Ils contemplaient tous deux la mer et regardaient le reflet du soleil scintillant sur l'onde, semblable à une pièce d'argent jetée à l'eau et étincelant sous les vagues. Cela faisait un moment qu'ils étaient là, assis, sans rien dire, à profiter de la compagnie de l'autre.

Lou assis sur l'herbe moussue se tourna vers Lou sur le rocher et sourit.

— Tu sais à quel point je suis heureux, là, maintenant ? C'est l'extase, gloussa-t-il.

Lou sur le rocher lutta pour réprimer un sourire.

— Plus je m'entends plaisanter, plus je me rends compte que je ne suis pas drôle.

— Ouais, moi aussi.

Lou tira une longue tige du sol et la fit rouler entre ses doigts violets.

— Mais j'ai tout de même remarqué que j'étais un sacré beau gosse.

Ils éclatèrent de rire tous les deux.

— Mais tu interromps tout le temps les gens, constata Lou sur le rocher en se rappelant avoir vu son autre moi prendre le contrôle de certaines conversations sans raison particulière.

— Oui, j'ai remarqué. Il faudrait vraiment que...

— Et tu n'écoutes pas ce qu'on te dit, ajouta-t-il, pensif. Et tes histoires sont toujours trop longues. Souvent, elles n'intéressent que toi. Tu ne demandes jamais aux gens comment ils vont. Tu devrais t'y mettre.

— Parle pour toi, répondit Lou sur l'herbe, peu impressionné.

— C'est ce que je fais.

Ils replongèrent dans le silence. Lou Suffern avait récemment découvert les bienfaits du silence et de l'immobilité. Une mouette se posa, poussa un cri rauque, les regarda avec méfiance et repartit.

— Elle va parler de nous à ses potes, dit Lou sur le rocher.

— N'accordons pas trop d'importance à ce qu'elles disent ; en plus, moi, j'ai l'impression que ce sont toutes les mêmes, déclara l'autre Lou.

Ils rirent de nouveau.

— J'arrive pas à croire que je ris à mes propres blagues, soupira Lou sur l'herbe en se frottant les yeux. La honte !

— Qu'est-ce qui se passe, là, à ton avis ? demanda avec sérieux Lou perché sur le rocher.

— Si toi tu ne sais pas, moi non plus.

— Oui, mais j'ai tout de même quelques idées sur la question, et toi aussi.

Ils s'observèrent, sachant exactement ce que l'autre pensait.

Lou fit tourner sa langue sept fois dans sa bouche avant de parler, choisissant ses mots avec précaution.

— Je ne suis pas superstitieux mais je crois qu'on devrait garder nos idées sur la question pour nous. Tu ne crois pas ? Les choses sont comme elles sont. Laissons-les ainsi.

— Je ne veux pas que quelqu'un en souffre, s'écria Lou sur l'herbe.

— Tu n'as pas entendu ce que j'ai dit ? reprit l'autre, en colère. J'ai dit que je ne voulais pas qu'on en parle.

— Lou !

Ruth les appelait depuis la maison. Le sort entre eux fut rompu.

— J'arrive ! cria-t-il en relevant la tête.

De l'autre côté de la barrière, il vit Pud, marchant cahin-caha mais profitant de sa toute nouvelle liberté pour s'échapper par la porte de la cuisine. Il courait maladroitement dans l'herbe – on aurait dit un œuf sur pattes. Il pourchassait une balle, essayant éperdument de l'attraper mais la frappant sans faire exprès de son corps chaque fois qu'il s'en approchait. Comprenant enfin son erreur, il s'arrêta de courir avant d'atteindre la balle et choisit plutôt de ramper discrètement jusqu'à elle, comme s'il avait peur qu'elle se déplace toute seule. Il leva un pied. N'ayant pas l'habitude d'être en équilibre sur une jambe, il tomba en arrière sur l'herbe, atterrissant sans dommage sur ses fesses rembourrées. Lucy, bonnet sur la tête et écharpe autour du cou, se précipita dehors pour l'aider à se relever.

— Elle ressemble tellement à Ruth, dit une voix à côté de lui.

Et il se rendit compte que l'autre Lou l'avait rejoint.

— Je sais. Tu as vu cette grimace ?

Ils observèrent Lucy qui grondait Pud pour avoir été si imprudent. Ils éclatèrent tous deux de rire au moment même où elle fit sa grimace.

Pud hurla quand Lucy voulut le prendre par la main et le ramener à l'intérieur. Il se débattit et leva les bras au ciel, scandalisé. Puis il se dandina tout seul jusqu'à la maison.

— Il te rappelle quelqu'un ?

— OK, va falloir qu'on entre en scène. Toi, tu descends au port. Moi, je vais conduire Ruth et les enfants en ville. Ne sois pas en retard, d'accord ? J'ai pratiquement dû soudoyer Quentin pour qu'il accepte de me prendre à bord aujourd'hui.

— Évidemment que je serai à l'heure. Et ne te casse pas une jambe.

— Et toi, ne te noie pas.

— On va bien profiter de cette journée.

Lou, qui se tenait à flanc de colline, échangea une poignée de main avec lui-même, qui se transforma en une accolade, l'un et l'autre se serrant fortement dans les bras. Cela faisait longtemps qu'on ne l'avait pas étreint ainsi.

Lou arriva au port avec deux heures d'avance. Il n'avait pas participé à une régate depuis bien longtemps et il avait envie de se réhabituer au vocabulaire, de retrouver ses sensations à bord d'un voilier. Il fallait aussi qu'il tisse des liens avec les autres membres de l'équipage : communiquer, voilà la clé de la réussite sur un bateau, et il ne voulait pas décevoir les autres. Enfin, plus exactement, il ne voulait surtout pas décevoir Quentin. Il trouva le superbe *Alexandra*, le voilier de douze mètres que Quentin avait acheté il y a cinq ans et auquel il consacrait désormais son temps et son argent. Quentin et cinq autres personnes étaient déjà à bord. Serrés les uns contre les autres, ils étudiaient le parcours et revoyaient leur tactique.

Lou fit le calcul. Le bateau ne pouvait contenir que six personnes ; avec Lou, ça faisait sept.

— Salut, dit-il en s'approchant.

— Lou !

Quentin le regarda avec stupéfaction et Lou comprit pourquoi ils étaient déjà six. Son frère, méfiant, avait préféré compter sans lui.

— Je ne suis pas en retard, j'espère. Mais je croyais que tu m'avais dit 9 h 30, ajouta-t-il en essayant de ne pas montrer sa déception.

— Oui, bien sûr, marmonna Quentin tout en voulant cacher sa surprise. Absolument, c'est simplement que...

Il se tourna vers les autres hommes, qui attendaient la suite.

— Laisse-moi te présenter les membres de l'équipe. Les gars, voici mon frère, Lou.

Un élan d'étonnement passa sur leur visage.

— Je ne savais pas que tu avais un frère, dit l'un d'eux en souriant et en s'avançant pour serrer la main de Lou. Moi, c'est Geoff. Bienvenue. J'espère que tu sais te débrouiller.

— Ça fait un bail, répondit Lou sans quitter Quentin des yeux. Mais Quentin et moi avons participé à tellement de courses pendant des années que c'est difficile de tout oublier. C'est comme faire du vélo, non ?

Ils se mirent à rire et l'accueillirent à bord.

— Alors, où veux-tu que je me mette ? demanda-t-il en regardant son frère.

— Tu es sûr de vouloir faire ça ? murmura Quentin pour que les autres n'entendent pas.

— Évidemment, l'assura Lou en luttant pour ne pas se sentir vexé. Les mêmes postes qu'autrefois ?

— À l'avant du pont ?

— À vos ordres, capitaine ! salua Lou, tout sourire.

Quentin éclata de rire et se tourna vers les autres.

— OK, les gars, je veux qu'on travaille tous en harmonie. Souvenez-vous, on se parle tout le temps. Je veux que l'information circule sur ce bateau à chaque instant. Si vous n'avez pas fait ce que vous étiez censé faire, vous criez, on a tous besoin de savoir ce qui se passe. Si on gagne, je paye la tournée.

— Hip hip hip, hourrah !

— OK, Lou, reprit-il en adressant un clin d'œil à son frère. Je sais que ça fait un moment que tu attends ça.

Ce n'était pas vrai mais Lou pensa qu'il valait mieux se taire.

— Tu vas enfin avoir l'occasion de voir ce que l'*Alexandra* a dans le ventre.

Lou frappa amicalement son frère dans les côtes.

Ruth poussa Pud sous l'Arche des Fusilliers et ils pénétrèrent dans Stephen's Green, un parc au beau milieu de la ville. Une patinoire avait été installée là, pour que les gens de tout le pays puissent profiter de cette expérience unique. Ils passèrent devant le lac plein de canards, traversèrent le pont O'Connell et furent rapidement au « pays des merveilles ». À la place des habituels jardins à la française, un marché de Noël avait été construit et abondamment décoré. On aurait presque dit qu'il sortait d'un film. Des stands qui vendaient du chocolat chaud, des marshmallows, de la tourte à la viande et des cakes aux fruits ornaient les allées. Une délicieuse odeur de cannelle, de clou de girofle et de massepain embaumait l'air. Les vendeurs étaient déguisés en elfes et l'atmosphère était saturée de chansons de Noël. Des stalactites pendaient des toits et des machines soufflaient de la fausse neige sur les passants.

Une longue queue s'était formée devant l'igloo du Père Noël, c'était apparemment l'attraction qui rencontrait le plus de succès. Des elfes vêtus d'habits verts et de chaussures pointues s'efforçaient de divertir la foule qui attendait. D'immenses sucres d'orge, rouge et blanc, formaient un arc au-dessus de l'igloo tandis que des bulles s'élevaient depuis les cheminées et flottaient dans le ciel. Sur un carré d'herbe, deux groupes d'enfants, arbitrés par un elfe, tiraient de chaque côté d'un gros pétard de Noël qu'ils tentaient de dérober à leurs adversaires. Un sapin de Noël de près de six mètres avait été érigé et décoré avec d'énormes boules et des guirlandes. Des ballons à eau étaient pendus aux branches. Un groupe d'enfants – et surtout leurs pères – s'amusaient à lancer des boules recouvertes de houx sur les ballons dans le but de les faire éclater et de récupérer les jouets cachés à l'intérieur. Un elfe au visage tout rouge, trempé à force de se tenir sous les ballons, courait dans tous les sens et ramassait les cadeaux pendant que son complice remplissait d'autres ballons et les passait à un coéquipier chargé de les accrocher aux branches. Ils ne sifflaient pas en travaillant.

Pud n'en pouvait plus de pointer son index boudiné chaque fois que quelque chose de neuf attirait son attention. Lucy, d'habitude si bavarde, ne disait rien. Ses cheveux couleur chocolat avaient été coupés au niveau de sa nuque. Sa frange s'arrêtait au-dessus de ses sourcils et de ses grands yeux marron. Elle portait un manteau rouge vif qui descendait sur ses genoux, à fermeture croisée avec de gros boutons noirs et un col en fourrure noir, des collants couleur crème et des chaussures noires vernies. Elle tenait la poussette de Pud d'une main mais semblait flotter à côté d'eux, dérivant seule dans son propre paradis. De temps en temps, elle apercevait quelque chose qui lui plaisait et se tournait vers Ruth et Lou, un immense sourire sur le visage. Personne ne parlait. Ce n'était pas la peine. Ils savaient.

De l'autre côté du marché de Noël, ils trouvèrent la patinoire, envahie par des centaines de personnes de tous âges. La file d'attente serpentait le long de l'enceinte et permettait à tous de voir ceux qui trébuchaient et tombaient. Les diverses chutes, souvent comiques, s'accompagnaient de nombreux rires.

— Pourquoi n'allez-vous pas profiter du spectacle ? proposa Lou en faisant référence à la pantomime qui se déroulait près du kiosque à musique.

Des douzaines d'enfants assis sur des chaises pliantes regardaient, envoûtés, le monde magique qui défilait devant leurs yeux.

— Moi, je vais faire la queue.

Sa proposition était à la fois généreuse et égoïste. N'allez pas croire que Lou Suffern avait changé radicalement en une seule nuit. Il avait certes l'intention de passer la journée avec sa famille mais il ne pouvait ignorer les vibrations du BlackBerry dans sa poche. Il avait besoin de lire ses messages avant que la machine n'explose tout simplement.

— D'accord, merci, accepta Ruth, laissant Pud avec Lou. On ne devrait pas en avoir pour très longtemps.

— Qu'est-ce que tu fais ? demanda Lou, au bord de la panique.

— On va voir le spectacle.

— Et tu ne le prends pas avec toi ?

— Non. Il dort. Autant le laisser avec toi.

Et elle partit main dans la main avec Lucy qui sautillait tandis que Lou, pas vraiment rassuré, regardait Pud et priait pour qu'il ne se réveille pas. Il avait un œil sur son BlackBerry, un autre sur Pud, et un troisième, dont il avait jusque-là ignoré l'existence, sur un groupe d'adolescents devant lui. Ils s'étaient tout à coup mis à crier et à bondir, en proie à leurs hormones, et chaque cri, chaque mouvement erratique de la main était vécu par Lou comme une menace pour le sommeil de son fils. Il prit soudain conscience de tous les *Vive le vent* qui braillaient dans les enceintes, des larsens qui grinçaient comme de la ferraille dès qu'une voix annonçait que tel membre d'une famille attendait tel autre membre au centre des elfes. Il entendait chaque son, aussi infime et isolé soit-il, chaque cri d'enfant sur la glace, chaque grognement quand leurs pères tombaient sur les fesses, chaque crissement d'os. En alerte maximale, prêt à riposter à n'importe quelle attaque, il remit le BlackBerry et son signal lumineux rouge dans sa poche. La file d'attente se déplaça et il avança la poussette avec la plus grande précaution.

Devant lui, un adolescent aux cheveux gras racontait une histoire à ses amis avec abondance de bruitages et de tressaillements épileptiques. Lou ne le quittait pas des yeux. Parvenant au moment crucial de son histoire, le garçon fit un bond en arrière et percuta la poussette.

— Désolé, dit le garçon en se retournant. (Il s'était fait mal au bras et le frottait énergiquement.) Désolé, monsieur. Est-ce qu'il va bien ?

Lou hocha la tête, ravalant sa salive. Il aurait bien aimé se ruer sur le garçon et l'étrangler, ou bien trouver ses parents pour leur expliquer qu'ils devaient apprendre à leur fils à raconter des histoires sans faire de grands gestes ou des bruits d'explosion avec la bouche. Il jeta un œil sur Pud. La bête s'était réveillée. Endormi, fatigué et pas nécessairement prêt à sortir d'hibernation, Pud ouvrit lentement des yeux vitreux. Il regarda à gauche, à droite, tout autour pendant que Lou retenait sa respiration. Lui et Pud s'observèrent un instant dans un silence tendu. Puis, décidant qu'il n'aimait pas l'air terrifié de son père, Pud cracha sa tétine et se mit à hurler. À pleins poumons.

— Eh, chhhhhut, bredouilla Lou, penché sur son fils.

Pud s'égosilla de plus belle et de grosses larmes se formèrent à l'orée de ses lourdes paupières.

— Euh… Hum. Allez, Pud.

Lou lui offrit son plus beau sourire porcelaine, celui qui ensorcelait tous ses clients et collègues.

Pud hurla encore plus fort.

Lou, honteux, s'agita nerveusement, cherchant à s'excuser auprès de tous ceux dont il croisait le regard, notamment ce père, si fier de lui, qui portait un bébé sur son ventre et donnait la main à deux autres enfants. En le voyant, Lou grommela et lui tourna le dos. Il tenta de mettre fin aux braillements de forcené de son fils en faisant avancer et reculer la poussette, percutant délibérément les talons de l'adolescent boutonneux à l'origine de ce fiasco. Il essaya au moins une bonne dizaine de fois de remettre la tétine dans la bouche du bébé. Il lui recouvrit les yeux de la main, espérant que l'obscurité lui donnerait envie de se rendormir. Sans résultat. Le corps de Pud se contorsionnait et se pliait en arrière tandis qu'il essayait de se défaire des sangles qui le retenaient, comme l'incroyable Hulk lorsqu'il se transforme. Il miaulait tel un chat pendu par la queue que l'on va plonger dans l'eau pour mettre fin à ses jours. Lou fouilla dans le sac et lui présenta des jouets. Pud les balança violemment par terre.

Père-de-famille-si-fier-de-lui, son bébé sur le ventre, se pencha pour aider Lou à ramasser les objets. Lou les lui prit des mains sans pour autant le regarder, marmonnant un merci vite fait. Comme d'autres éléments du sac avaient été projetés au sol, Lou décida de relâcher la bête. Il lutta pendant quelque temps avec la ceinture tandis que les cris de Pud s'intensifiaient et que de plus en plus de gens les observaient. Avant que quelqu'un finisse par appeler les services sociaux, Lou libéra son fils. Mais Pud continua de hurler, de la morve dégoulinait de son nez, et son visage était aussi violet que celui de Tinky Winky.

Pendant les dix minutes suivantes, Lou lui montra les arbres, les chiens, les enfants, les avions, les oiseaux, les sapins de Noël, les cadeaux, les elfes, tout ce qui bougeait, tout ce qui ne bougeait pas, tout ce qu'il voyait, mais rien à faire, Pud pleurait toujours.

Ruth arriva en courant avec Lucy.

— Qu'est-ce qui se passe ?

— Il s'est réveillé lorsque vous êtes parties et il n'a pas arrêté de pleurer depuis, soupira Lou, en nage.

Dès qu'il aperçut Ruth, Pud tendit les bras et se jeta pratiquement sur elle. Ses pleurs cessèrent immédiatement. Il tapa des mains, babilla. Son visage retrouva une couleur normale. Il regarda sa mère, joua avec son collier et se comporta comme si de rien n'était. Lou était persuadé qu'à peine aurait-il le dos tourné, Pud lui tirerait la langue.

Lou se sentait dans son élément. Il voyait la côte s'éloigner, de plus en plus loin, et tout son corps frémissait en prévision des joies à venir. Ils se rendaient au point de départ de la course, un peu au nord de Ireland's Eye. Les familles et amis des concurrents, serrés les uns contre les autres, encourageaient les voiliers au passage et les saluaient depuis le phare au bout du ponton, des jumelles dans les mains.

La mer avait quelque chose de magique. Tout le monde voulait vivre sur ses rivages, se baigner dedans, y jouer, la contempler. Elle était vivante et aussi imprévisible qu'un grand acteur de théâtre : elle pouvait se montrer charmante et calme, accueillir le public et l'embrasser, tout comme elle pouvait être d'humeur orageuse et exploser, projeter les gens de tous les côtés pour qu'ils disparaissent, partir à l'assaut des côtes, submerger les îles. Elle pouvait aussi se montrer joueuse quand elle se délectait des foules, bousculait les enfants, renversait les matelas pneumatiques ou les véliplanchistes, ou donnait un coup de main aux marins. Et elle faisait tout ça en gloussant secrètement. Lou n'aimait rien tant que de sentir le vent dans ses cheveux tandis qu'il glissait sur l'eau, le visage battu par la pluie ou dardé par le soleil. Il n'avait pas fait de voile depuis bien longtemps – lui et Ruth, évidemment, avaient passé de nombreuses vacances sur des yachts appartenant à leurs amis, mais l'époque où Lou avait fait partie d'une équipe, quelle qu'elle soit, était bien lointaine. Il avait hâte de se mettre au défi, non seulement d'être en compétition avec trente autres bateaux, mais aussi de lutter contre la mer, le vent et les éléments.

Arrivés au point de départ et dans le but de s'identifier, ils s'avancèrent près du voilier du comité de course, le *Free Enterprise*. La marque de départ avait été matérialisée par un poteau rouge et un poteau blanc dressés d'un côté sur le voilier du comité, et par une bouée orange cylindrique flottant de l'autre côté, à gauche du port. Lou se mit en place à l'avant du bateau. Ils firent le tour de la zone de départ, cherchant la position idéale, celle qui leur ferait franchir la marque de départ exactement au bon moment. Le vent soufflait du nord-est, force 4, et la marée montait, ce qui n'arrangeait en rien l'humeur de la mer. Il leur faudrait tenir compte de ce facteur-là s'ils voulaient que le voilier file le plus vite possible sur ces eaux agitées. Comme au bon vieux temps, Lou et Quentin avaient longuement discuté de la situation et tous deux savaient ce qu'ils devaient faire. S'ils franchissaient la marque de départ trop tôt, ils seraient disqualifiés. Le rôle de Lou était de surveiller leur vitesse, de les mettre dans la bonne direction et d'en informer le barreur, en l'occurrence, Quentin. Quand ils étaient adolescents – à l'époque où ils remportaient de nombreuses régates et auraient pu concourir les yeux fermés, se fiant uniquement à la direction du vent –, ils maîtrisaient parfaitement ces manœuvres de départ. Mais c'était il y a bien longtemps et, depuis, ils avaient perdu cette capacité à communiquer si facilement entre eux.

Lou se félicita quand il vit le compte à rebours se déclencher à 11 h 25. Ils faisaient tourner le bateau de sorte à être les premiers à passer la ligne. À 11 h 26, le pavillon préparatoire fut levé. À 11 h 29, il fut affalé. Lou remuait les bras dans tous les sens afin d'aider Quentin à optimiser sa manœuvre.

— À tribord, à tribord, Quentin ! hurla-t-il en agitant son bras droit. Trente secondes !

Ils s'approchèrent d'un peu trop près d'un autre voilier. La faute à Lou.

— Euh... à bâbord ! À gauche ! cria-t-il. Vingt secondes !

Tout le monde luttait pour trouver une position idéale mais il y avait trente bateaux en course et seul un nombre réduit pouvait franchir la marque de départ au bon endroit, près du voilier du comité. Les autres tenteraient de récupérer un maximum de vent pour se faire tirer le long du parcours.

11 h 30 : début de la régate. Une dizaine de bateaux franchirent la marque de départ avant eux. Pas le meilleur départ, mais Lou n'avait pas l'intention de se laisser abattre. Il était encore rouillé, il avait certainement besoin d'entraînement, mais ce n'était plus le moment de penser à ça. Maintenant, il était en plein dedans.

Ils avancèrent, Ireland's Eye toujours sur leur droite, le promontoire sur leur gauche. Ce n'était pas non plus le moment d'admirer la vue. Lou restait immobile, réfléchissant à toute allure, observant les voiliers qui fusaient autour de lui. Le vent soufflait dans ses cheveux, il sentait son sang couler dans ses veines, et il ne s'était jamais senti aussi vivant. Les sensations qu'il avait autrefois ressenties sur un bateau lui revenaient. Il avait peut-être perdu en vitesse de réaction, mais il retrouvait ses réflexes. Ils avançaient, le bateau s'écrasant contre les vagues alors qu'il se dirigeait vers la marque au vent, à un mille nautique de la ligne de départ.

— Changement de bord ! hurla Quentin, barrant et regardant autour de lui tandis qu'ils se préparaient tous.

L'équilibreur du foc, Alan, vérifia que le mou dans les étais avait été réduit. L'équilibreur du génois, Luke, vérifia que la nouvelle voile était bien enroulée et fit tourner le winch. Lou ne bougea pas d'un pouce, anticipant ses manœuvres à suivre et ne quittant pas les autres bateaux des yeux pour s'assurer qu'aucun d'entre eux ne les collait de trop près. Il savait instinctivement qu'ils viraient côté bâbord et qu'ils n'auraient pas la priorité sur les bateaux à tribord. Ses vieilles notions de voile remontaient à la surface et il se sentit secrètement fier de lui pour avoir positionné le bateau sur la layline de la marque au vent. Quand le virage fut fini, ils étaient repassés en position favorable et Lou sentait bien qu'il avait regagné la confiance de Quentin. Ils avançaient en force vers la marque au vent ; la voie était libre. Lou luttait autant pour la première place que pour revenir dans les bonnes grâces de son frère.

Quentin s'assura qu'il avait suffisamment de place pour border et commença à tourner. Geoff, dans le cockpit, se déplaça rapidement vers le génois, et quand celui-ci prit le vent arrière, il le relâcha. Le voilier traversa le vent, la grand-voile fut rabaissée de quelques mètres et la bôme passa de l'autre côté. Luke tira aussi vite que possible et, quand il ne put plus le faire, il força sur le winch. Là voile s'enroula encore un peu. Quentin s'orienta dans la nouvelle direction.

— Attention, on gîte ! hurla Lou.

Ils se précipitèrent alors tous du côté soulevé par le vent pour passer leurs jambes par-dessus la coque.

Quentin cria de joie et Lou se mit à rire.

Après avoir fait le tour de la première marque, ils se dirigèrent vers la deuxième avec le vent de leur côté. Lou plongea dans l'action, hissa le spinnaker à temps, puis fit signe à Quentin que tout était OK. Le reste de l'équipage se remit aussitôt en mouvement, chacun vaquant à ses tâches. Lou faisait un peu trop de signes d'encouragement mais il voyait bien que tout se passait pour le mieux.

Voyant la voile se hisser, Lou hurla joyeusement :

— En haut !

Alan équilibrait le spinnaker pendant que Robert l'enroulait. Ils avançaient vite. Lou rugit de joie et brandit son poing en l'air. Derrière la barre, Quentin rit en voyant le spinnaker prendre le vent comme un manche à air. Poussés par le vent, ils cinglèrent jusqu'à la marque suivante. Quentin s'accorda un petit regard derrière lui et ce qu'il vit l'impressionna : il y avait au moins vingt-cinq bateaux derrière eux qui levaient le spinnaker et tentaient de les rattraper. Pas mal. Il croisa le regard de Lou et sourit. Ils ne dirent rien. Ce n'était pas la peine. Ils savaient.

Après trente minutes de queue autour de la patinoire, Lou et sa famille arrivèrent enfin à l'entrée.

— Amusez-vous bien, annonça Lou en frappant des mains et des pieds pour se réchauffer. Moi je vais aller au stand de café à côté et vous regarder.

Ruth se mit à rire.

— Lou, je croyais que tu venais faire du patin à glace !

— Non, répondit-il en faisant la grimace. J'ai passé la dernière demi-heure à voir patiner des hommes plus âgés que moi et ils avaient tous l'air parfaitement idiots. Et si quelqu'un me voit ? Merci mais je préfère rester ici. En plus, il est neuf et doit être nettoyé à sec, ajouta-t-il en parlant de son pantalon.

— D'accord, dit Ruth fermement. Alors, ça ne te dérange pas de t'occuper de Pud pendant que je patine avec Lucy ?

— Viens, Lucy, s'écria-t-il en attrapant la main de sa fille. Allons chercher nos patins.

Il lança un clin d'œil à Ruth qui riait, et il se dirigea vers le comptoir de location. Il arriva avant Père-de-famille-si-fier-de-lui qui, comme le joueur de flûte de Hamelin, traînait derrière lui plus d'enfants que tout à l'heure. « Ha ! Une petite victoire, certes, mais une victoire quand même », pensa Lou. La proximité de la glace faisait ressurgir le petit garçon en lui et il avait envie de jouer.

— Quelle taille ? demanda l'homme derrière le comptoir.

— 44, s'il vous plaît, répondit Lou.

Il se pencha vers Lucy pour l'encourager à parler. Ses grands yeux marron le fixaient avec incertitude.

— Dis au monsieur quelle est ta pointure, l'encouragea-t-il.

Il avait l'impression que Père-de-famille-si-fier-de-lui le collait de près.

— Je ne sais pas, papa, murmura-t-elle.

— Eh bien, tu as quatre ans, non ?

— Cinq, corrigea-t-elle en fronçant les sourcils.

— Elle a cinq ans, expliqua-t-il à l'homme. Il me faut une pointure pour une enfant de cinq ans.

— Ça dépend vraiment de l'enfant.

Lou soupira et sortit son BlackBerry. Il était hors de question qu'il refasse la queue. Il entendit Père-de-Famille-si-fier-de-lui annoncer :

— Deux 34, un 32 et un 45, s'il vous plaît.

Lou leva les yeux au ciel et se lança dans une série d'imitations. Lucy rit et tenta de faire de même.

— Allô ?

— Lucy chausse du combien ?

— Du 26, répondit Ruth en riant.

— Super, merci, dit-il avant de raccrocher.

Une fois sur la glace, il resta sagement sur un côté de la patinoire. Il prit la main de Lucy et l'accompagna. Ruth se tenait tout près avec Pud, qui donnait des coups de pied d'excitation. Il faisait des bonds et désignait toutes sortes de choses un peu au hasard.

— Ma chérie, commença Lou. (Sa voix – comme ses chevilles – tremblait sur la glace.) C'est très dangereux, d'accord, il faut que tu fasses attention. Accroche-toi au rebord, OK ?

D'une main, Lucy s'accrocha au rebord et avança lentement sur la glace. Les chevilles de Lou tremblaient toujours autant.

Lucy prit de la vitesse.

— Ma puce... reprit Lou, la voix chevrotante.

Il regardait la surface glacée et dure, et redoutait la chute. Il ne se rappelait plus la dernière fois qu'il était tombé. Certainement quand il était enfant, les adultes ne tombant pas – en principe.

La distance entre lui et Lucy s'agrandissait.

— Suis-la, Lou ! s'écria Ruth de l'autre côté de la rambarde.

Ruth marchait en même temps qu'il avançait, et il pouvait entendre le sourire dans sa voix.

— Je parie que tu t'amuses beaucoup.

Il était tellement concentré sur ses pieds qu'il ne pouvait pas lever la tête pour la regarder.

— Absolument.

Il poussa son pied gauche en avant. Il glissa plus que prévu et manqua de faire le grand écart. Il avait l'impression d'être Bambi se mettant debout pour la première fois. Il tremblotait, tournoyait, décrivant de grands cercles avec les bras comme une mouche prisonnière d'un pot de confiture. Il entendait le rire si particulier de Ruth. Mais il s'améliorait. De temps en temps, il levait les yeux pour voir où était Lucy, facilement repérable dans son manteau rouge pompier. Elle avait déjà parcouru la moitié de la piste.

Père-de-famille-si-fier-de-lui le dépassa en trombe. Il ondulait, comme s'il s'apprêtait à prendre part à une course de bobsleigh, et allait si vite qu'il faillit renverser Lou. Derrière lui, ses enfants patinaient rapidement, main dans la main. Et en plus ils chantaient ! Pour Lou, ce fut la goutte d'eau... Il lâcha la rambarde et tenta de trouver un équilibre sur ses jambes vacillantes. Puis, lentement, il jeta un pied en avant, puis l'autre. Le dos arqué, faisant des moulinets avec les bras, menaçant à chaque pas de tomber à la renverse. Se rattrapant juste à temps.

— Salut, papa, dit Lucy en passant devant lui.

Elle venait de faire un tour complet de la patinoire.

Lou s'éloigna du bord de la patinoire, loin des débutants qui grattaient la glace centimètre par centimètre, déterminé à faire mieux que Père-de-famille-si-fier-de-lui, qui galopait sur la glace avec autant d'aise qu'un chien de traîneau.

Lou était maintenant seul, à mi-chemin entre le centre et le bord. Il se sentait un peu plus confiant et il se poussa en avant, essayant comme les autres de balancer les bras pour maintenir son équilibre. Il prit de la vitesse. Évitant les enfants et les personnes âgées, il fit le tour de la patinoire. Recroquevillé sur lui-même, agitant les bras, il n'avait rien d'un gracieux patineur artistique – tout au plus ressemblait-il à un joueur de hockey. Il percuta des enfants et en fit tomber quelques-uns ou précipita leur chute. Il entendit un enfant pleurer. Il se concentrait tellement pour ne pas s'écrouler qu'il trouva à peine le temps de s'excuser. Il dépassa Lucy et, incapable de s'arrêter, dut continuer d'avancer. Il ne cessait de prendre de la vitesse tandis qu'il tournait et tournait encore. Les lumières qui décoraient les arbres du parc devenaient floues. Les bruits et les couleurs des patineurs autour de lui fusionnaient et tournoyaient. Il avait l'impression d'être sur un manège. Il se détendit et sourit un peu plus, finit un tour, un autre tour, encore un tour... Il dépassa Père-de-famille-si-fier-de-lui ; il dépassa Lucy une troisième fois ; il dépassa Ruth qui l'appela et prit une photo. Il ne pouvait ni ne voulait s'arrêter ; il ne savait tout simplement pas comment faire. Il profitait du vent dans ses cheveux, des lumières de la ville autour de lui, de la fraîcheur cinglante de l'air, du ciel rempli d'étoiles tandis que la nuit approchait. Il se sentait libre et en vie, plus heureux qu'il ne l'avait été depuis longtemps. Et il tournait, tournait...

L'*Alexandra* s'était lancé sur le parcours une troisième et dernière fois. La vitesse et la coordination des

membres de son équipage s'étaient grandement amé-
liorées pendant la dernière heure et Lou avait résolu
tous les problèmes qu'il avait rencontrés jusque-là. Ils
arrivaient à la marque de départ et il fallait de nouveau
affaler le spinnaker.

Lou vérifia que les cordes avaient du lest. Geoff hissa
le génois, Lou s'assura qu'il était bien lofé et Luke vérifia qu'il était en position sécurisée. Robert se posi-
tionna de sorte à réceptionner la voile libre sous la voile
principale, ce qui était nécessaire pour tirer le spinnaker. Dès qu'il fut en place, on se prépara pour que toutes les manœuvres aient lieu en même temps. Geoff
relâcha la drisse et aida à tasser le spinnaker. Joey
libéra le tendeur pour que le spinnaker puisse flotter
comme un drapeau en dehors du bateau. Quand le
spinnaker fut de nouveau dans le bateau, Luke enroula
le génois pour que le voilier prenne sa nouvelle direction, Joey réduisit la grand-voile, Geoff descendit le
mât et Lou l'arrima.

Le spinnaker était baissé pour la dernière fois. Ils
approchaient de la ligne d'arrivée ; ils appelèrent le
commissaire de course sur le canal 37. Puis ils atten-
dirent la confirmation. Ils n'étaient pas les premiers
arrivés mais ils étaient heureux. Lou regarda Quentin
et encore une fois ils se sourirent. Et ne dirent rien. Ce
n'était pas la peine. Ils savaient tous deux.

Allongé sur le dos au milieu de la patinoire, Lou se
tenait les côtes, douloureuses, et s'efforçait de ne plus
rire – en vain. Des gens voletaient autour de lui. Il avait
fait ce qu'il redoutait le plus et avait réussi la chute la
plus comique et la plus dramatique de la journée. Au
milieu de la patinoire, Lucy riait aussi tout en essayant
de soulever un des bras de son père étalé par terre pour
l'aider à se redresser. Ils s'étaient d'abord tenus par la
main et avaient patiné un peu ensemble, lentement.
Mais Lou, dans sa fougue, avait fini par s'emmêler les
pieds et par trébucher. Il avait fait un vol plané et

atterri sur le dos. Heureusement, il ne s'était rien cassé. Sa fierté en avait peut-être pris un coup mais, de façon étonnante, il ne s'en souciait pas. Lucy tirait toujours sur son bras et il la laissa croire qu'elle l'aidait à se relever. Il se tourna vers Ruth et fut aveuglé par la nouvelle lumière d'un flash alors qu'elle prenait une autre photo. Leurs regards se croisèrent et il sourit.

Ce soir-là, rien ne fut dit. Ce n'était pas la peine. Ils savaient.

Ils avaient passé la meilleure journée de toute leur vie.

26

Tout a commencé avec une souris

Le lundi suivant la régate et la journée à la patinoire, Lou Suffern déambulait allégrement dans les couloirs et se dirigeait vers le grand bureau avec la meilleure luminosité. On était à la veille de Noël et les bureaux étaient pratiquement vides. Quelques collègues – en tenue décontractée – hantaient encore les couloirs telles des âmes perdues et quand ils croisaient Lou, ils lui serraient la main et lui tapaient dans le dos pour le féliciter. Il avait réussi. Derrière lui, Gabe portait un carton contenant des dossiers. C'était le dernier jour avant les vacances où Lou pouvait s'installer. Ruth avait voulu qu'il l'accompagne en ville avec les enfants pour qu'ils profitent tous de cette atmosphère de fête, mais il avait refusé. Il savait que la meilleure chose à faire était de prendre un peu d'avance dans son nouveau travail. Comme ça, quand il reviendrait, au début de l'année, il ne perdrait pas de temps. Veille de Noël ou pas, il avait bien l'intention de se familiariser dès maintenant avec ses nouvelles fonctions.

Quand Gabe et Lou ouvrirent la porte du bureau inondé de lumière et entrèrent, on aurait cru que les anges s'étaient mis à chanter. Un rayon de soleil illuminait le chemin depuis la porte jusqu'au bureau, et éclairait directement son nouveau fauteuil, en cuir et toujours aussi immense, comme s'il avait été une apparition. Il avait réussi. Lou en soupirait de soulagement mais retenait aussi sa respiration en prenant la mesure de la tâche qui l'attendait. Quelle que soit sa victoire, il avait toujours cette sensation que ce qui restait à accomplir était infini. Pour lui, la vie était une échelle infinie qui disparaissait quelque part dans les nuages, instable, menaçant toujours de basculer et de l'entraîner dans sa chute. Il ne pouvait pas non plus regarder en bas, sinon il se figeait. Il fallait qu'il regarde toujours en haut. Devant lui et au-dessus.

Gabe posa le carton à l'endroit où Lou le lui avait demandé. Il observa la pièce et siffla.

— Ça, c'est un sacré bureau, Lou.

— Oui, c'est vrai, répondit celui-ci en regardant autour de lui.

— C'est chaleureux, ajouta Gabe en déambulant, les mains dans les poches.

Lou fronça les sourcils.

— Je ne sais pas si « chaleureux » est le mot que j'emploierais pour décrire ce bureau, dit-il en écartant les bras. Ce foutu bureau.

— Alors tu fais quoi maintenant ? demanda Gabe.

— Je suis le directeur de la stratégie, ce qui veut dire que je peux donner des ordres à tous les petits merdeux qui travaillent ici.

— Des petits merdeux comme toi ?

Lou se tourna violemment pour faire face à Gabe, comme un radar qui a localisé une cible.

— C'est simplement qu'il y a quelques jours tu faisais partie de ces petits merdeux à qui l'on disait ce qu'ils devaient... oh, laisse tomber, murmura Gabe. Et Cliff, il a pris ça comment ?

— Pris quoi ?

— La perte de son poste.

— Ah, souffla Lou en redressant la tête. (Il haussa les épaules.) Je ne sais pas, je ne le lui ai pas dit.

Gabe resta silencieux.

— Je ne pense pas qu'il aille suffisamment bien pour parler avec qui que ce soit, ajouta Lou qui avait le sentiment d'avoir à se justifier.

— Il reçoit des visites.

— Comment tu le sais ?

— Je le sais. Tu devrais aller le voir. Il pourrait te donner de bons conseils, t'apprendre des choses.

Lou éclata de rire.

Gabe le regarda, sans sourciller.

Lou se racla la gorge, mal à l'aise.

— On est à la veille de Noël, Lou. Qu'est-ce que tu fais ? demanda Gabe doucement.

— Comment ça, qu'est-ce que je fais ? répondit Lou. (Il leva les mains en l'air, l'air interrogateur.) À ton avis ? Je travaille.

— Tu es la seule personne encore dans le bâtiment en dehors des agents de sécurité. Tu as remarqué ? Tous les autres sont dehors, poursuivit-il en désignant la ville bouillonnante d'agitation en dessous.

— Ouais, mais tous les gens dehors n'ont pas autant de choses à faire que moi, répliqua Lou de façon puérile. Et toi aussi, tu es ici, non ?

— Moi, je ne compte pas.

— Excellente réponse. Moi non plus je ne compte pas.

— Si tu continues comme ça, c'est sûr. Tu sais, un des businessmen les plus brillants de tous les temps, un certain Walt Disney – je suis certain que tu en as déjà entendu parler, il a créé une petite affaire –, a dit : « Un homme ne devrait jamais délaisser sa famille pour son travail. »

Le commentaire de Gabe fut suivi d'un long silence pendant lequel Lou serrait et desserrait la mâchoire en se demandant s'il voulait simplement demander à Gabe de partir ou s'il avait envie de le jeter dehors.

— Mais bon, il a aussi dit : « Tout a commencé avec une souris », poursuivit Gabe en riant.

— Oui, OK, bon, il faudrait que je me mette au boulot, Gabe. Je te souhaite un joyeux Noël, dit-il en contrôlant le ton de sa voix.

Il ne cherchait pas à paraître joyeux mais voulait au moins cacher le fait qu'il avait envie d'étrangler Gabe.

— Merci, Lou. Je te souhaite aussi un joyeux Noël. Et je te félicite pour ce foutu bureau.

Lou ne put s'empêcher de rire en entendant Gabe. Quand la porte se referma, il se retrouva seul pour la première fois dans son nouvel espace. Il se dirigea vers sa table de travail, caressa du doigt la bordure en noyer et le revêtement en peau de porc. Dessus, il n'y avait qu'un grand ordinateur blanc, un clavier et... une souris.

Il s'assit dans son fauteuil en cuir et le fit pivoter pour faire face aux fenêtres. Il observa la ville qui, à ses pieds, se préparait pour les fêtes. Une partie de lui se sentait appelée par l'extérieur ; pourtant il se savait prisonnier, séquestré derrière cette fenêtre qui voulait bien lui montrer le monde mais ne l'autorisait pas à le toucher. Il avait souvent l'impression d'être enfermé dans une immense boule en verre remplie de neige artificielle, enseveli sous des flocons de responsabilités et d'échecs. Il passa une heure à réfléchir, assis dans son fauteuil. Il pensa à Cliff ; à tout ce qui s'était passé les dernières semaines, et à la meilleure journée d'entre toutes, deux jours plus tôt. Il pensa à tout. Quand un léger sentiment de panique se manifesta, il fit pivoter sa chaise, prêt à affronter son bureau. Prêt à tout affronter.

Il fixa le clavier des yeux. Longuement. Puis il suivit le câble fin et blanc qui reliait la souris à ce dernier. Il pensa à Cliff, qu'il avait retrouvé blotti sous ce même bureau, serrant ce même clavier, le menaçant avec cette même souris, les yeux exorbités, terrorisés – ceux d'un possédé.

En l'honneur de Cliff – que Lou n'avait pas pris la peine de saluer depuis son absence –, il enleva ses chaussures, détacha le clavier du moniteur, et recula le fauteuil en cuir. Il se mit à quatre pattes et se traîna sous le bureau, le clavier serré contre lui. Il regarda les fenêtres qui occupaient toute la hauteur du mur et observa la ville. Il resta assis là encore une heure, à méditer.

L'horloge au mur faisait beaucoup de bruit. Les bureaux étaient déserts et l'effervescence habituelle avait disparu. Pas de sonneries de téléphone, pas de va-et-vient du photocopieur, pas de vrombissement des ordinateurs, pas de voix, pas de bruits de pas. Avant d'apercevoir l'horloge, il n'avait pas fait attention à l'aiguille des secondes qui défilait, mais maintenant qu'il l'avait remarquée, le tic-tac semblait de plus en plus fort. Lou regarda le clavier, puis la souris. Une décharge électrique le parcourut, une sorte d'électro-choc qui lui transperçait le crâne pour la deuxième fois cette année, mais, pour la première fois, il comprit enfin le message de Cliff. Quelle que soit la foutue menace qui avait hanté ce dernier, Lou n'avait pas la moindre envie d'en faire l'expérience.

Il rampa hors de sa cachette, enfonça ses pieds dans ses chaussures polies et sortit du bureau.

27

La veille de Noël

Grafton Street, la principale rue piétonne de Dublin, débordait de gens qui finissaient leurs courses de Noël. Des mains se battaient pour attraper les derniers objets sur les étagères. On avait abandonné toute raison et toute volonté de ne pas trop dépenser. Les décisions se prenaient à la va-vite, en fonction des disponibilités et du temps restant, sans nécessairement tenir compte du récipiendaire. D'abord les cadeaux ; on verrait pour qui ensuite.

Faisant pour une fois abstraction de l'agitation qui les entourait, Lou et Ruth déambulaient main dans la main dans les rues de Dublin, laissant aux autres le soin de se bousculer et de se dépêcher. Lou avait tout son temps. Ruth avait été plus que surprise quand Lou avait brusquement changé d'avis et lui avait donné rendez-vous. Toutefois comme d'habitude, elle n'avait pas posé de questions. Elle accueillait les revirements de son mari avec une joie silencieuse mais aussi avec une suspicion qu'elle se refusait à exprimer. Lou Suffern devait encore faire ses preuves.

Ils se baladèrent le long de Henry Street. Dans leurs stands, les vendeurs s'efforçaient d'écouler leur stock – jouets, papier cadeau, guirlandes et décorations de Noël, voitures télécommandées qu'ils faisaient rouler sur le trottoir –, encore étalé pendant ces dernières heures de frénésie de Noël. Sur Moore Street, comme toujours en perpétuelle évolution, on trouvait à côté des stands traditionnels un joyeux mélange de stands ethniques, avec des objets venus d'Asie et d'Afrique. Lou acheta des choux de Bruxelles à un vendeur à la langue bien pendue et dont le bagou suffisait à assurer le spectacle. Ils se rendirent à la messe de Noël en fin de matinée, avant de déjeuner au Westin Hotel dans College Green, un bâtiment historique du XIXe siècle qui, jadis, avait été une banque et abritait désormais un hôtel de luxe. Ils mangèrent dans le Banking Hall et Pud passa tout son temps assis n'importe comment, la tête renversée en arrière, à regarder émerveillé le plafond décoré et gravé à la main ainsi que les quatre lustres qui scintillaient de leurs huit mille pièces de cristal égyptien. Sa voix résonnait sur les hauts plafonds – son bonheur était tel qu'il cria pendant toute la durée du déjeuner.

Lou Suffern vit le monde différemment ce jour-là. Au lieu de le contempler du haut de ses treize étages, assis dans son gros fauteuil en cuir derrière des baies au double vitrage fumé, il avait décidé de s'y mêler. Gabe avait eu raison pour la souris ; il avait eu raison en disant que Cliff pouvait lui apprendre des choses – d'ailleurs, c'était ce qui s'était passé six mois auparavant quand la souris avait heurté Lou au visage, faisant remonter toutes ses peurs et ses complexes à la surface. Après réflexion, Lou devait bien admettre que Gabe avait souvent raison. C'était sa voix qui grinçait dans son oreille et lui disait depuis tout ce temps les mots qu'il n'avait pas eu envie d'entendre. Il était redevable à Gabe, pour beaucoup de choses. Le soir approchait et les enfants devaient rentrer à la maison avant que le Père Noël ne commence sa grande tournée. Lou embrassa Ruth et les enfants, les raccompagna à la voiture, vérifia que tout allait bien, et se dirigea vers son bureau. Il avait une dernière chose à faire.

Lou attendait l'ascenseur dans le hall d'entrée. Quand les portes s'ouvrirent, il s'avança mais interrompit son élan en voyant M. Patterson en sortir.

— Lou ! s'exclama ce dernier avec surprise. Je n'arrive pas à croire que vous travailliez aujourd'hui. Vous m'épaterez toujours.

Ses yeux s'étaient posés sur la boîte que tenait Lou.

— Oh non, je ne travaille pas. Pas en ce jour de vacances, répondit Lou en souriant.

Il cherchait à placer ses pions dès maintenant, voulant subtilement partir sur de nouvelles bases en rapport avec ses nouvelles fonctions.

— Il faut simplement que, euh…

Il ne voulait pas dire où il allait de peur que Gabe ait des problèmes.

— J'ai oublié quelque chose dans mon bureau.

— Ah très bien, très bien. Lou, je crains d'avoir une nouvelle à vous annoncer, poursuivit il en frottant ses yeux fatigués. J'y ai longuement réfléchi, mais je pense que c'est ce qu'il y a de mieux à faire. Moi non plus je ne suis pas venu ce soir pour travailler, avoua-t-il. C'est Alfred qui m'a demandé de venir. C'était urgent. Après ce qui s'est passé avec Cliff, je crois qu'on est tous un peu sur les nerfs, et je me suis donc précipité ici.

— Je vous écoute, l'encouragea Lou, au bord de la panique.

Les portes de l'ascenseur se refermèrent. Plus d'échappatoire possible.

— Il voulait me parler, me parler… de vous, en fait.

— Ah, souffla Lou lentement.

— Il m'a apporté ça.

M. Patterson plongea la main dans sa poche et en ressortit le flacon que Gabe avait donné à Lou. Il ne restait qu'un seul comprimé à l'intérieur. Alfred, ce rat, avait certainement foncé jusqu'à la benne à ordures pour ramasser la preuve nécessaire à l'anéantissement de son collègue.

Lou regarda le flacon avec stupeur. Il se demandait s'il devait nier ou pas. Des gouttes de sueur perlèrent sur sa lèvre supérieure tandis qu'il cherchait une histoire à concocter. Les cachets étaient à son père. Non, à sa mère. Pour sa hanche. Non. Il avait des douleurs lombaires. Il se rendit compte que M. Patterson continuait et il s'obligea à y prêter attention.

— Il m'a expliqué qu'il l'avait trouvé sous une benne à ordures. Je ne sais pas pourquoi, poursuivit M. Patterson en fronçant les sourcils, mais il savait que c'était à vous…

Il scruta le visage de Lou, espérant y déceler la vérité.

Le cœur de Lou battait si fort qu'il résonnait dans ses oreilles.

— Je sais que vous êtes ami avec Alfred, continua M. Patterson, troublé, le visage marqué. Mais son intérêt pour vous m'a paru malhonnête. Il m'a semblé qu'il me disait tout ça pour vous causer des ennuis.

— Euh… bredouilla Lou en ravalant sa salive. (Il examina le flacon marron.) Il n'est… euh… il n'est, euh…

Il bafouillait, incapable de formuler sa phrase.

— Je ne suis pas du genre à me mêler de la vie des gens, Lou. Ce que mes collègues font sur leur temps libre, c'est leur affaire, du moment que cela n'affecte pas leur travail ou cette entreprise. Donc je n'ai pas vu d'un très bon œil qu'Alfred me donne ceci, expliqua-t-il, le front toujours plissé.

Lou ne répondait pas mais transpirait abondamment.

— Mais peut-être que c'est ce que vous vouliez qu'il fasse ? reprit M. Patterson, essayant de comprendre.

— Quoi ? s'écria Lou en s'essuyant le front. Pourquoi voudrais-je qu'Alfred vous apporte ce flacon ?

M. Patterson le fixa longuement. Ses lèvres tremblotaient légèrement.

— Je ne sais pas, Lou, vous êtes un homme intelligent.

— Pardon ? s'étonna Lou, encore plus troublé. Je ne comprends pas.

— Dites-moi si je me trompe mais j'ai pensé que vous aviez délibérément envoyé Alfred sur une fausse piste avec ces cachets. Que vous avez sciemment cherché à lui faire croire qu'il ne s'agissait pas de simples pilules. J'ai raison ? demanda-t-il.

Ses lèvres tremblotantes s'étaient à présent transformées en sourire.

Bouche bée, Lou observa son patron.

— Je le savais, hoqueta M. Patterson en secouant la tête. Vous êtes doué. Mais pas tant que ça. Je l'ai compris en voyant la marque bleue sur le dessus, expliqua-t-il.

— Que voulez-vous dire ? Quelle marque bleue ?

— Vous n'êtes pas parvenu à gratter la totalité du logo sur le dessus des cachets, dit-il. (Il décapsula le flacon, versa un comprimé dans sa main et ouvrit sa paume.) Vous voyez la marque bleue ? Et si vous regardez bien, vous pouvez aussi voir la trace du D, là. Faites-moi confiance, je le sais bien. Sans ces trucs-là, jamais je ne tiendrais le coup, ici.

Lou ravala sa salive.

— C'était le seul avec la marque bleue ?

Paresseux jusqu'au bout, Alfred n'avait même pas pris la peine d'aller dans la benne à ordures récupérer les cachets de Lou. Il avait pris des cachets contre le mal de tête et avait gratté les lettres dessus.

— Non, il y en avait deux. Tous les deux avaient la marque bleue. J'en ai pris un, j'espère que ça ne vous dérange pas. Je me fiche de savoir si Alfred les a trouvés sous la benne ou dans la benne, j'avais tellement mal à la tête qu'il fallait que je réagisse. Cette foutue période de Noël va me conduire droit au cimetière.

— Vous en avez pris un ? s'inquiéta Lou.

— Je vous le remplacerai, assura-t-il en faisant un geste de la main. Ça s'achète dans n'importe quelle pharmacie.

— Que s'est-il passé quand vous en avez pris un ?

— Eh bien, ça m'a débarrassé de mon mal de tête, ça c'est sûr, répondit-il, méfiant. Mais pour vous dire la vérité, si je ne rentre pas chez moi dans l'heure qui suit, je vais en avoir besoin d'un autre.

Il regarda sa montre. Estomaqué, Lou restait silencieux.

— Bref, je voulais simplement vous dire que je n'ai pas apprécié les petites manœuvres d'Alfred et je ne pense pas que vous soyez, euh… enfin ce qu'Alfred voulait me faire croire. Dans cette entreprise, il n'y a pas de place pour des gens comme lui. J'ai dû le licencier. La veille de Noël. Bon Dieu, ce boulot fait de nous des monstres, parfois, souffla-t-il, fatigué, paraissant soudain bien plus âgé que ses soixante-cinq ans.

Lou ne disait rien mais, dans sa tête, des dizaines de questions hurlaient pour se faire entendre. Soit Alfred avait remplacé les cachets, soit lui-même avait pris des médicaments contre le mal de tête les deux fois où il s'était dédoublé. Lou sortit le mouchoir de sa poche, le déballa et examina le dernier cachet. Son sang se figea. On distinguait faiblement l'initiale sur le comprimé. Pourquoi ne l'avait-il pas remarqué avant ?

— Ah, je vois qu'il vous en reste un autre, gloussa M. Patterson. Je vous prends la main dans le sac, Lou. Tenez, je vous rends celui-là aussi. Vous pouvez le rajouter à votre collection.

Il lui tendit le flacon.

Lou le regarda. Il prit le dernier cachet des mains de M. Patterson. Il ouvrait et fermait la bouche comme un poisson rouge, incapable de parler.

— Il faut que j'y aille, annonça M. Patterson en s'éloignant. J'ai un train à assembler et des piles à insérer dans une poupée Miss Je-ne-sais-quoi qui sort des insanités dès qu'on l'allume et que je vais devoir écouter pendant toute la semaine, c'est sûr. Passez un très bon Noël, Lou.

Il avança sa main.

Lou hoqueta. Son esprit tourbillonnait, cherchant à faire sens de cette histoire de comprimés contre le mal de tête. Peut-être qu'il était allergique ? Le dédoublement n'aurait-il été qu'un effet secondaire ? Avait-il rêvé tout ça ? Non. Non, c'était bien arrivé, sa famille pouvait témoigner de sa présence, les deux fois. Mais si ce n'étaient pas les pilules, alors c'était quoi ?

— Lou ? reprit M. Patterson, la main tendue.

— Au revoir, croassa Lou avant de s'éclaircir la gorge. Je veux dire, joyeux Noël.

Il tendit la main à son tour et serra celle de son patron.

Dès que M. Patterson eut le dos tourné, Lou se précipita vers la sortie de secours et dévala l'escalier menant au sous-sol. Il faisait plus froid que d'habitude. La lumière au bout du couloir avait été réparée et ne clignotait plus comme un stroboscope des années 1980. De la musique de Noël parvenait jusqu'à lui. *Driving Home for Christmas*, de Chris Rea, résonnait dans le long couloir glacial.

Lou ne frappa pas à la porte avant d'entrer. Il la poussa avec le pied, portant sa boîte à bout de bras. La pièce s'était bien vidée depuis sa dernière visite. Gabe était au fond de la deuxième rangée. Il enroulait son sac de couchage et sa couverture.

— Salut, Lou, dit-il sans se retourner.

— Qui es-tu ? demanda Lou.

Sa voix tremblait. Il posa la boîte sur une étagère.

Gabe se redressa et s'avança vers Lou.

— OK, s'étonna-t-il lentement tout en dévisageant Lou. Drôle de façon d'entamer une conversation.

Ses yeux se posèrent sur le carton sur l'étagère. Il sourit.

— C'est pour moi ? demanda-t-il doucement. Tu n'aurais pas dû.

Il fit un pas en avant pour prendre le carton. Lou recula. Il regardait Gabe avec crainte.

— Hmmm, murmura Gabe en voyant l'attitude de Lou.

Puis il se tourna vers le paquet à présent posé sur l'étagère.

— Je peux l'ouvrir maintenant ?

Lou ne répondit pas. Des gouttes de sueur glissaient le long de ses tempes. Ses yeux, alertes, suivaient le moindre mouvement de Gabe.

Gabe prit son temps et ouvrit avec précaution le cadeau parfaitement emballé. L'attaquant par les extrémités, il retira lentement le scotch, en prenant garde à ne pas déchirer le papier.

— J'adore offrir des cadeaux aux gens, expliqua-t-il, le ton de sa voix toujours léger. Ce n'est pas souvent que les gens m'en offrent. Mais toi, tu es différent, Lou. C'est ce que j'ai toujours pensé.

Il lui sourit. Il enleva le papier cadeau et retira l'objet à l'intérieur de la boîte. Un chauffage électrique.

— C'est vraiment très gentil de ta part, merci. Il me sera très utile, mais pas ici malheureusement, parce que je m'en vais.

Lou s'était plaqué contre le mur, aussi loin de Gabe que possible. Sa voix tremblait :

— Les cachets que tu m'as donnés étaient des médicaments contre le mal de tête.

Gabe examinait toujours le radiateur.

— J'imagine que c'est M. Patterson qui t'a dit ça.

Lou eut un mouvement de stupeur. Il s'attendait à ce que Gabe nie toute l'affaire.

— Oui, répondit-il. Alfred les a récupérés sous la benne à ordures et les a montrés à M. Patterson.

— Le rat ! s'exclama Gabe en souriant et en secouant la tête. Ce qu'il est prévisible, ce bon vieil Alfred. Je me disais bien qu'il ferait une chose pareille. On peut au moins lui donner des points pour sa persévérance. Il ne voulait vraiment pas que tu aies ce poste.

Comme Lou ne répondait pas, Gabe poursuivit :

— Je parie qu'il n'a rien gagné en allant voir M. Patterson.

— M. Patterson l'a viré, annonça doucement Lou, qui cherchait toujours à comprendre le pourquoi du comment.

Gabe sourit. Il ne semblait pas surpris. Plutôt satisfait – et même très fier de lui.

— C'est quoi, ces comprimés ? demanda Lou, la voix toujours tremblante.

— Ouais, c'étaient des comprimés contre le mal de tête que j'ai achetés dans une pharmacie. Ça m'a pris un temps fou de gratter les lettres sur le dessus ; tu sais, on ne trouve plus tellement de cachets sans logo ces temps-ci.

— QUI ES-TU ? hurla Lou, débordant de terreur.

Gabe sursauta. Il paraissait un peu embêté.

— Tu as peur de moi, maintenant ? Parce que tu t'es rendu compte que ce ne sont pas ces comprimés qui t'ont cloné ? Tu sais quel est le problème de la science ? Vous êtes tous prêts à croire à toutes ces nouvelles découvertes scientifiques. Vous avez des comprimés pour ceci, d'autres comprimés pour cela. Pour maigrir, vous faire pousser les cheveux, et bla-bla-bla, et bla-bla-bla. Mais dès qu'on vous demande d'avoir un minimum de foi, vous pétez tous les plombs.

Il secoua la tête.

— Si les miracles se résumaient à une équation chimique, poursuivit-il, tout le monde y croirait. C'est décevant. Il fallait que je te fasse croire que c'étaient les comprimés, Lou, parce que sinon tu ne m'aurais pas fait confiance. Et j'avais raison, non ?

— Comment ça, te faire confiance ? Qui est-tu, bordel, et c'est quoi toute cette histoire ?

Gabe regarda Lou tristement.

— Je pensais que c'était clair, maintenant.

— Clair ? En ce qui me concerne, c'est la confusion totale.

— Les comprimés n'étaient qu'un artifice scientifique. Une ruse de la science. Pour éveiller ta conscience, dit-il en souriant.

Lou se frotta le visage, fatigué, troublé, effrayé.

— Tout ça, c'était pour te donner une deuxième chance, Lou. Tout le monde a droit à une deuxième chance. Même toi, en dépit de ce que tu penses.

— Une deuxième chance pour faire quoi ? cria-t-il.

Les mots qui suivirent glacèrent Lou jusqu'au sang. Il avait envie de s'enfuir, de se réfugier immédiatement auprès de sa famille.

— Voyons, Lou, tu connais la réponse.

C'étaient les mots de Ruth. Ces mots appartenaient à Ruth.

Lou tremblait à présent de tout son corps. Gabe continua.

— Pour passer du temps avec ta famille, apprendre à mieux les connaître, avant... eh bien, simplement de passer du temps avec eux.

— Apprendre à mieux les connaître avant *quoi* ? demanda Lou, calme à présent.

Gabe ne répondit pas. Il détourna le regard, conscient d'en avoir trop dit.

— AVANT QUOI ? hurla alors Lou tout en s'approchant du visage de Gabe.

Gabe restait silencieux mais ses yeux d'un bleu cristallin fouillaient ceux de Lou.

— Il va leur arriver quelque chose ?

Un sentiment de panique l'envahit et sa voix se mit à trembler.

— Je le savais. Je le craignais. Que va-t-il leur arriver ?

Il grinça des dents.

— Si tu leur as fait quoi que ce soit, je...

— Ta famille va bien, Lou, l'assura Gabe.

— Je ne te crois pas, bredouilla-t-il, totalement paniqué.

292

Il sortit son BlackBerry de sa poche. Il regarda l'écran : pas d'appel en absence. Il composa le numéro de chez lui et se précipita hors de la pièce de stockage du sous-sol. Il lança un dernier regard méchant à Gabe et se mit à courir, courir, courir...

— N'oublie pas de mettre ta ceinture, Lou ! s'écria Gabe.

La voix de Gabe résonnait dans les oreilles de Lou tandis qu'il se rendait en courant au parking sous-terrain.

Le BlackBerry était programmé pour continuer d'appeler la maison. Quand Lou sortit du garage à toute vitesse, le BlackBerry sonnait toujours dans le vide. Une pluie épaisse et lourde tambourina sur son pare-brise. Il mit les essuie-glaces sur la vitesse maximale et accéléra une fois arrivé sur les quais désormais vides. Le signal d'alarme de la ceinture de sécurité sonnait de plus en plus fort mais il était tellement inquiet qu'il ne l'entendait pas. Les roues de la Porsche glissaient un peu sur la chaussée mouillée tandis qu'il roulait à pleine vitesse le long des allées derrière les quais et ensuite sur la route côtière de Clontarf, en direction de Howth. De l'autre côté de la baie, les deux cheminées à rayures rouges et blanches de la centrale électrique se dressaient du haut de leur deux cents mètres, comme deux doigts géants qui le narguaient. Il tombait des trombes d'eau, qui réduisaient fortement la visibilité, mais il connaissait bien ces artères, il les avait parcourues dans tous les sens toute sa vie durant. Tout ce qui comptait pour lui c'était d'arriver sur la petite bande de terre qui le séparait de sa famille et de la retrouver le plus vite possible. Il était 18 h 30, il faisait nuit noire. La plupart des gens étaient à la messe ou au pub, se préparaient à rassembler leurs cadeaux et à laisser un verre de lait, un morceau de gâteau et quelques carottes pour le Père Noël et son chauffeur. La famille de Lou était à la maison, ils avaient commencé à dîner – il avait promis de les rejoindre – mais personne ne répondait au téléphone. Détournant son regard de la route, Lou jeta un œil sur son BlackBerry pour vérifier qu'il continuait bien d'appeler. Il se déporta un peu vers le milieu. Une voiture venant d'en face le klaxonna furieusement et il se rabattit rapidement sur sa file. Il dépassa le Marine Hotel, à Sutton Cross, où des dizaines de fêtes de Noël battaient leur plein. Voyant que la route devant lui était dégagée, il accéléra davantage. Il passa à toute vitesse devant l'église de Sutton, puis devant l'école près de la côte. Il traversa des quartiers tranquilles, sympathiques, où des bougies se consumaient sur les rebords des fenêtres, où des sapins de Noël étincelaient et des figurines de Pères Noël se balançaient depuis les toits. De l'autre côté de la baie, les douzaines de grues qui constituaient l'horizon de Dublin brillaient de décorations de Noël. Il quitta la baie et s'engagea sur la route en pente raide qui montait vers sa maison, au sommet. La pluie se déversait toujours par paquets, formant un rideau qui limitait de plus en plus sa visibilité. Des gouttes de condensation commençaient à se former sur le pare-brise et il se pencha pour les essuyer avec la manche de son manteau en cachemire. Il enfonça des boutons sur le tableau de bord dans l'espoir de nettoyer son pare-brise. Le bip signalant l'absence de ceinture de sécurité lui crevait les tympans ; la condensation embuait rapidement le pare-brise à mesure que la température dans l'habitacle s'élevait. Mais pas question de ralentir. Son téléphone sonnait toujours dans le vide, et son envie d'être auprès de sa famille avait pris le dessus sur tout autre sentiment. Il ne lui avait fallu que douze minutes pour parvenir jusqu'à sa rue.

Enfin, son téléphone signala un appel entrant. Il baissa les yeux et vit le visage de Ruth – la photo qu'il avait mise en reconnaissance du numéro. Son immense sourire ; ses grands yeux marron, doux et accueillants. Il était ravi qu'elle aille bien, qu'elle l'appelle. Il regarda son BlackBerry avec soulagement et tendit la main pour l'attraper.

La Porsche 911 Carrera 4S a un système unique de quatre roues motrices qui lui permet d'adhérer à la route bien mieux que n'importe quelle autre voiture de sport dont seules les roues arrière sont motrices. Elle répartit entre cinq et quarante pour cent du pouvoir de traction sur les roues avant, en fonction de la résistance exercée sur les roues arrière. Ainsi, si en sortant d'un virage on fait dévier les roues arrière suite à une accélération violente, les forces sont basculées vers l'avant et la voiture se remet dans la bonne direction. Avec ses quatre roues motrices, la Carrera 4S est donc capable d'une bien meilleure tenue de route sur les chaussées glissantes ou gelées que n'importe quelle autre voiture de sport.

Malheureusement, ce n'était pas le modèle que possédait Lou. Il en avait passé commande et espérait le récupérer début janvier, à peine une semaine plus tard.

Si bien que lorsque Lou se pencha sur son Black Berry, tellement heureux et soulagé de voir le visage de sa femme, il en oublia de regarder la route et entra dans le virage suivant à trop grande allure. Par réflexe, il leva le pied de l'accélérateur, ce qui fit passer tout le poids de la voiture vers l'avant et soulagea les roues arrière ; puis il appuya sur l'accélérateur et braqua fortement le volant pour tourner. Mais les roues arrière n'adhéraient plus à la surface. La voiture de Lou pivota vers l'autre côté de la route où l'attendaient le bord de la falaise et un précipice.

Les moments qui suivirent furent pour lui des moments de confusion et d'horreur. Le choc fut si grand qu'il n'éprouva aucune douleur. La voiture fit un tonneau, deux, trois... Chaque fois, la tête, le corps, les jambes, les bras de Lou partirent violemment dans tous les sens, comme une poupée dans une machine à laver, et il hurla. L'airbag vint lui percuter le visage, lui brisant le nez. Il perdit connaissance momentanément, et les instants qui suivirent se passèrent au milieu d'un flot de sang, mais en silence.

Quelque temps après, Lou ouvrit les yeux et tenta d'évaluer sa situation. Impossible. Il ne voyait rien dans cette obscurité et ne pouvait pas bouger. Une substance huileuse et épaisse lui recouvrait un œil. Il réussit à lever une main et, en se tâtant le corps, il se rendit compte qu'il était recouvert de cette même substance gluante. Il tourna sa langue dans sa bouche. Elle était pleine d'un goût métallique : du sang. Il essaya de remuer les jambes – en vain. Il essaya de remuer ses bras – un seul fonctionnait. Pendant qu'il réfléchissait à ce qu'il devait faire, il garda son calme, resta silencieux. Mais, quand pour la première fois de sa vie il ne put formuler une pensée cohérente, puis quand il commença à émerger de l'état de choc dans lequel il se trouvait et qu'il comprit la situation, il fut alors submergé de douleur. Il ne pouvait pas chasser de son esprit les images de Ruth. De Lucy, de Pud, de ses parents. Ils n'étaient pas si loin de lui, là-haut, sur le sommet ; il y était presque. Dans le noir, dans une voiture écrasée, au milieu des ajoncs et des foins, quelque part sur un flan de montagne à Howth, Lou Suffern se mit à gémir.

Raphie et Jessica avaient entamé leur tournée habituelle. Lorsqu'ils passèrent devant l'endroit où la voiture de Lou était sortie de la route, ils étaient en train de se disputer à propos de la musique country que Raphie aimait écouter et avec laquelle il torturait Jessica.

— Attendez, Raphie !

Raphie cessa de hurler mais se mit à chanter encore plus fort.

— RAPHIE ! cria-t-elle, éteignant la musique d'un geste rageur.

Il la regarda avec surprise.

— OK, OK, pas la peine de monter sur vos grands chevaux, comme vous dites.

— Raphie, arrêtez la voiture, dit Jessica.

Son ton était ferme et Raphie gara immédiatement la voiture. Elle bondit hors de l'habitacle et se mit à courir vers l'endroit qui avait attiré son attention, là où les arbres avaient été percutés et défoncés. Elle sortit sa lampe torche et éclaira le flanc de la montagne.

— Oh, bon Dieu, Raphie, il faut appeler les urgences ! s'écria-t-elle. Une ambulance et les pompiers !

Raphie, qui avait couru vers elle, se dépêcha de faire demi-tour. Il transmit un message sur la radio de la voiture.

— Je descends ! hurla-t-elle.

Et elle s'engagea immédiatement à travers les arbres cassés le long de la pente raide.

— Hors de question, Jessica ! cria Raphie.

Mais elle ne l'écoutait pas.

— Revenez ici, c'est trop dangereux !

Elle l'entendait mais ne se laissa pas perturber par ses cris. Rapidement, elle ne put percevoir que sa propre respiration, rapide, déchaînée. Les battements de son cœur résonnaient dans ses oreilles.

Jessica, nouvelle recrue, n'aurait jamais dû arriver la première sur une pareille scène d'accident : voiture écrasée, à l'envers, méconnaissable. Mais ce fut le cas. Tout ça était beaucoup trop familier pour Jessica ; une vision qui hantait ses rêves et la plupart de ses moments de veille. De nouveau confrontée à son pire cauchemar et à ses souvenirs, elle fut prise d'un vertige. Elle dut se recroqueviller, la tête entre les genoux. Jessica avait des secrets et l'un d'entre eux venait de refaire surface. Elle pria Dieu que le véhicule soit vide ; il était plié en quatre, complètement cabossé, la plaque d'immatriculation avait disparu, et dans l'obscurité elle ne pouvait même pas voir s'il était bleu ou noir.

Elle fit le tour de la voiture en escaladant. La pluie glaciale continuait de tomber, elle fut trempée en un instant. Le sol était humide et boueux sous ses pieds, et elle trébucha bon nombre de fois. Son cœur battait si violemment sous sa poitrine que, perdue dans les souvenirs qu'elle était en train de revivre, elle ne sentit pas la douleur dans sa cheville. Elle ne sentit pas non plus les éraflures des branches et des feuilles sur son visage, ni les rochers cachés sous les ajoncs qui blessaient ses jambes.

Sur le siège le plus éloigné, elle vit une silhouette. Un corps en tout cas, et son cœur se serra. Elle orienta le faisceau de sa lampe dans cette direction. Il était recouvert de sang. La porte de la voiture était enfoncée et ne pouvait pas s'ouvrir, mais la vitre côté conducteur était brisée. Jessica pouvait au moins accéder à la moitié supérieure du corps de l'homme. Elle essaya de rester calme tout en redressant sa lampe torche.

— Tony, murmura-t-elle en observant la silhouette. Tony !

Des larmes se formèrent dans ses yeux.

— Tony...

Elle agrippa l'homme, passa ses mains sur son visage, le pressant pour qu'il se réveille.

— Tony, c'est moi, dit-elle. Je suis là.

L'homme grogna mais garda les yeux fermés.

— Je vais te sortir de là, souffla-t-elle dans son oreille. (Elle l'embrassa sur le front.) Je vais te ramener à la maison.

Les yeux du blessé s'ouvrirent lentement et ce fut pour elle comme un électrochoc. Des yeux bleus. Pas marron. Tony avait les yeux marron.

Il la regarda. Elle le regarda. Elle sortit de son cauchemar.

— Monsieur, reprit-elle, la voix mal assurée. (Elle inspira longuement.) Monsieur, vous m'entendez ? Je m'appelle Jessica, est-ce que vous m'entendez ? Les secours arrivent, d'accord ? Nous allons vous aider.

Il grogna de nouveau et ferma les yeux.

— Ils sont en chemin, haleta Raphie, au-dessus d'elle.

Il descendait peu à peu.

— Raphie, c'est très dangereux ici. Ça glisse beaucoup trop, restez là-haut pour que les secours vous voient.

— Y a-t-il des survivants ? demanda-t-il en ignorant sa remarque.

Il continuait de descendre lentement, un pied après l'autre.

— Oui, répondit-elle. Monsieur, donnez-moi la main.

Elle éclaira sa main avec la lampe et ce qu'elle vit lui retourna l'estomac. Elle s'accorda un instant pour reprendre ses esprits et elle releva la lampe torche.

— Monsieur, prenez ma main. Je suis là. Vous pouvez me toucher ?

Elle l'agrippa de toutes ses forces.

— Restez avec moi, maintenant. On va vous sortir de là.

Il grognait toujours.

Quoi ? Je ne peux pas... euh... ne vous inquiétez pas, monsieur, une ambulance arrive.

— Qui est-ce ? demanda Raphie. Vous le connaissez ?

— Non, répondit-elle simplement.

Elle ne voulait pas détourner son attention de cet homme. Elle ne voulait pas le perdre.

— Ma femme, murmura-t-il, si faiblement qu'on aurait pu prendre ça pour un souffle.

Elle se pencha vers ses lèvres. Elle était si près que la mélasse formée par le sang coagulé touchait le lobe de son oreille.

— Vous avez une femme ? demanda-t-elle gentiment. Vous allez bientôt la revoir. Je vous promets que vous allez bientôt la revoir. Comment vous appelez-vous ?

— Lou, dit-il.

Il se mit à pleurer doucement mais cela exigeait un tel effort de sa part qu'il dut s'arrêter.

— S'il vous plaît, Lou, accrochez-vous.

Elle luttait pour ne pas fondre en larmes. Elle approcha de nouveau son oreille de ses lèvres en voyant qu'il essayait de parler.

— Un cachet ? Lou, je n'ai pas de…

Il lâcha sa main tout à coup et se mit à tirer sur son manteau, frappant son torse de sa main sans vie, et ce geste lui paraissait aussi impossible à réaliser que de soulever une voiture. Il s'acharna, grogna, gémit de douleur. Jessica avança sa main dans la poche poitrine pleine de sang du manteau de Lou et en sortit un flacon. Il restait un seul cachet à l'intérieur.

— Ce sont vos médicaments, Lou ? demanda-t-elle avec hésitation. Vous voulez… ?

Elle se tourna vers Raphie qui essayait de se frayer un passage au milieu de ce terrain difficile.

— Je ne sais pas si je suis censée vous donner vos…

Lou attrapa sa main et la serra si fort qu'elle ouvrit immédiatement le flacon. La main tremblante, elle fit descendre le comprimé dans sa paume. De ses doigts mal assurés, elle lui ouvrit la bouche, posa le comprimé sur sa langue et lui referma la bouche. Elle regarda rapidement autour d'elle pour voir si Raphie l'avait vue. Il était encore à mi-pente.

Quand elle se tourna vers Lou, il la dévisageait, les yeux écarquillés. Il la regardait avec tellement d'amour, de reconnaissance absolue pour ce simple geste, que son cœur en fut baigné d'espoir. Puis il se mit à tousser. Son corps tressaillit. Il ferma les yeux et quitta ce monde.

28

En souvenir du bon vieux temps

Au moment précis où Lou Suffern quittait un monde pour un autre, il se tenait dans le jardin de sa maison de Howth, trempé jusqu'aux os. Il tremblait comme une feuille après l'expérience qu'il venait de vivre. Il n'avait pas beaucoup de temps mais il n'y avait pas d'autre endroit sur terre où il aurait voulu être.

Il passa la porte d'entrée. Ses chaussures grinçaient sur le carrelage. Le feu dans la cheminée du salon crépitait. L'espace sous le sapin était inondé de cadeaux entourés de jolis rubans. Lucy et Pud étaient pour le moment les seuls enfants de la famille ; la tradition voulait que ses parents, Quentin, Alexandra et, cette année, Marcia, tout juste séparée de son mari, dorment à la maison. Leur joie en voyant celle de Lucy le matin de Noël était tellement immense que Lou n'avait pas le cœur de leur refuser ce plaisir. Ce soir, il ne pouvait pas s'imaginer être loin d'eux ; cette idée le remplissait de bonheur. Il entra dans la salle à manger, espérant qu'ils le verraient, espérant que le cadeau de Gabe produise un dernier miracle.

— Lou.

Ruth, assise à la table, leva les yeux et le vit en premier. Elle bondit de sa chaise et se précipita vers lui.

— Lou, mon chéri, ça va ? Il t'est arrivé quelque chose ?

Sa mère se dépêcha de lui trouver une serviette de toilette.

— Je vais bien, renifla-t-il.

Il posa ses mains sur les joues de Ruth et la regarda longuement.

— Je vais bien, maintenant. Je t'ai appelée, murmura-t-il. Tu ne m'as pas répondu.

— Pud avait encore caché le téléphone, répondit-elle en l'examinant de près, inquiète. Est-ce que tu as bu ? chuchota-t-elle.

— Non, s'exclama-t-il en souriant. Je suis amoureux, murmura-t-il à son tour.

Puis il éleva la voix pour que tout le monde puisse l'entendre.

— Je suis amoureux de ma superbe femme, répéta-t-il.

Il l'embrassa vigoureusement sur les lèvres, huma l'odeur de ses cheveux, embrassa son cou, son visage, se souciant peu d'être observé.

— Je suis désolé, chuchota-t-il.

Ses larmes étaient si lourdes qu'il avait du mal à faire sortir les mots de sa bouche.

— Désolé pour quoi ? Que s'est-il passé ?

— Je suis désolé pour tout ce que je t'ai fait. Pour m'être comporté comme je me suis comporté. Je t'aime. Je n'ai jamais voulu te faire de mal.

Les yeux de Ruth s'embuèrent.

— Oh, je le sais, ça, mon chéri. Tu me l'as déjà dit. Je sais.

— Je viens de me rendre compte que, sans toi, je suis en déroute, dit-il en souriant.

Revenue dans la pièce avec une serviette, la mère de Lou, sur le point de pleurer, se mit à rire et à applaudir. Puis elle prit la main de son mari assis à la table.

— À vous aussi, annonça-t-il en se détachant de Ruth mais sans lui lâcher la main. À vous aussi, je demande pardon.

— On le sait, Lou, répondit Quentin, un sourire ému sur le visage. Tout ça, c'est de l'histoire ancienne, d'accord ? Arrête de t'inquiéter et viens dîner avec nous, OK ?

Lou regarda ses parents, qui sourirent et hochèrent la tête. Son père avait les larmes aux yeux et lui fit comprendre par d'énergiques signes de tête que tout allait bien. Sa sœur Marcia clignait laborieusement des yeux pour se retenir de pleurer, et tripotait les couverts en argent sur la table.

Ils le séchèrent, l'entourèrent, l'embrassèrent, le nourrirent, mais il n'avait pas très faim. Il leur dit chacun son tour à quel point il les aimait, encore et encore, jusqu'à ce qu'ils se mettent à rire et lui disent d'arrêter. Il monta à l'étage pour se changer et faire plaisir à sa mère qui craignait qu'il n'attrape une pneumonie. Alors qu'il était en haut, il entendit Pud pleurer. Il se précipita hors de sa chambre et alla voir son fils.

La pièce était plongée dans l'obscurité. Seule la veilleuse brillait. Il pouvait voir Pud, alerte, debout contre les barreaux du lit, comme un prisonnier éveillé capturé par l'armée du sommeil. Lou alluma la lumière et entra. Pud le regarda méchamment.

— Salut, mon bonhomme, dit Lou tendrement. Pourquoi tu ne dors pas ?

Pud gémit doucement.

— Allez, viens là.

Lou se pencha au-dessus des barreaux et l'attrapa. Il le prit dans ses bras pour tenter de le calmer. Pour la première fois, Pud ne se mit pas à hurler à la mort au contact de son père. Non, il sourit, posa son index sur la paupière de Lou, sur son nez, puis sur sa bouche où il chercha à lui enlever les dents.

Lou éclata de rire.

— Hé, tu ne peux pas me les prendre. Mais bientôt tu auras les tiennes, dit-il en embrassant son fils sur la joue. Quand tu seras un grand garçon, tu verras, il t'arrivera toutes sortes de choses.

Il regarda son fils et il fut submergé de tristesse. Il ne serait pas là pour voir tout ça.

— Tu t'occuperas de maman pour moi, hein ? chuchota-t-il, la voix tremblante.

Pud rit, excité tout à coup. Il fit des bulles avec sa bouche.

Les larmes de Lou séchèrent rapidement quand il entendit le rire de Pud. Il le souleva, posa son ventre sur sa tête et lui fit toute une série de papouilles. Pud riait tellement que Lou ne put s'empêcher de rire à son tour.

Du coin de l'œil, il vit que Lucy était à la porte et les regardait.

— Eh bien, Pud, dit-il à voix haute. Et si toi et moi on allait dans la chambre de Lucy et si on sautait sur son lit pour la réveiller ? Qu'en dis-tu ?

— Non, papa ! s'écria Lucy en explosant de rire. Je suis réveillée !

— Ah, tu es réveillée aussi ! C'est vous les deux petits elfes qui ont aidé le Père Noël ?

— Non, répondit Lucy en riant.

Pud rit aussi.

— Alors, il faut que vous retourniez vite au lit. Le Père Noël ne viendra pas à la maison si vous ne dormez pas.

— Et s'il te voit ? demanda-t-elle.

— Il laissera des cadeaux en plus, expliqua-t-il en souriant.

Elle fronça le nez.

— Pud sent pas bon. Je vais chercher maman.

— Non, je peux le faire.

Il regarda Pud qui se tourna vers lui et sourit.

Lucy dévisagea son père avec étonnement. Était-il devenu fou ?

— Ne me regarde pas comme ça, implora-t-il en riant. Ça doit pas être si compliqué. Allez, petit bon-homme, je vais avoir besoin de ton aide.

Il sourit nerveusement à Pud qui ouvrit la main et donna une tendre petite gifle à son père. Lucy hurla de rire.

Lou allongea Pud par terre pour qu'il ne se tortille pas dans tous les sens comme il le faisait sur la table à langer posée sur la commode que Ruth utilisait.

— Maman le met là-haut.

— Eh bien, papa, il le met par terre, répondit-il tout en essayant de comprendre comment on défaisait ce pyjama.

— Les boutons sont en dessous, expliqua Lucy en s'asseyant à côté de lui.

— Ah, merci.

Il défit les boutons et enroula le pyjama sur le ventre de Pud. Il ouvrit le body et retira la couche sale. Il déplia la nouvelle couche et l'ouvrit lentement. Il la fit tourner dans ses mains, ne sachant pas trop comment procéder.

— Oh, berk !

Lucy plongea en arrière, pinçant son nez entre le pouce et l'index.

— Porcinet va sur le devant, expliqua-t-elle, le nez toujours bouché.

Lou manœuvrait rapidement pour que la situation ne lui échappe pas. Pendant ce temps, Lucy se roulait par terre et s'éventait le visage avec la main de manière un peu exagérée. Perdant patience, Pud se mit à donner des coups de pied, repoussant Lou, puis il se mit à genoux, exposant ses fesses à son père qui rampa à côté de lui, une lingette dans la main. On aurait dit qu'il attaquait son fils avec un plumeau. Il n'arrivait qu'à effleurer les fesses de Pud, ce qui n'arrangeait en rien la situation. Il fallait qu'il soit plus réactif. Retenant sa respiration, il se lança. Pud s'était momentanément immobilisé car il avait trouvé une balle avec laquelle s'amuser. Lucy jouait à l'assistante et faisait passer les différents éléments à Lou.

— Il faut que tu mettes la crème ensuite.

— Merci. Tu veilleras toujours sur Pud, d'accord, Lucy ?

Elle hocha la tête, solennelle.

— Et tu veilleras sur maman ?

— Oui ! s'écria-t-elle en brandissant son poing vers le ciel.

— Et Pud et maman veilleront sur toi, dit-il enfin.

Il attrapa les jambes potelées de Pud et le tira de sous le lit. Pud hurlait comme un cochon qu'on égorge.

— Et on veillera tous sur papa ! hurla-t-elle avec l'énergie d'une pom-pom girl.

— Ne t'inquiète pas pour papa, dit-il doucement, cherchant toujours à comprendre comment mettre la nouvelle couche.

Puis il eut une révélation et mit soudain en place cette couche en un tour de main avant de refermer les pressions du body de Pud.

— Ce soir, on va le laisser dormir sans son pyjama.

Il essayait de paraître sûr de lui.

— Maman éteint la lumière pour qu'il s'endorme, murmura Lucy.

— Ah, OK, faisons comme ça, murmura-t-il à son tour.

Il éteignit la lumière. La veilleuse Winnie l'ourson éclaira le plafond.

Pud babilla et bredouilla quelques paroles incompréhensibles en regardant les silhouettes formées par la veilleuse tourner au-dessus de lui.

Lou se blottit dans un coin. Dans le noir, il tira Lucy vers lui. Il s'assit sur la moquette et serra sa petite fille de toutes ses forces pendant que l'ourson pas très futé courait après un pot de miel sur le plafond. C'était le moment de lui parler.

— Tu sais que où que je sois, quelles que soient les choses qui se passent dans ta vie, que tu sois triste, heureuse, seule ou perdue, je serai toujours là pour toi. Même si tu ne me vois pas, il faut que tu saches que je serai toujours là (il posa sa main sur la tête de sa fille) et là (il posa sa main sur son cœur). Et je serai toujours en train de te regarder, et je serai toujours fier de toi et de tout ce que tu fais. Et s'il t'arrive de te poser des questions sur les sentiments que j'ai pour toi, souviens-toi que je t'aime, ma chérie. Papa t'aimera toujours, d'accord ?

— D'accord, papa, murmura-t-elle tristement. Et quand je ne suis pas sage ? Est-ce que tu m'aimeras quand je ne suis pas sage ?

— Quand tu n'es pas sage, poursuivit-il, cherchant la bonne réponse, souviens-toi que papa est quelque part et qu'il espère que tu feras toujours de ton mieux.

— Mais toi, tu seras où ?

— Si je ne suis pas là, je serai ailleurs.

— Où ça ?

— C'est un secret, chuchota-t-il, luttant pour retenir ses larmes.

— Un ailleurs secret ? chuchota-t-elle à son tour, son souffle chaud sur son visage.

— Oui.

Il la serra de toutes ses forces, et essaya de ne pas faire de bruit alors que de grosses larmes roulaient sur ses joues.

En bas, dans la salle à manger, tous pleuraient aussi. Ils avaient écouté la conversation qui se déroulait dans la chambre de Pud grâce au moniteur bébé. Pour les Suffern, ces larmes étaient des larmes de joie parce qu'un fils, un frère et un mari leur étaient enfin revenus.

Cette nuit-là, Lou Suffern fit l'amour à sa femme. Ensuite, il la serra dans ses bras, caressant ses cheveux soyeux jusqu'à ce qu'il s'éloigne et parte à la dérive. Mais là encore il continua de caresser les contours de son visage du bout de ses doigts : son petit nez retroussé, ses pommettes saillantes, le bout de son menton, la ligne de sa mâchoire et jusqu'à la racine de ses cheveux, comme s'il avait été un aveugle qui la voyait pour la première fois.

— Je t'aimerai toujours, murmura-t-il.

Et elle sourit, déjà en route pour son pays des rêves.

Quand son monde merveilleux se brisa en mille morceaux, c'était le milieu de la nuit. Ruth fut réveillée par la sonnerie du portail. Encore endormie, elle mit sa robe de chambre et accueillit Raphie et Jessica dans sa maison. Quentin et le père de Lou l'accompagnèrent, désireux de protéger la maison contre ces envahisseurs nocturnes. Mais ils ne pouvaient pas protéger Ruth de ce qui allait suivre.

— Bonjour, déclara Raphie, sombre, alors qu'ils se rassemblaient tous dans le salon. Je suis désolé de vous déranger à une heure pareille.

Ruth examina la jeune policière à ses côtés. Ses yeux noirs paraissaient froids et tristes. Elle avait des herbes et de la boue séchée sur ses bottes et sur le bas de son pantalon bleu foncé. Son visage était couvert d'égratignures et de coupures. Elle avait une plaie à l'arrière de la tête qu'elle essayait de cacher.

— Qu'y a-t-il ? murmura Ruth, sa voix s'étranglant dans sa gorge. Dites-moi, s'il vous plaît.

— Madame Suffern, je pense que vous devriez vous asseoir, proposa Raphie gentiment.

— On devrait aller chercher Lou, chuchota-t-elle à Quentin. Il n'était pas dans le lit quand je me suis réveillée, il doit être dans son bureau.

— Ruth, reprit la jeune policière.

Sa voix était si douce que le cœur de Ruth sombra davantage. Son corps entier se ramollit et elle laissa Quentin la prendre dans ses bras et l'asseoir sur le canapé à côté de lui et du père de Lou. Ils se donnèrent les mains, serrant fort, reliés les uns aux autres comme les maillons d'une chaîne. Et ils écoutèrent Raphie et Jessica leur expliquer à quel point leur vie venait de changer, au-delà de toute compréhension, et leur annoncer qu'un fils, un frère et un mari les avaient quittés aussi soudainement qu'il était revenu.

308

Tandis que le Père Noël distribuait des cadeaux dans toutes les maisons à travers le pays ; tandis que derrière les fenêtres des lumières s'éteignaient pour la nuit ; tandis que des couronnes sur les portes devenaient des doigts posés sur des lèvres, que des volets se fermaient et que les paupières des maisons endormies tombaient, des heures avant qu'une dinde ne traverse la fenêtre d'une autre maison, dans un autre quartier, alors que Ruth Suffern avait encore à apprendre qu'en perdant un mari elle avait gagné un enfant, toute la famille, ensemble, prit conscience – au cours de la nuit la plus magique de l'année – du cadeau extraordinaire que Lou leur avait offert dans ces premières heures du matin de Noël.

29

Le garçon à la dinde – 5

Raphie observa la réaction du garçon à la dinde alors qu'il finissait de raconter l'histoire. Il resta silencieux pendant un instant.

— Comment savez-vous tout ça ?

— On recolle les morceaux petit à petit. On parle avec sa famille, ses collègues.

— Vous avez parlé à Gabe ?

— Brièvement, tout à l'heure. On attend qu'il vienne au commissariat.

— Et vous êtes allés chez Lou ce matin ?

— Oui.

— Et il n'était pas là.

— Nulle part. Mais les draps étaient encore chauds.

— Vous n'auriez pas tout inventé ?

— Absolument pas.

— Vous pensez vraiment que je vais vous croire ?

— Non, je ne pense pas.

— Alors, ça a servi à quoi ?

— Les gens racontent des histoires et c'est à ceux qui écoutent de les croire ou pas. Ce n'est pas le rôle de celui qui raconte.

— Mais celui qui raconte ne devrait-il pas y croire ?

— Celui qui raconte devrait raconter, répondit-il en clignant de l'œil.

— Vous y croyez, vous ?

Raphie regarda autour de lui pour vérifier que personne n'était entré dans la pièce sans qu'il s'en rende compte. Il haussa les épaules, gêné, secouant la tête en même temps.

— Ce qui sert de leçon à l'un peut être l'histoire de l'autre mais, souvent, l'histoire de l'un sert de leçon à l'autre.

— Ça veut dire quoi, ça ?

Raphie prit une gorgée de son café et évita la question.

— Vous avez dit qu'il y avait une leçon à tirer de tout ça. Laquelle ?

— Ce n'est pas à moi de te le dire, jeune homme, déclara Raphie en levant les yeux au ciel.

— Oh, allez !

— Qu'il faut aimer nos proches, expliqua Raphie, embarrassé au début. Qu'il faut reconnaître et apprécier ceux qui donnent un sens à notre vie. Qu'il faut se concentrer sur ce qui est important.

Il se racla la gorge et détourna le visage. Prêcher le mettait mal à l'aise.

Le garçon leva les yeux au ciel et fit semblant de bâiller.

Raphie chassa son embarras, bien décidé à essayer encore une fois de faire comprendre quelque chose à cet adolescent. Il aurait dû être chez lui, à se resservir de la dinde de Noël, et pas avec ce garçon énervant.

Il se pencha en avant.

— Gabe a offert un cadeau à Lou, fiston, un cadeau très précieux. Je ne vais pas essayer de te faire deviner ce qu'était ce cadeau, je vais te le dire. Et tu as intérêt à écouter, parce que sitôt après te l'avoir dit, je m'en vais et je te laisse seul à réfléchir à ce que tu as fait. Et si tu ne m'écoutes pas, tu resteras en colère et tu seras en colère toute ta vie.

— OK, dit l'adolescent, sur la défensive.

Il se redressa sur sa chaise, comme si le directeur du collège venait de lui en donner l'ordre.

— Gabe a offert à Lou du temps en plus, fiston.

Le garçon fronça le nez.

— Oh, je sais, tu as quatorze ans et tu crois que tu as tout le temps devant toi, mais ce n'est pas le cas. Pour personne. On le dépense avec la même force, la même inconséquence que lors des soldes de janvier. Dans à peine une semaine, les gens inonderont les rues, ils envahiront les magasins, le portefeuille grand ouvert, et ils jetteront leur argent par les fenêtres.

Raphie semblait vouloir rentrer dans la carapace qu'il portait sur le dos. Ses yeux disparaissaient sous ses sourcils gris et broussailleux.

Le garçon se pencha en avant et le regarda avec mépris, amusé par l'émotion soudaine qui avait saisi Raphie.

— Mais on peut toujours gagner plus d'argent, alors qu'est-ce que ça peut faire ?

Raphie sortit de son rêve éveillé et regarda l'adolescent comme s'il le voyait pour la première fois.

— Ça rend le temps encore plus précieux, non ? Plus précieux que l'argent, plus précieux que quoi que ce soit d'autre. On ne peut jamais gagner plus de temps. Une heure passe, une semaine, un mois, une année, et tu ne pourras jamais les récupérer. Lou Suffern n'avait plus beaucoup de temps mais Gabe lui en a donné davantage, pour qu'il remette de l'ordre dans ses affaires, pour qu'il puisse partir en ayant tout arrangé. C'est ça, le cadeau que Gabe a offert à Lou.

Le cœur de Raphie battait violemment sous sa poitrine. Il vit sa tasse de café et la repoussa, victime d'une nouvelle crampe au cœur.

— Donc, on devrait arranger les choses avant...

Il s'essouffla et attendit que la crampe passe.

— Vous croyez que c'est trop tard pour, vous savez... ? demanda le garçon tout en jouant avec la cordelette de son sweat. Pour arranger les choses avec mon, vous savez...

Il paraissait mal à l'aise.

— Avec ton père ?

Le garçon haussa les épaules et regarda au loin, ne voulant pas l'admettre.

— Il n'est jamais trop tard…

Raphie s'interrompit brutalement, et hocha la tête comme pour lui-même, comme s'il venait d'avoir une révélation. Puis il hocha la tête de nouveau avec un air d'acceptation. Il repoussa sa chaise, faisant grincer les pieds sur le sol, et se leva.

— Eh, attendez, vous allez où ?

— Arranger les choses, jeune homme. Arranger certaines choses. Et je te conseille de faire pareil quand ta mère sera là.

Les yeux bleus de l'adolescent le fixèrent un instant. Il y avait encore de l'innocence quelque part en lui, même si elle était enfouie sous des couches de colère et de solitude.

Raphie s'engagea dans le couloir et défit sa cravate. Il entendit quelqu'un appeler son nom mais il ne s'arrêta pas. Il traversa la salle réservée aux policiers et pénétra dans le hall d'accueil du commissariat, vide en ce jour de Noël.

— Raphie, appela Jessica qui courait derrière lui.

— Oui, dit-il en se tournant enfin, légèrement essoufflé.

— Tout va bien ? On dirait que vous avez vu un fantôme. C'est votre cœur ? Vous allez bien ?

— Oui, ça va, l'assura-t-il en secouant la tête. Tout va bien. Que se passe-t-il ?

Jessica plissa les yeux et l'examina, sachant qu'il mentait.

— C'est cet adolescent qui vous embête ?

— Non, aucun souci, il est doux comme un agneau. Tout va bien.

— Alors vous allez où ?

— Euh…

Il regarda la porte, essayant de trouver un autre mensonge, une énième contre-vérité à raconter à quelqu'un pour la dixième année consécutive. Mais il soupira – un long soupir, qu'il avait retenu depuis tant d'années – et il laissa tomber. La vérité lui parut tout à coup étrange mais agréable à dire.

— Je veux rentrer chez moi, déclara-t-il tout à coup, paraissant soudain très âgé. Je veux qu'aujourd'hui se termine pour que je puisse rejoindre ma femme. Et ma fille.

— Vous avez une fille ? demanda-t-elle, surprise.

— Oui, répondit-il. (Un simple oui plein d'émotion.) J'en ai une. Elle vit là-haut, sur les hauteurs de Howth. C'est pour ça que je patrouille par là-bas tous les soirs. Je la surveille. Même si elle ne le sait pas.

Ils se regardèrent dans les yeux pendant un moment. Ils savaient que quelque chose d'étrange les avait submergés ce matin, quelque chose d'étrange qui les avait changés à tout jamais.

— J'avais un mari, avoua-t-elle enfin. Accident de voiture. J'étais là. Je lui tenais la main. Comme cette nuit.

Elle avala sa salive et baissa la voix.

— Je me suis toujours dit que j'aurais fait n'importe quoi pour qu'il vive quelques heures de plus.

Voilà, elle l'avait dit.

— J'ai donné un comprimé à Lou, Raphie, affirma-t-elle, le regardant droit dans les yeux. Je sais que je n'aurais pas dû mais je lui ai donné un comprimé. Je ne sais pas si toute cette histoire de cachets est vraie ou pas – on n'arrive pas à retrouver Gabe –, mais si j'ai permis à Lou de passer quelques heures de plus avec sa famille, eh bien j'en suis ravie, et je le referais s'il le fallait.

Raphie hocha la tête, tout simplement, accueillant sa double confession. Il le mettrait dans leur rapport mais il n'avait pas besoin de le lui dire ; elle le savait.

Ils se regardaient sans se voir à présent. Ils étaient ailleurs ; ils pensaient au temps qui passe, à ce temps perdu qui ne reviendrait jamais.

— Où est mon fils ?

Une femme à la voix angoissée brisa leur silence. Elle avait ouvert la porte et un rayon de lumière avait envahi le sombre commissariat. Le froid de dehors se fraya un chemin. Des flocons piégés dans les cheveux et les vêtements de la femme tombaient par terre alors qu'elle tapait des pieds pour se réchauffer.

— Ce n'est qu'un enfant, balbutia-t-elle. Un enfant de quatorze ans.

Sa voix vacillait.

— Je l'ai envoyé chercher de la poudre pour faire la sauce. Et la dinde a disparu.

Elle semblait délirer.

— Je vais m'en occuper, dit Jessica en s'adressant à Raphie. Rentrez chez vous.

Et c'est ce qu'il fit.

Quelque chose de très important peut toucher un petit nombre de personnes. De même, quelque chose de peu important peut toucher une multitude de personnes. Quoi qu'il en soit, un événement – grand ou petit – peut toucher des gens qui sont liés. Les événements peuvent nous raccorder les uns aux autres. Nous sommes tous faits de la même matière. Quand un événement survient, cela déclenche quelque chose en nous qui nous rappelle une situation, qui nous relie à d'autres gens, qui nous illumine et nous enchaîne, comme les lumières d'une guirlande de Noël, qui s'emmêle et s'enroule mais reste attachée à un fil. Certaines s'éteignent, d'autres clignotent, d'autres encore brillent comme des soleils, et pourtant nous sommes tous sur le même fil.

J'ai dit au début que c'était l'histoire de quelqu'un qui découvre qui il est. D'une personne qui se laisse déballer et dont le cœur est révélé à tous ceux qui comptent. Et que tout ce qui est important lui est révélé. Vous pensiez que je parlais de Lou Suffern, non ? Pas du tout. Je parlais de nous tous.

Une histoire possède un dénominateur commun qui nous rassemble tous, comme une chaîne. Au bout de la chaîne pend une horloge et, sur le cadran de l'horloge, le temps qui passe s'enregistre. Nous l'entendons, le tic-tac étouffé qui brise le silence, et on le voit, mais souvent on ne le sent pas. Chaque seconde imprime sa marque sur la vie de chacun ; va et vient, disparaît calmement, sans bruit, s'évapore dans les airs comme la vapeur qui s'échappe d'un gâteau de Noël brûlant. Avoir suffisamment de temps nous réchauffe ; quand notre temps imparti est fini, on devient froid. Le temps est plus précieux que l'or, plus précieux que les diamants, plus précieux que le pétrole ou n'importe quel trésor. On n'a pas assez de temps ; c'est cette absence de temps qui provoque les combats dans nos cœurs, et il nous faut donc le dépenser sagement. On ne peut pas mettre le temps dans un paquet, faire un joli nœud et le laisser sous le sapin en attendant le matin de Noël.

On ne peut pas offrir du temps. Mais on peut le partager.

Remerciements

Tout mon amour aux membres de ma famille pour leur amitié, leur soutien et leur affection ; Mim, Papa, Georgina, Nicky, Rocco et Jay, David, merci.

Un immense merci à tous mes amis pour la joie qu'ils m'apportent ; à Yo Yo et Leoni pour les Rantaramas.

Merci à Ahoy McCoy d'avoir partagé ses connaissances nautiques.

Merci aux membres de l'équipe de HarperCollins pour leur soutien et leur foi, que je trouve infiniment encourageants et motivants ; merci à Amanda Ridout et à mes éditeurs Lynne Drew et Claire Bord.

Merci à Fiona McIntosh et Moira Reilly.

Merci à Marianne Gunn O' Connor d'être Elle-même.

Merci à Pat Lynch et Vicki Satlow.

Merci à vous tous qui lisez mes livres, je vous suis éternellement reconnaissante de votre soutien.

Composition
NORD COMPO

Achevé d'imprimer en Slovaquie
par NOVOPRINT SLK
le 10 novembre 2015.

1er dépôt légal dans la collection : septembre 2010.

ÉDITIONS J'AI LU
87, quai Panhard-et-Levassor, 75013 Paris

Diffusion France et étranger : Flammarion